POLEN

• Posen
  Poznań

• Breslau
  Wrocław

• Waldenburg
  Wałbrzych

IEN

• Brünn
  Brno

ien ■

• rburg
   ribor

JN234422

4000 Wörter DEUTSCH
zum praktischen Gebrauch

例文活用 **ドイツ重要単語 4000**
改訂新版

羽鳥重雄・平塚久裕
共編

白 水 社

まえがき

――本書の特色について――

　私たちは新たにこの単語集を編むにあたって，これが従来の単語集に対して屋上に屋を重ねる結果にならないこと，何よりもドイツ語学習者のために単語の習得を容易にするものであること，さらに本書が多面的な用途にかない，とりわけ会話辞典としても利用できるような実用性をそなえたものであることの 3 点を特に心がけました．

　それらの目標を達成するために，本書では次のような従来見られなかった新しい方式がとられています．

1) 全編を大きく 2 部に分け，その各部において異なる単語の配列法をとったこと．
2) 採録された単語をその重要度に従って色分けし，本書の全体にわたって 2 色刷りを用いたこと．
3) それぞれの単語に，原則として簡明な例文を付し，その単語が文の中で具体的にどのような形で用いられるかを示したこと．

以上がこの単語集に盛られた大きな特色ですが，さらに各部について詳説すれば：

　第 1 部　ここでは厳選された**基礎単語 2,030 語**を辞書と同じようにアルファベット順に配列し，そのうち**特に重要な基本単語 750** は赤で印刷してあります．

　各単語には，原則として意味用法の異なるに応じて，それぞれ例文を付してありますが，その選択にあたっては，日常もっとも使用頻度の高い文型を主として，ごく簡単な記憶しやすいもののみを採ることに努めました．したがって，ことわざ・格言のたぐいはいっさい除いてあります．また例文に用いられる単語は，すべて《第 1 部》に採録されたものに限りました．

　第 2 部　ここでは《第 1 部》と行き方を異にし，**全体を 45 項目に分け**，各項目ごとに必要な単語を品詞別にまとめて配列しました．語数は約 3,000 ですが，基本的な重要語は《第 1 部》との重複をいとわずに採りましたから，実際に《第 2 部》初出の語は 2,000，《第 1 部》

まえがき

と重複する単語は赤で印刷してあります．

　重要な項目には，末尾に一括して例文を付してありますが，それに用いられる単語は《第1部》《第2部》に載せたものに限りました．

　また各項目のもとで，それぞれの状況や場面に即して，一貫した筋のある会話体の例文が多く採られているのも，それらが実際の会話に応用できるようにとの趣旨によるものです．

　付録として〈da[r], wo[r]＋前置詞〉，〈前置詞＋einander〉，〈sehen, schauen, blicken〉を《第1部》の終わりに，また『不規則動詞変化表』を巻末に付けておきました．

　本書の成立にあたっては，白水社編集部の佐藤文彦氏の卓抜な着想と，編者に寄せられた激励とを忘れることができません．ここに記して厚く感謝の意を表します．

　1968年　初春　　　　　　　　　　　　　　　　　　　編　者

改訂版を出すにあたって

　本単語集は初版以来すでに30余年の歳月を経ました．その間に社会状況や生活様式が激変しましたが，ことにドイツについて言えば，東西に分裂していた国家が統一され，そしてヨーロッパ共通の通貨ユーロが導入されたことが最も大きな変化と言えます．

　しかし言語の面で何よりも大きいのは正書法の改革です．1998年に新しい正書法が制定され，それにともなって従来用いられてきた正書法は2005年8月以後は廃止されることになりました．

　そのため今回この新正書法に従って書きなおし，同時に新通貨や，また技術革新その他がもたらした日常語の変化に対応するため，語彙や訳語の若干の変更も加えた改訂版を出すことになりました．

　こうした作業は，白水社編集部の稲井洋介氏を煩わせて初めて可能になりました．深い感謝をこめてここに書き記しておきます．

　2003年　初春　　　　　　　　　　　　　　　　　　　編　者

目　　次

凡　例 vii

第 1 部　基本単語 1
　付録 1: **da[r], wo[r]**＋前置詞 139
　付録 2: 前置詞＋**einander** 140
　付録 3: **sehen, schauen, blicken** 141

第 2 部　項目別基本単語 143
人体　Der menschliche Körper 145
家族　Familie 146
服装　Kleidung 147
化粧　Toilette 148
住居と家具　Wohnung und Möbel 149
照明と暖房　Beleuchtung und Heizung 150
病気　Krankheiten 151
レストランとホテル　Restaurant und Hotel . . . 153
商店　Kaufläden 156
郵便と電話　Post und Telefon 157
劇場　Theater 159
ラジオとテレビ　Radio und Fernsehen 160
写真と映画　Photographie und Kino 161
スポーツと娯楽　Sporte und Vergnügungen . . . 161
学校　Schule 163
ハイキング　Ausflug 165
自動車　Auto 166
鉄道　Eisenbahn 167
船と航海　Schiff und Schiffahrt 168
飛行機　Flugzeug 170
国境と税関　Landesgrenze und Zollamt 170
都市　Stadt 171
村と農耕　Dorf und Feldarbeit 172
職業　Berufsarten 174
事故と災害　Unfälle und Katastrophen 174
地理と風景　Geographie und Landschaften . . . 175

| 目次 | vi |

動物　Tiere 176
　家畜　Haustiere 176
　野獣　Wilde Tiere 177
　鳥　Vögel 177
　昆虫　Insekten 177
　魚　Fische 177
　その他の動物　Andere Tiere 178
庭園　Garten 178
　果樹, 野菜, 花　Obstbäume, Gemüse und Blumen
野の花と野生の植物　Feldblumen und wilde Pflanzen ... 179
鉱物　Mineralien 180
数と尺度　Zahlen und Maßstäbe 181
時間　Zeit 182
週, 月, 季節　Wochentage, Monate, Jahreszeiten 183
時を示す状況語　Die Adverbialen der Temporalangabe ... 183
天候　Wetter 184
天と星　Himmel und Gestirne 185
音, 光, 色　Laut, Licht, Farbe 186
本と芸術　Bücher und Künste 187
　本　Bücher 187
　文学　Literatur 187
　造形美術　Bildende Künste 188
　音楽　Musik 189
歴史　Geschichte 190
宗教　Religion 190
政治と国際関係　Politik und internationale Beziehungen ... 191
経済　Wirtschaft 193
軍隊と戦争　Armee und Krieg 194
徳　Tugenden 195
欠点と悪徳　Fehler und Laster 196

付録：不規則変化動詞表 199

凡　　例

A. 見出語について
1) 見出語は太い立体活字で示す．
2) 赤い色刷りは，*a*) 第1部では重要単語(総数750語)を，*b*) 第2部では第1部と重複する単語をあらわす．
3) 右肩の数字は，つづりが同じでも別の単語であることを示す．
    例: *der* **See**[1] と *die* **See**[2]
4) [ ] は，その部分が省略される場合もあることを示す．
    例: **trüb[e]** は **trübe** または **trüb**
    　　[Auto]fahrt は **Autofahrt** または単に **Fahrt**
5) 第2部において，・は複合語の接合部をあらわす．
    例: **Luft·post**

B. 発音について
1) 第1部の見出語の発音
  a) [ ] 内の音標文字によって表示する．
  b) アクセントは，当該音節の前の ′ であらわす．
    例: [fɛrˈbɪndən]
  c) - は，前後の発音が連続しないことをあらわす．
    例: [fɛr-ˈaxtən]
  d) ( ) は，発音されない場合があることを示す．
    例: [ˈɔst(ən)] は [ˈɔstən] または [ɔst]
2) 第2部の見出語の発音
  a) 原則として文字による表示はしない．
  b) アクセントの位置は，見出語の中で当該音節の前の ′ によって示す．
    例: **Ge′sicht**
  c) 長母音は，見出語の中で母音の上の ˉ によって示す．
    例: **′Sonntāg**
  d) [iə] と発音される ie は，見出語で **ïe** と表記する．
    例: **Fa′milïe**
  e) しかし，とくに注意すべき発音については，第1部同様 [ ] 内

に音標文字で表示する.

C. 名詞について
1) 名詞の性は，前に添えてある定冠詞で示す．

    例： *der* **Vater**

    定冠詞が（ ）にはいっている場合は，名詞が通常無冠詞で用いられることをあらわす．

    例： (*das*) **Deutsch**

    定冠詞が [ ] にはいっている場合は，それがしばしば省略されることをあらわす．

    例： [*die*] **Weihnachten**

2) 格変化は，単数2格と複数1格のみを示す．

    例： **Baum** -[e]s/⸚e においては，単数2格は Baumes または Baums, 複数1格は Bäume

    Bahnhof -[e]s/..höfe のような場合，複数1格は Bahnhöfe

    女性名詞の単数2格のように，形が変化しないときでも，- によって示す．

    例： **Frau** -/-en

D. 冠詞・代名詞について
1) 見出語は，必要な場合には男性・女性・中性1格の形を並記する．

    例： **der, die, das**

2) solch のように，特殊な場合には〈-er, -e, -es〉と男性・女性・中性1格の語尾を別記することもある．

E. 形容詞・副詞について

不規則な比較変化をするもの，および比較級・最高級でウムラウトのつくものは，見出語の次にその形を示す．

    例： **gut** besser, best

    naß nässer(-a-), nässest(-a-)（括弧内は，ウムラウトのつかない場合もあることを示す．）

凡例

F. 動詞について

1) 見出語の右肩の * は, 強変化・混合変化などの不規則な変化をする動詞(巻末付録参照)を示す.

   例: **halten***

   右肩の ^(*) は, 場合によってはその動詞が弱変化もすることをあらわす.

   例: **wenden**^(*)

2) 完了の助動詞として sein をとる自動詞は 《s》 によって示す.

   例: **gehen** 自《s》

   sein と haben の両方をとる自動詞は, 《s, h》によって示す.

   例: **schwimmen** 自《s, h》

   haben のみをとる自動詞には, とくにそれを明示する記号をつけない.

   例: **ruhen** 自

3) 分離動詞は, 前つづりの次に | をつけて示す.

   例: **ab|reisen**

G. 記号

1) 品詞をあらわす記号

   - 冠: 定冠詞
   - 冠《不定》: 不定冠詞
   - 代: 人称代名詞
   - 代《所有》: 所有代名詞
     代《関係》, 代《疑問》, 代《不定》, 代《指示》, 代《再帰》など, すべて所有代名詞の場合に準ずる.
   - 形: 形容詞
   - 他: 他動詞
   - 自: 自動詞
   - 再 (sich³), 再 (sich⁴): 3格または4格の再帰代名詞をとる再帰動詞
   - 非: 非人称動詞
   - 助: 助動詞
   - 副: 副詞
   - 前《2格》: 2格支配の前置詞
     前《3格》, 前《4格》, 前《3・4格》など, すべてこれに準ずる.
   - 接《並》: 並列の接続詞
   - 接《副》: 副詞的接続詞
   - 接《従》: 従属の接続詞
   - 数: 数詞
   - 数《不定》: 不定数詞
   - 間: 間投詞

2) 変化に関する記号

   - [単]: 単数
   - 複: 複数, または複数名詞
   - 《形 変化》: 形容詞的変化
   - 《不変化》: つねに変化しない

3) 語の用法を示すための記号

  js: jemandes (jemand「ある人」の2格)
  jm: jemandem (jemand の3格)
  jn: jemanden (jemand の4格)
  et: etwas「ある物・事」

  et², et³, et⁴ などは，それぞれ「ある物・事」を意味する 2・3・4格

  例: **geben** 他 〈jm に et⁴ を〉与える

  とあるのは，「ある人にある物を与える」という場合，geben が人をあらわす3格の目的語と，物をあらわす4格の目的語とをとることを意味する．

4) 一般的な記号

  a) 単語の右肩の数字は，その語の格を示す．

  例: uns³

  b) 〈 〉は，主として種々の文法的説明を示す．

  c) ( ) は，さまざまな説明，および語または文章成分（ドイツ語と日本語との別なく）が置き換えられうることを示す．

  例: vor (nach) dem *Essen* 食前(後)に

  (vor dem Essen「食前に」または nach dem Essen「食後に」)

  d) [ ] は，省略の可能なことを示す．

  例: Sie ist *schön* [von Gestalt]. 彼女は[姿が]美しい．

  (Sie ist schön von Gestalt.「彼女は姿が美しい」，または単に Sie ist schön.「彼女は美しい」．)

  e) 例文中，イタリック字体は見出語の単語，またはその単語に関する熟語・慣用的表現であることを示す．

  例: (**Regel** の項において) *In der Regel* kommt er früher.

第 1 部

基本単語 2 030 語

(重要単語 750 語)

A

ab [ap] 副 離れて, 去って; 下へ
  Wir sind vom rechten Weg *ab*. 私たちは正しい道を見失った.
  Er ging im Garten *auf und ab*. 彼は庭の中をあちこち歩き回った.
der **Abend** [ˈaːbənt] -s/-e 夕方, 晩
  Es ist (wird) *Abend*. 夕方である(日が暮れる).
  Guten *Abend*! こんばんは!
  Wir *essen* um 6 Uhr *zu Abend*. 私たちは6時に夕食を食べる.
  heute (gestern) *Abend*. 今(昨)晩
das **Abendessen** [ˈaːbənt-ɛsən] -s/- 夕食
abends [ˈaːbənts] 副 晩に; 毎晩
  Er kommt Sonntag (sonntags) *abends*. 彼は毎日曜の晩に来る.
aber [ˈaːbər] 接 《並》 しかし
  Er ist arm, *aber* glücklich. 彼は貧乏だが, 幸福である.
ab|fahren* [ˈapfaːrən] 自 (s) 〈乗物で・乗物が〉出発する
  Er *fährt* heute mit dem Zug *ab*. 彼はきょう汽車で出発する.
  Der Zug ist schon *abgefahren*. 汽車はすでに発車した.
die **Abfahrt** [ˈapfaːrt] -/-en 出発, 発車, 出帆
  Ich sah ihn vor der *Abfahrt* des Zuges. 私は汽車が出るまえに彼に会った.
ab|hängen* [ˈaphɛŋən] 自 〈von jm・et[3]〉…しだいである, …に依存する
  Alles *hängt von* dir *ab*. すべては君しだいだ.
ab|holen [ˈaphoːlən] 他 取りに行く, 迎え(連れ)に行く
  Hole Briefe von der Post *ab*! 手紙を郵便局から取ってきてくれ!
  Ich *holte* ihn vom Bahnhof *ab*. 私は彼を駅に出迎えた.
ab|lehnen [ˈapleːnən] 他 拒絶する
  Er hat meinen Vorschlag *abgelehnt*. 彼は私の提案を拒否した.
ab|nehmen* [ˈapneːmən] 1 他 取り去る, 脱ぐ 2 自 減少する
  Er *nahm* den Hut *ab*. 彼は帽子を脱いだ.
  Das Fieber hat *abgenommen*. 熱が下がった.
die **Abreise** [ˈapraɪzə] -/-n 出発, 旅立ち
  Der Tag der *Abreise* ist schon bestimmt. 出発の日はもう決まっている.
ab|reisen [ˈapraɪzən] 自 (s) 旅立つ
  Wann *reisen* Sie *ab*? あなたはいつ出立されますか?
der **Abschied** [ˈapʃiːt] -[e]s/-e 別れ
  Er *nahm Abschied von* der Mutter. 彼は母親に別れを告げた.
ab|schneiden* [ˈapʃnaɪdən] 他 切り取る
  Er *schnitt* ein Stück Brot *ab*. 彼はパンを一切れ切り取った.
die **Absicht** [ˈapzɪçt] -/-en 意図
  Er kam mit (in) der *Absicht*, mir zu helfen. 彼は私を助けるつもりでやって来た.

ab|steigen* ['apʃtaɪgən] 自 《s》 降りる，下る
 Er *stieg* vom Wagen (Pferd) *ab*. 彼は車(馬)から降りた.
abwärts ['apvɛrts] 副 下方へ
 Der Weg führt immer *abwärts*. 道はずっと下り坂である.
abwesend ['apvəːzənt] 形 不在の，欠席している
 Er ist heute *abwesend*. 彼はきょう欠席である.
ach [ax] 間 ああ，おお
 Ach, wie schön! ああ，なんて美しいことだろう！
acht [axt] 数 8
 In *acht* Tagen wird er zu Hause sein. 1週間後(以内)に彼は帰宅するだろう.
achten ['axtən] 1 自 〈auf et⁴ に〉注意する 2 他 尊敬(重)する
 Achten Sie *auf* meine Worte! 私の言うことに注意しなさい！
 Man muss die Gesetze *achten*. 法律は尊重されねばならない.
die **Achtung** ['axtʊŋ] -/-en 注意；尊敬
 Achtung! 注意せよ！
 Sie tat es aus *Achtung* vor ihm (*für* ihn). 彼女は彼に対する尊敬の気持からそれをした.
der **Acker** ['akər] -s/⸚ 畑
 Er geht jeden Tag auf den *Acker*. 彼は毎日畑へ行く.
die **Adresse** [a'drɛsə] -/-n あて名，アドレス
 Geben Sie mir Ihre *Adresse*! あなたの住所を教えてください！
der **Affe** ['afə] -n/-n さる(猿)
 Er klettert wie ein *Affe*. 彼は猿のようによじ登る.
ahnen ['aːnən] 他 おぼろげに感ずる，予感する
 Ich *ahne* Unglück. 私は不幸を予感する.
ähnlich ['ɛːnlɪç] 形 〈jm に〉似た
 Er ist (sieht) seinem Vater sehr *ähnlich*. 彼は父親にそっくりだ.
die **Ahnung** ['aːnʊŋ] -/-en 予感
 Ich habe keine *Ahnung*, wo er ist. 私は彼の居どころを全く知らない.
all [al] 数《不定》すべての
 Alle Bekannten sind gekommen. 知人はみんなやって来た.
 All diese Leute sind Ausländer. これらの人々はみな外国人だ.
 Wir gehen *alle* an die See. 私たちはみな海へ行く.
 alle Jahre 毎年.
 Der Bus kommt *alle* zehn Minuten. バスは10分間隔で来る.
allein [a'laɪn] 形副 ひとりで，独力で
 Er wohnt in diesem Haus *allein*. 彼はこの家にひとりで住んでいる.
allerdings ['alər'dɪŋs] 副 もちろん，確かに
 Kannst du schwimmen?—*Allerdings*! 君は泳げるかい？—もちろん！
allerlei ['alər'laɪ] 形〈不変化〉各種の
 Es gibt hier *allerlei* Leute. ここにはさまざまな人がいる.
allgemein ['algə'maɪn] 形 一般の，普遍的な

Es ist *allgemein* bekannt. / それは周知のことである.
eine *allgemeine* Regel / 一般的規則

allmählich [al'mɛːlɪç] 副 しだいに
Es wird *allmählich* wärmer. / しだいに暖かくなる.

die **Alpen** ['alpən] 複 アルプス山脈

als [als] 接《従》 ① …として ② 〈過去の1回限りのできごと〉…したとき ③ 〈比較級の後に〉…よりも ④ …のように ⑤ …のほかに

Ich rate es dir *als* guter Freund. / 私は親友として君にそう忠告する.
Als ich in Bonn ankam, regnete es. / 私がボンに着いたとき,雨が降っていた.
Er ist älter *als* du. / 彼は君より年上だ.
Er ist *ebenso* groß *als* ich. / 彼は私と同じほどの背たけだ.
Niemand *als* du kann das tun. / 君以外のだれにもそれはできない.

als ob; als wenn あたかも…のように
Er sieht aus, *als ob* er krank wäre. / 彼はまるで病気のように見える.
Er spricht Deutsch, *als* wäre er ein Deutscher. / 彼はまるでドイツ人のように,ドイツ語を話す.〈ob, wenn の省略〉

also ['alzoː] 接《副》 それゆえに; それでは
Ich habe kein Geld, *also* kann ich dir nicht helfen. / 私には金がない,だから君を助けることができない.
Also, bis morgen! / では,またあした!

alt [alt] älter, ältest 形 年とった; 古い
Wie *alt* bist du? / 君は何歳ですか?
Das Kind ist zwei Jahre *alt*. / その子供は2歳である.
mein *alter* Freund / 私の旧友
mein *älterer* Bruder / 私の兄

das **Alter** ['altər] -s/- 年齢, 時代, 老年
Er ist (steht) in meinem *Alter*. / 彼は私と同年配だ.

(*das*) **Amerika** [aˈmeːrika] アメリカ
der **Amerikaner** [ameriˈkaːnər] -s/- アメリカ人
amerikanisch [ameriˈkaːnɪʃ] 形 アメリカ[人・語]の

das **Amt** [amt] -[e]s/⁻er 官職; 役所
das *Amt* eines Lehrers / 教職
Ich gehe zum *Amt*. / 私は役所へ行く.

an [an] 前 (3・4格) ① 〈空間的〉…において, に接して《3格》; …のきわへ, のところへ《4格》 ② 〈時間的〉…の日時に ③ 〈比喩的〉…に従事して, …にあてて

Er sitzt *am* Fenster. / 彼は窓ぎわにすわっている.
Er setzt sich⁴ *ans* Fenster. / 彼は窓ぎわへすわる.
Am ersten März habe ich Geburtstag. / 3月1日は私の誕生日だ.
Sie ist *an* der Arbeit. / 彼女は仕事中だ.
Sie schreibt *an* ihren Vater. / 彼女は父あてに手紙を書く.

an|bieten* ['anbiːtən] 他 申し出る, 提供する
Ich *bot* ihm meine Hilfe *an*. / 私は彼に援助を申し出た.

Anblick

    Darf ich Ihnen eine Tasse Tee *anbieten*?　お茶を1杯いかがですか？

der **Anblick** [′anblɪk] -[e]s/-e　見ること, 注視, 光景
    Bei diesem *Anblick* musste sie lachen.　その光景に彼女は笑いを禁じえなかった.

ander [′andər] 形 〈つねに付加語的に〉 ほかの, 異なった
    Das ist etwas ganz *anderes*.　それは全く別物(別問題)だ.
    Am *anderen* Tag habe ich ihn getroffen.　その翌日, 私は彼に会った.
    Sie kamen *einer nach dem anderen*.　彼らはひとりずつ順々にやってきた.

ändern [′ɛndərn] 1 他 変える 2 再《sich⁴》変わる
    Er *ändert* seine Ansicht nicht.　彼は見解を変えない.
    Das Wetter hat *sich⁴ geändert*.　天候が変わった.

anders [′andərs] 副 異なって, それ以外に
    Er schreibt *anders* als er denkt.　彼は考えるのと別のことを書く.
    Ich kann nicht *anders*.　私はそれ以外にどうしようもない.

der **Anfang** [′anfaŋ] -[e]s/..fänge　はじめ
    Anfang Juni　6月はじめに
    Am (Zu, Im) *Anfang* schien noch alles anders.　はじめはすべてがもっと違って見えた.
    Lesen Sie bitte *von Anfang an*!　はじめから読んでください！

an|fangen* [′anfaŋən] 1 他 始める 2 自 始まる
    Er *fing* die Arbeit *an*.　彼は仕事を始めた.
    Das Konzert *fängt* um 18 Uhr *an*.　音楽会は18時に始まる.
    Sie *fing an* zu lesen.　彼女は読みはじめた.

angenehm [′angəne:m] 形 快適な, 好ましい
    Sie sind uns³ stets *angenehm*.　いつなりとおいでください.

die **Angst** [aŋst] -/-̈e　不安, 恐れ
    Das Kind hat *Angst* vor dem Hund.　子供は犬をこわがる.

an|kommen* [′ankɔmən] 1 自《s》到着する 2 非 〈auf et⁴〉 …しだいである, …が問題だ
    Er ist in der Stadt *angekommen*.　彼は町に到着した.
    Es *kommt* ganz *auf* das Wetter *an*.　それは全く天候しだいだ.

die **Ankunft** [′ankʊnft] -/..künfte　到着
    Bei unserer *Ankunft* regnete es.　私たちが着いたときは雨だった.

die **Anmut** [′anmu:t] -/　優美, あいきょう
    Sie bewegte *sich⁴* mit *Anmut*.　彼女の物腰は優美だった.

an|nehmen* [′anne:mən] 他 受け取る, 引き受ける; …とみなす
    Sie *nahm* das Geschenk *an*.　彼女は贈物を受け取った.
    Er hat das Kind *angenommen*.　彼はその子供を引き取った.
    Ich *nehme* es *als* (*für*) möglich *an*.　私はそれを可能だと思う.

an|rufen* [′anru:fən] 他 〈jn に〉呼びかける, (電話で)呼び出す
    Er *rief* mich auf der Straße *an*.　彼は路上で私に呼びかけた.
    Ich *rufe* Sie morgen *an*.　あすお電話します.

an|schauen [ˈanʃauən] 他 じっと見る，ながめる
  Sie *schaute* mich *an*. 彼女は私をじっと見た．
an|sehen* [ˈanzeːən] 他 〈しばしば sich³ と〉注視する；…とみなす
  Ich *sehe* mir Bilder *an*. 私は絵を見る．
  Ich habe ihn *als* (*für*) meinen Freund *angesehen*. 私は彼を私の友人とみなしてきた．
die **Ansicht** [ˈanzɪçt] -/-en 意見；光景，風景
  Was ist Ihre *Ansicht* über das Buch? この本についてのあなたの御意見は？
  die **Ansichtskarte** [ˈanzɪçtskartə] -/-n 絵はがき
anstatt [anˈʃtat] 前《2 格》=statt …のかわりに
  Anstatt seines Vaters kam er. 彼の父のかわりに彼が来た．
die **Antwort** [ˈantvɔrt] -/-en 答え，返事
  Sie gab die *Antwort* auf seine Frage. 彼女は彼の質問に答えた．
antworten [ˈantvɔrtən] 自他 答える
  Der Schüler *antwortet* dem Lehrer. 生徒が先生に答える．
  Was hat sie auf deinen Brief *geantwortet*? 彼女は君の手紙になんと答えたか？
anwesend [ˈanveːzənt] 形 出席している，居合わせている
  Er war auch bei der Versammlung *anwesend*. 彼もその会に出席していた．
  die *Anwesenden* 出席者たち〈名詞的〉
an|ziehen* [ˈantsiːən] 1 他再《sich⁴》(衣類を)着る 2 他 引きつける
  Ich *ziehe* den neuen Mantel *an*. 私は新しいオーバーを着る．
  Dieser Beruf *zieht* mich nicht *an*. この職業は私の心をひかない．
der **Anzug** [ˈantsuːk] -[e]s/..züge 衣服(特に男性の)
  Ich lasse mir einen *Anzug* machen. 私は背広をあつらえる．
an|zünden [ˈantsʏndən] 他 火をつける
  Er *zündete* sich³ eine Zigarette *an*. 彼はタバコに火をつけた．
der **Apfel** [ˈapfəl] -s/⸗ りんご
  Die *Äpfel* blühen. りんごの花が咲いている．
der **Appetit** [apeˈtiːt] -[e]s/-e 食欲
  Jetzt habe ich keinen *Appetit*. いまは何も食べたくない．
der **April** [aˈprɪl] -[s]/-e 4月
  Anfang (Mitte, Ende) *April* 4月はじめ(中旬，下旬)に
  am (den) ersten *April* 4月1日に
  im *April* 4月に
die **Arbeit** [ˈarbaɪt] -/-en 労働，研究，勉強
  Sie ist an (bei) der *Arbeit*. 彼女は仕事中だ．
  Er ist nun ohne *Arbeit*. 彼はいま失業している．
arbeiten [ˈarbaɪtən] 自 働く，仕事をする
  Er *arbeitet* den ganzen Tag. 彼は1日じゅう働く．
  Ich *arbeite* jetzt an einem neuen Buch. 私はいま新しい著述に従事している．

Arbeiter

der **Arbeiter** [ˈarbaɪtər] -s/- 労働者
ärgern [ˈɛrgərn] 1 他 立腹させる 2 再 ((sich⁴)) ⟨über jn・et⁴ に⟩ 腹をたてる
   Seine Worte *ärgerten* mich. 彼の言葉が私を立腹させた.
   Ich habe *mich über* ihn *geärgert*. 私は彼がしゃくにさわった.
arm [arm] ärmer, ärmst 形 哀れな; 貧しい; ⟨an et³ に⟩ 乏しい
   Er war sehr *arm*. 彼は非常に貧しかった.
   Er ist *arm an* Mut³. 彼は勇気に乏しい.
der **Arm** [arm] -[e]s/-e 腕
   Sie trägt ein Kind auf dem (im) *Arm*. 彼女は腕に子供を抱いている.
die **Art** [aːrt] -/-en 種類; 方法
   Er ist eine *Art* Künstler. 彼は一種の芸術家である.
   Das ist die billigste *Art* zu reisen. これがいちばん安い旅行の仕方だ.
   auf diese *Art*, in dieser *Art* こういうふうにして
die **Arznei** [aːrtsˈnaɪ] -/-en 薬剤, 薬品
   Ich nehme *Arznei*. 私は薬を飲む.
der **Arzt** [aːrtst] -es/ⁿe 医師
   Ich gehe zum *Arzt*. 私は医者へ行く.
   Sie ließ den *Arzt* rufen (holen). 彼女は医者を呼びにやった.
(das) **Asien** [ˈaːziən] アジア
   asiatisch [aziˈaːtɪʃ] 形 アジアの
der **Atem** [ˈaːtəm] -s/- 呼吸, 息
   Sie holte *Atem*. 彼女は息をついた.
atmen [ˈaːtmən] 1 自 呼吸する 2 他 吸いこむ
   Er *atmete* tief. 彼は深く息をした.
   Er *atmete* frische Luft. 彼は新鮮な空気を吸いこんだ.
auch [aʊx] 副 ① …もまた ② …さえ, すら ③ ⟨認容文で⟩ (たとえ)…にもせよ
   Er ist krank, ich [bin es] *auch*. 彼は病気だ, そして私もそうだ.
   Auch ein Kind kann es machen. 子供にだってそれはできる.
   Ich gehe, wenn es *auch* regnet. たとえ雨が降っても, 私は行く.
auf [aʊf] 1 前 ((3・4格)) ① ⟨空間的に⟩ …の上に(へ) ② ⟨時間的・4格⟩ …の予定で ③ ⟨場所での用件を示して⟩ …で, …へ ④ ⟨目標, 方法, 期待⟩ …の方法で, …をめざして 2 副 上へ; 開いて
   Das Buch liegt *auf* dem Tisch. 本は机の上にある.
   Ich lege das Buch *auf* den Tisch. 私は本を机の上へ置く.
   Er ging *auf* zwei Jahre nach Deutschland. 彼は2年の予定でドイツへ行った.
   Er geht *auf* die Universität. 彼は大学へ(勉学に)行く.
   Sagen Sie bitte es *auf* Deutsch! それをドイツ語で言ってください!
   Ich freue mich *auf* die Ferien. 私は休暇を楽しみにしている.
   Er empfing mich *aufs* freundlichste. 彼はたいへんあいそよく私を迎えた. ⟨最高級と⟩
   Die Tür steht weit *auf*. 戸が大きく開いている.
der **Aufenthalt** [ˈaʊf-ɛnthalt] -[e]s/-e 滞在; 停止

Während meines *Aufenthaltes* in Berlin habe ich ihn besucht. 私はベルリン滞在中に彼を訪ねた．

auf|fallen* ['aʊffalən] 自 ⦅s⦆ 目だつ，奇異の感を与える
　Sie *fällt* durch ihre Kleidung *auf*. 彼女はその服装で人目をひく．

die **Aufgabe** ['aʊfga:bə] -/-n 課題，任務；放棄
　Der Schüler hat seine *Aufgaben* sehr gut gemacht. 生徒は課題をたいへんよくやった．

auf|geben* ['aʊfge:bən] 他 ① 渡す，(手紙・電報などを)出す ② 放棄する，断念する ③ 〈jm に et を〉課する
　Ich möchte ein Telegramm *aufgeben*. 電報を打ちたいのです．
　Er hat alle Hoffnung *aufgegeben*. 彼はいっさいの希望を捨てた．
　Er *gab* ihr ein Rätsel *auf*. 彼は彼女に謎をかけた．

auf|gehen* ['aʊfge:ən] 自 ⦅s⦆ のぼる；開く
　Die Sonne *geht* im Osten *auf*. 太陽は東からのぼる．
　Die Tür *geht auf*. 戸が開く．

auf|heben* ['aʊfhe:bən] 他 上げる；中止する，取り消す
　Er *hob* einen Ball von Boden *auf*. 彼はボールを地面から拾いあげた．
　Das Gesetz wurde *aufgehoben*. その法律は廃止された．

auf|hören ['aʊfhø:rən] 自 やめる，やむ
　Er *hörte auf*, zu fragen. 彼は問うのをやめた．
　Hören Sie *mit* der Arbeit *auf*! 仕事をやめなさい！

auf|machen ['aʊfmaxən] 他 開く
　Machen Sie das Fenster *auf*! 窓をあけなさい！

aufmerksam ['aʊfmɛrkza:m] 形 注意ぶかい
　Du musst *auf* jedes Wort *aufmerksam* sein. 君はどんな言葉にも気をつけなければならない．

auf|nehmen* ['aʊfne:mən] 他 取り上げる；受入れる；撮影する
　Er *nahm* seine Arbeit wieder *auf*. 彼は再び仕事を始めた．
　Wir haben ihn in unsere Familie *aufgenommen*. 私たちは彼を家族の中へ迎え入れた．
　Sie hat sich[4] *aufnehmen* lassen. 彼女は写真をとってもらった．

auf|stehen* ['aʊfʃte:ən] 自 ⦅s⦆ 立ち上がる，起きる
　Ich *stehe* jeden Tag um 6 [Uhr] *auf*. 私は毎日6時に起きる．

auf|steigen* ['aʊfʃtaɪgən] 自 ⦅s⦆ のぼる，乗る
　Die Sonne *steigt* am Himmel *auf*. 太陽が空にのぼる．
　Er *steigt* in (auf) den Wagen *auf*. 彼は車に乗る．

auf|suchen ['aʊfzu:xən] 他 捜し出す；〈jn を〉訪ねる
　Ich habe die Stelle im Buch *aufgesucht*. 私は本の中のその個所を捜し出した．

aufwärts ['aʊfvɛrts] 副 上方へ
　Das Boot fährt den Strom *aufwärts*. ボートは川をさかのぼって行く．

das **Auge** ['aʊgə] -s/-n 目
　Seine *Augen* leuchten vor Freude[3]. 彼の目は喜びで輝いている．

der **Augenblick** ['aʊgənblɪk] -[e]s/-e 瞬間

August 10

[Auf] einen *Augenblick*, bitte! ちょっと待ってください！
Er kann *jeden Augenblick* kommen. 彼はいまにもやって来るかもしれない。
der **August** [aʊˈgʊst] -[e]s, -/-e 8月
aus [aʊs] **1** 前《3格》① (…の中)から(外へ) ②〈材料〉…から，…で ③ …が原因で **2** 副 外へ；終わって
Er kommt *aus* dem Zimmer. 彼は部屋から出て来る．
Das erfuhr ich *aus* der Zeitung. 私はそれを新聞で知った．
Dieser Ring ist *aus* Gold. この指輪は金でできている．
Aus welchem Grunde bist du gegangen? 君はどんな理由で行ったのか？
Vom Fenster *aus* kann man es sehen. 窓からそれが見える．
Das Theater ist *aus*. 芝居がはねた．
der **Ausdruck** [ˈaʊsdrʊk] -[e]s/..drücke 表現，表情
Der *Ausdruck* seines Gesichts erschreckte uns[4]. 彼の顔つきが私たちを驚かせた．
aus|drücken [ˈaʊsdrʏkən] 他 表現する
Wie soll man diesen Gedanken *ausdrücken*? この考えをどう言い表わしたらよいだろう？
der **Ausflug** [ˈaʊsfluːk] -[e]s/..flüge 遠足，ハイキング
Morgen machen wir einen *Ausflug*. 明日私たちはハイキングに行く．
aus|führen [ˈaʊsfyːrən] 他 実行(遂行)する
Er hat den Befehl *ausgeführt*. 彼はその命令を果たした．
der **Ausgang** [ˈaʊsgaŋ] -[e]s/..gänge 出口；外出；終り，結末
Ich finde den *Ausgang* nicht. 私には出口が見つからない．
Das wird keinen guten *Ausgang* nehmen. それはよい結果には終わらないだろう．
aus|gehen* [ˈaʊsgeːən] 自《s》外出する；なくなる，終わる
Wir sind heute *ausgegangen*. 私たちはきょう外出した．
Das Feuer *geht aus*. 火が消える．
ausgezeichnet [ˈaʊsgətsaɪçnət] 形 卓抜な，すぐれた
Die Arbeit ist *ausgezeichnet*. この労作はすぐれている．
das **Ausland** [ˈaʊslant] -[e]s/ 外国
Mein Onkel wohnt im *Ausland*. おじは外国に住んでいる．
der **Ausländer** [ˈaʊslɛndər] -s/- 外国人
die **Ausnahme** [ˈaʊsnaːmə] -/-n 例外
Das ist natürlich eine *Ausnahme*. それはもちろん例外だ．
aus|ruhen [ˈaʊsruːən] 自 再《sich[4]》休息(休養)する
Wir mussten [*uns*[4]] von der Arbeit *ausruhen*. 私たちは仕事をやめて休まなければならなかった．
aus|sehen* [ˈaʊszeːən] 自 …のように見える
Sie *sieht* noch jung *aus*. 彼女はまだ若く見える．
außen [ˈaʊsən] 副 外に
nach *außen* [hin] 外へ
von *außen* [her] 外から

außer [ˈaʊsər] 前《3格》① …の外に ② …のほかに
  Er ist heute *außer* dem Hause. 彼はきょう外出している。
  Sie ist *außer sich*[3] vor Freude[3]. 彼女は喜びのあまりわれを忘れてる。
  Außer ihm habe ich keinen Freund. 彼のほかに私には友人がいない。
außerdem [ˈaʊsərdeːm] 副 そのほかに，そのうえ
  Außerdem hat er gelogen. そのうえ彼は嘘をついた。
äußere [ˈɔʏsərə] 形 外の
  äußere Erscheinung 外観
außerhalb [ˈaʊsərhalp] 前《2格》…の外に
  Die Schule liegt *außerhalb* der Stadt. 学校は町の外にある。
äußern [ˈɔʏsərn] 他再《sich[4]》〈über et[4]・jn について〉(意見などを)述べる，表明する
  Er *äußerte* seinen Wunsch. 彼は希望を述べた。
  Ich kann *mich über* ihn nicht *äußern*. 彼については意見を述べることができない。
außerordentlich [ˈaʊsər-ˈɔrdɛntlɪç] 形 異常な，特別の
  Er hat *Außerordentliches* ausgeführt. 彼は異常なことを成し遂げた。〈名詞的〉
äußerst [ˈɔʏsərst] 副 非常に，極端に
  Hier ist *äußerst* angenehm. ここは実に居ごこちがよい。
die **Aussicht** [ˈaʊszɪçt] -/-en 眺望；見込み
  Man hat eine schöne *Aussicht* auf das Gebirge. 山々のながめが美しい。
  Wir haben keine *Aussicht* auf Erfolg[4]. 私たちには成功する見込みはない。
die **Aussprache** [ˈaʊsʃpraːxə] -/-n 発音
  Die *Aussprache* des Deutschen ist nicht so schwer. ドイツ語の発音はそれほどむずかしくない。
aus|sprechen* [ˈaʊsʃprɛçən] 他 発音する；(意見などを)述べる
  Wie wird das Wort *ausgesprochen*? この単語はどういう発音ですか？
  Er hat seine Meinung offen *ausgesprochen*. 彼は自分の意見を率直に述べた。
aus|ziehen* [ˈaʊstsiːən] 他再《sich[4]》(衣類を)脱ぐ
  Ich *zog* die Jacke *aus*. 私は上着を脱いだ。
  Sie *zieht sich*[4] *aus*. 彼女は着物を脱ぐ。
das **Auto** [ˈaʊto] -s/-s 自動車
  Ich fahre *Auto*. 私はドライブをする。
  Ich fahre im *Auto* (mit dem *Auto*). 私は自動車で行く。
die **Autobahn** [ˈaʊtobaːn] -/-en 自動車[専用]道路
der **Autobus** [ˈaʊtobʊs] ..busses/..busse バス
  Ich habe den *Autobus* gerade noch erreicht. 私はどうにかバスにまにあった。

B

der **Bach** [bax] -[e]s/⸚e 小川
  Der *Bach* rauscht. 　　　　　　　小川がさらさらと流れる.
die **Backe** [′bakə] -/-n 頬
  Sie hat rote *Backen*. 　　　　　　　彼女は赤い頬をしている.
backen* [′bakən] 他 (パンなどを)焼く
  Die Mutter *bäckt* Brot (Kuchen). 　お母さんはパン(菓子)を焼く.
das **Bad** [ba:t] -[e]s/⸚er 入(水)浴;浴室;温泉場
  Nehmen Sie ein *Bad*! 　　　　　　ふろにおはいりなさい!
  ein Zimmer mit *Bad* 　　　　　　浴室つきの部屋(ホテルで)
  Ich gehe ins *Bad*. 　　　　　　　　私はふろ(温泉場)に行く.
baden [′ba:dən] 1 他 入浴させる　2 自再 《sich[4]》入浴する
  Sie *badet* das Kind. 　　　　　　　彼女は子供をふろに入れる.
  Ich *bade* [mich] täglich. 　　　　　私は毎日入浴する.
die **Bahn** [ba:n] -/-en 道,軌道
  Er fährt auf (mit) der *Bahn*. 　　　彼は電車(汽車)で行く.
der **Bahnhof** [′ba:nho:f] -[e]s/..höfe 駅
  Ich gehe zum *Bahnhof*. 　　　　　私は駅へ行く.
bald [balt] eher, am ehesten 副 ① まもなく　② **bald..., bald...** あるいは..., あるいは...
  Er kommt *bald*. 　　　　　　　　彼はじきに来る.
  Er sagt *bald* ja, *bald* nein. 　　　　彼は肯定するかと思えば否定する.
der **Ball** [bal] -[e]s/⸚e ボール
  Er warf den *Ball*. 　　　　　　　彼はボールを投げた.
das **Band**[1] [bant] 1 -[e]s/⸚er リボン, テープ, ひも　2 -[e]s/-e きずな
  bunte *Bänder* 　　　　　　　　　色とりどりのリボン
  das *Band* der Liebe 　　　　　　　愛情のきずな
der **Band**[2] [bant] -[e]s/⸚e (本の)巻, 冊
  Goethes Werke in 40 *Bänden* 　　ゲーテ作品集40巻
die **Bank** [baŋk] 1 -/⸚e ベンチ　2 -/-en 銀行
  Er sitzt auf einer *Bank*. 　　　　　彼はベンチにすわっている.
  Er hat sein Geld auf der *Bank*. 　彼は金を銀行につんである.
der **Bär** [bɛ:r] -en/-en 熊
  Man fing einen großen *Bären*. 　　大きな熊がつかまった.
der **Bart** [ba:rt] -[e]s/⸚e ひげ
  Der Mann mit rotem *Bart* ist sein　赤いひげの男が彼のおじだ.
  Onkel.
bauen [′bauən] 他 建てる, 築く;耕やす
  Ich *baue* mir ein Haus. 　　　　　私は家を新築する.
  Er *baut* den Acker. 　　　　　　　彼は畑を耕やす.
der **Bauer** [bauər] -s, -n/-n 農夫
der **Baum** [baum] -[e]s/⸚e 木, 樹木
  Der *Baum* trägt Früchte. 　　　　その木は実がなる.

der **Beamte** [bə-ˈamtə]《形 変化》 公務員
beben [ˈbeːbən] 圓 （激しく）震える
  Die Erde *bebte*. 地震が起こった.
der **Becher** [ˈbɛçər] -s/- 杯
  Er füllte den *Becher*. 彼は杯に(酒を)ついだ.
bedauern [bəˈdauərn] 他 あわれむ, 遺憾に思う
  Ich *bedauere* dich wegen des Unglücks. 私は君の不幸を気の毒に思う.
bedecken [bəˈdɛkən] 他 おおう
  Sie *bedeckt* den Tisch mit einem Tuch. 彼女は食卓に布をかける.
  Der Himmel ist *bedeckt*. 空は曇っている.
bedeuten [bəˈdɔʏtən] 他 意味する
  Was soll das *bedeuten*? それはどういうことなのか?
  bedeutend [bəˈdɔʏtənt] 形 重要な; 相当な
  Das ist recht *bedeutend*. それはたいへん重要である.
die **Bedeutung** [bəˈdɔʏtuŋ] -/-en 意味, 意義
  Das Wort hat zwei *Bedeutungen*. その言葉には2つの意味がある.
  Das ist von *Bedeutung*. それは重要だ.
bedürfen* [bəˈdʏrfən] 圓他 〈$et^2 \cdot et^4$ を〉必要とする
  Er *bedarf* eines Arztes. 彼には医者が必要だ.
  Es *bedarf* nur eines Wortes. ただひと言で足りる.〈非人称的〉
der **Befehl** [bəˈfeːl] -[e]s/-e 命令
  Er gab uns^3 einen *Befehl*. 彼は私たちにある命令を下した.
befehlen* [bəˈfeːlən] 他 〈jm に et^4 を〉命ずる
  Er *befahl* mir, ihm zu folgen. 彼は私について来いと命じた.
befinden* [bəˈfɪndən] 再《sich^4》 (…の場所・状態に)ある, いる
  Wie *befinden* Sie sich^4? ごきげんいかがですか?
  Die Wohnung *befindet sich*^{4} im dritten Stock. 住いは(アパートの)4階にある.
begegnen [bəˈgeːgnən] 圓《s》〈jm に〉出会う
  Ich *begegnete* ihm im Theater. 私は劇場で彼に出会った.
begehen* [bəˈgeːən] 他 (悪いことを)行なう; (式・祭りを)とりおこなう
  Er hat einen Fehler *begangen*. 彼はあるあやまちを犯した.
  Sie *begehen* das Fest. 彼らは祭りをとりおこなう.
beginnen* [bəˈgɪnən] 1 他 始める　2 圓《h, s》始まる, 〈mit et^3 を〉始める
  Er *begann* zu reden. 彼は話し始めた.
  Ich *beginne* die Arbeit (mit der Arbeit). 私は仕事を始める.
  Wann hat die Schule *begonnen*? 学校はいつ始まったのか?
begleiten [bəˈglaɪtən] 他 〈jn に〉同伴する, 随伴する
  Darf ich Sie *begleiten*? お伴してもよろしいですか?
begreifen* [bəˈgraɪfən] 他 理解する
  Das habe ich nicht *begriffen*. 私にはそれが理解できなかった.
begrüßen [bəˈgryːsən] 他 〈jn に〉あいさつする
  Sie *begrüßte* mich höflich. 彼女は私にていねいにあいさつした.

behalten* [bəˈhaltən] 他 保持する，保有する
　Das Geld darfst du *behalten*. その金は君がとっておいてよろしい．
behandeln [bəˈhandəln] 他 取り扱う
　Sie *behandelte* ihn freundlich. 彼女は彼を好遇した．
　Er hat das Problem *behandelt*. 彼はその問題を論じた．
behaupten [bəˈhauptən] 他 主張する
　Er *behauptet*, dich gesehen zu haben. 彼は君に会ったと主張する．
beherrschen [bəˈhɛrʃən] 他 支配する，使いこなす，制御する
　Sie *beherrscht* drei Sprachen. 彼女は3か国語を使いこなす．
　Ich *beherrsche* mich. 私は自分の心をおさえる．
bei [baɪ] 前《3格》① 〈空間的〉…の近く(もと)に ② 〈時間的〉…のさい(とき)に ③ …において
　Ich wohne *bei* der Kirche. 私は教会のそばに住んでいる．
　Bei ihm lerne ich Deutsch. 私は彼にドイツ語を習っている．
　Ich trinke *beim* Essen immer Wasser. 私は食事の時にはいつも水を飲む．
　Er nahm sie *bei* der Hand. 彼は彼女の手を取った．
beide [ˈbaɪdə] 数 両方の
　Er ist auf *beiden* Augen blind. 彼は両眼ともに盲だ．
　Beides ist möglich. 両方とも可能だ．
das **Bein** [baɪn] -[e]s/-e 足，(とくに)すね
　Ich habe mir das *Bein* gebrochen. 私は足の骨を折った．
beinah[e] [baɪˈnaː(ə)] 副 ほとんど
　Es ist *beinahe* drei Uhr. かれこれ3時になる．
　Ich wäre *beinahe* gefallen. 私はあやうく倒れるところだった．〈接続法と〉
das **Beispiel** [ˈbaɪʃpiːl] -[e]s/-e 例
　Zeigen Sie uns[3] ein *Beispiel*! 一例を示してください！
　zum *Beispiel* (=z.B.) たとえば
beißen* [ˈbaɪsən] 自他 かむ
　Der Hund *biss* ihm (ihn) ins Bein. 犬は彼の足にかみついた．
bekannt [bəˈkant] 形 知られた，有名な
　Das ist mir *bekannt*. 私はそれを知っている．
　Er ist ein *bekannter* Dichter. 彼は有名な詩人だ．
　Er ist ein *Bekannter* von mir. 彼は私の知人だ．〈名詞的〉
bekommen* [bəˈkɔmən] 他 もらう，得る
　Er *bekam* einen Brief von ihr. 彼は彼女から手紙をもらった．
　Wir *bekommen* heute Gehalt. 私たちはきょう給料を受け取る．
beleidigen [bəˈlaɪdɪgən] 他 侮辱する
　Sie *beleidigte* ihn. 彼女は彼を侮辱した．
bemerken [bəˈmɛrkən] 他 気づく，認める
　Er *bemerkte* sie in der Ferne. 彼は遠くから彼女を認めた．
bemühen [bəˈmyːən] 1 他 わずらわせる 2 再《sich[4]》ほねおる
　Ich will dich nicht *bemühen*. 私は君をわずらわせたくない．
　Ich *bemühe mich* gern für dich. 君のためなら喜んでほねをおろう．

benutzen [bə'nʊtsən]**, benützen** [bə'nʏtsən] 他 利用する
 Sie hat ihre Zeit gut *benutzt* (*be-* 彼女は時間をうまく利用した.
nützt).
beobachten [bə-'oːbaxtən] 他 観察する
 Er *beobachtet* die Kinder. 彼は子供たちを観察する.
bequem [bə'kveːm] 形 快適な, 便利な, 好都合の
 Machen Sie es sich³ *bequem*! お楽になさってください!
 Das Zimmer ist mir *bequem*. この部屋は私には居ごこちがよい.
bereit [bə'raɪt] 形 用意(心構え)のできた
 Ich bin *bereit*, ihm zu helfen. 私は喜んで彼を助ける気がある.
bereits [bə'raɪts] 副 すでに
 Er saß *bereits* am Tisch. 彼はすでに卓についていた.
der **Berg** [bɛrk] -[e]s/-e 山
 Er steigt auf den *Berg*. 彼は山に登る.
berichten [bə'rɪçtən] 他 自 報告する, 語る
 Alle Zeitungen *berichten* den Un- すべての新聞がその事故を報道し
 fall. ている.
 Er *berichtete* mir über seine Reise. 彼は私に旅行について語った.
der **Beruf** [bə'ruːf] -[e]s/-e 職業, 天職
 Welchen *Beruf* haben Sie? ご職業は何ですか?
berühmt [bə'ryːmt] 形 有名な
 Er ist [durch sein Werk] *berühmt*. 彼は[その著作で]有名だ.
berühren [bə'ryːrən] 他 〈et⁴ に〉触れる;〈jn の心に〉触れる
 Berühren Sie die Blumen nicht! 花に触れないでください!
 Es *berührte* mich traurig. それは私を悲しませた.
beschäftigen [bə'ʃɛftɪɡən] 1 他 働かせる; 没頭させる 2 再
《sich⁴》〈mit et³ に〉従事(没頭)する
 Diese Frage *beschäftigt* mich. この問題が私の心を奪う.
 Ich *beschäftige* mich mit den Kin- 私は子供のことに専念する.
 dern.
 beschäftigt [bə'ʃɛftɪçt] 形 〈mit et³ に〉従事している;忙しい
 Ich war *mit* der Frage *beschäftigt*. 私はその問題に没頭していた.
besitzen* [bə'zɪtsən] 他 所有する
 Er *besitzt* ein großes Haus. 彼は大きな家を所有している.
besonder [bə'zɔndər] 形 特別の, 特殊の
 Sie hat eine *besondere* Art zu 彼女は独特な話しかたをする.
 sprechen.
 Das ist etwas *Besonderes*. それは特別なことだ.〈名詞的〉
besonders [bə'zɔndərs] 副 特に, とりわけ
 Das Wetter war *besonders* schön. 天気はことによかった.
besorgen [bə'zɔrɡən] 他 ① 配慮する, 世話する ② 気づかう
 Er hat mir ein Zimmer *besorgt*. 彼は私に部屋を世話してくれた.
 Ich *besorge*, dass sie krank wird. 私は彼女が病気になることを気づ
  かう.
besser [ˈbɛsər] 形 〈gut, wohl の比較級〉よりよい
 Es geht mir *besser*. 私は前よりよい(病気などが).
best [bɛst] 形 〈gut, wohl の最高級〉最もよい

Du bist mein *bester* Freund. 君は私の最良の友だ.
Ich tue mein *Bestes*. 私は全力を尽くす.〈名詞的〉
Das weiß er selbst *am besten*. それは彼自身が最もよく知っている.

beständig [bəˈʃtɛndɪç] 形 永続的な, 持続的な
Er ist in *beständiger* Angst. 彼はたえず恐れている.

bestehen* [bəˈʃteːən] 1 自 ① 存続する, もちこたえる ② 〈aus et³ から〉成り立つ ③ 〈in et³ を〉本質(実体)とする ④ 〈auf et³⁽⁴⁾ を〉固執(主張)する 2 他 〈et⁴ に〉耐える
Die Wohnung *besteht aus* vier Zimmern. この住宅は4室から成っている.
Das Leben *besteht in* Arbeit³. 人生の本質は働くことにある.
Ich *bestehe auf* meinem Recht. 私は自分の権利を主張する.
Er hat die Prüfung (in der Prüfung) *bestanden*. 彼は試験に合格した.

bestellen [bəˈʃtɛlən] 他 注文する
Ich *bestellte* [mir] ein Essen. 私は食事を注文した.

bestimmen [bəˈʃtɪmən] 他 決定する, 規定する
Ist der Tag der Abreise schon *bestimmt*? 出発の日はもう決まりましたか?

bestimmt [bəˈʃtɪmt] 形 一定の, 決まった
Er ist zur *bestimmten* Zeit zu Hause. 彼は決まった時刻に家にいる.
Ich komme *bestimmt*. 私はきっと来ます.

der **Besuch** [bəˈzuːx] -[e]s/-e 訪問, 訪問客
Er macht ihr einen *Besuch*. 彼は彼女を訪問する.
Wir erwarten *Besuch*. 私たちは来客を待っている.

besuchen [bəˈzuːxən] 他 訪れる, 訪問する
Er *besucht* mich täglich. 彼は毎日私をたずねて来る.
Er *besucht* die Schule. 彼は学校に通う.

beten [ˈbeːtən] 自 祈る
Ich *bete* zu Gott. 私は神に祈る.

betrachten [bəˈtraxtən] 他 観察(考察)する; 〈et⁴ を als et⁴ と〉みなす
Er *betrachtet* das Bild. 彼は絵をじっとながめる.
Ich *betrachte* mich *als* deinen Freund. 私は自分を君の友だちだと思っている.

betrügen* [bəˈtryːɡən] 他 欺く, だます
Man hat ihn *um* sein Geld *betrogen*. 彼は金をだまし取られた.

das **Bett** [bɛt] -[e]s/-en ベッド, 寝台
Er ging spät *zu* (*ins*) *Bett*. 彼はおそく床についた.

der **Bettler** [ˈbɛtlər] -s/- こじき

beugen [ˈbɔʏɡən] 1 他 曲げる, かがめる 2 再 《sich⁴》かがむ
Er *beugte* den Rücken. 彼は背をかがめた.
Sie *beugte sich*⁴ über ihn. 彼女は彼の上に身をかがめた.

bevor [bəˈfoːr] 接 《従》…する前に
Bevor ich ihn besuchte, rief ich 私は彼を訪ねるまえに, 彼女に電

sie an. 話をした.
bewegen [bəˈveːgən] 1 他 動かす; 感動させる 2 再《sich⁴》動く
 Der Wind *bewegt* die Blätter. 風が木の葉を動かす.
 Die Erde *bewegt sich* um die Sonne. 地球は太陽の回りを回る.
die **Bewegung** [bəˈveːgʊŋ] -/-en 動き, 運動
 Der Zug setzt sich⁴ in *Bewegung*. 列車が動きだす.
beweisen* [bəˈvaɪzən] 他 証明する, 実証する
 Beweise, dass du recht hast! 君が正しいことを証明したまえ!
der **Bewohner** [bəˈvoːnər] -s/- 住民
 die *Bewohner* eines Hauses ある家の住人
bewundern [bəˈvʊndərn] 他 驚嘆する, 感嘆する
 Sie *bewunderten* seinen Mut. 彼らは彼の勇気に感嘆した.
bewusst [bəˈvʊst] 形 意識した
 Ich bin mir keiner Schuld² *bewusst*. 私は罪を犯した覚えがない.
bezahlen [bəˈtsaːlən] 他 〈jm に et⁴ を, または jn に〉支払う
 Er hat die Rechnung *bezahlt*. 彼は勘定を支払った.
die **Beziehung** [bəˈtsiːʊŋ] -/-en 関係, 関連
 Wir beobachten die *Beziehungen* 我々は事物のあいだの関係を観
 zwischen den Dingen. 察する.
die **Bibel** [ˈbiːbəl] -/-n 聖書, バイブル
 Er liest in der *Bibel*. 彼は聖書を読んでいる.
die **Bibliothek** [biblioˈteːk] -/-en 図書館; 蔵書; 双書
 Unsere Schule hat eine *Bibliothek*. 私たちの学校には図書館がある.
biegen* [ˈbiːgən] 1 他 曲げる 2 自《s》カーブする 3 再《sich⁴》曲がる, そる
 Der Bus ist um die Ecke *gebogen*. バスはかどを曲がった.
 Die Bäume *bogen sich*⁴ im Wind. 木々が風でしなった.
die **Biene** [ˈbiːnə] -/-n 蜜蜂
 Die *Bienen* sammeln Honig. 蜜蜂が蜜を集める.
das **Bier** [biːr] -[e]s/-e ビール
 Bitte, ein [Glas] *Bier*! ビールを1杯くれ!
bieten* [ˈbiːtən] 他 提供する, 差し出す
 Er *bot* mir die Hand. 彼は私に手を差し伸べた.
das **Bild** [bɪlt] -[e]s/-er 絵, 写真, 彫像
 Er malt ein *Bild*. 彼は絵を描く.
 Er haut ein *Bild* in Stein⁴. 彼は石に像を刻む.
bilden [ˈbɪldən] 他 形づくる, 形成する; 教育する
 Die Kinder *bildeten* einen Kreis. 子供たちは輪になった.
gebildet [gəˈbɪldət] 形 教育(教養)のある
 Er ist ein *gebildeter* Mensch. 彼は教養のある人間だ.
die **Bildung** [ˈbɪldʊŋ] -/-en 形成, 生成; 教育(教養), 文化
 Das gehört zur allgemeinen *Bil-* それは一般的教養として知ってお
 dung. くべきことだ.
billig [ˈbɪlɪç] 形 安い
 Ich habe das Auto *billig* gekauft. 私はその車を安く買った.
binden* [ˈbɪndən] 他 結ぶ, 結びつける, しばる

bis

Ich *binde* mir die Krawatte. 私はネクタイを結ぶ.
Er *band* das Boot ans Ufer. 彼はボートを岸につないだ.

bis [bɪs] Ⅰ 前《4格・または他の前置詞と》…まで　Ⅱ 接《従》…する
Ich fahre *bis* Berlin. 私はベルリンまで行く.　しまで
bis morgen (nächsten Sonntag) 明日(次の日曜日)ま
Man tanzte *bis in* die Nacht. 人々は夜になるまで踊った.
Wir gingen *bis zum* Ufer. 私たちは岸べまで行った.
Warten Sie, *bis* ich komme! 私が行くまでお待ちください!

bisher [bɪs'he:r] 副 いままで, 従来
Es ist *bisher* so gewesen. いままではそうだった.

bisschen ['bɪsçən] 形 〈不変化〉少しばかりの
Er aß *ein bisschen* Brot. 彼はパンを少し食べた.
Ich friere *ein bisschen*. 私は少し寒い.

die **Bitte** ['bɪtə] -/-n 願い, 頼み
Ich habe eine *Bitte* an Sie. あなたにお願いがあるのです.

bitten* ['bɪtən] 他 〈jn に um et⁴ を〉頼む, 請う
Sie *bat* mich *um* Hilfe. 彼女は私に助けを求めた.
Bitte (=ich bitte), lesen Sie das Buch! どうぞその本をお読みください!
Bitte schön!, *Bitte* sehr! いいえ, どういたしまして!
Wie, *bitte*? え, 何とおっしゃいましたか?

bitter ['bɪtər] 形 苦い; きびしい, 痛烈な
Das Bier ist (schmeckt) *bitter*. ビールが苦い.
Es ist *bitter* kalt. ひどく寒い.

blasen* ['bla:zən] 自他 (強く)吹く
Der Wind *blies* heftig. 風が激しく吹いた.
Er *bläst* Horn. 彼は角笛を吹く.

blass [blas] 形 青白い, 青ざめた
Sie sah *blass* aus. 彼女は青ざめた顔をしていた.

das **Blatt** [blat] -[e]s/-er ① 木の葉; 花びら　② 紙片　③ 枚数
Die *Blätter* fallen. 木の葉が散る.　し〈複〉→
drei *Blatt* Papier 3枚の紙

blau [blaʊ] 形 青い
Sie hat *blaue* Augen. 彼女は青い目をしている.

bleiben* ['blaɪbən] 自《s》とどまる, 残る, 依然として…である
Ich *bleibe* zu Hause. 私は在宅する.
Das Fenster *bleibt* offen. 窓があいたままだ.
Wir *bleiben* Freunde. 私たちはいつまでも友だちだ.
Die Uhr *blieb* stehen. 時計がとまった.

bleich [blaɪç] 形 青ざめた
Sie wurde *bleich* vor Furcht³. 彼女は恐怖でまっさおになった.

der **Bleistift** ['blaɪʃtɪft] -[e]s/-e 鉛筆
Ich zeichne mit *Bleistift*. 私は鉛筆で描く.

der **Blick** [blɪk] -[e]s/-e 目つき, まなざし, 一瞥
Er hat einen sanften *Blick*. 彼は優しい目つきをしている.
Er wandte keinen *Blick* von ihr. 彼は彼女から目をそらさなかった.

blicken [ˈblɪkən] 自 ちらっと見る; (ちらっと)見える
Er *blickte* auf seine Uhr. 彼は時計を見た.
Die Sonne *blickt* durch die Wolken. 日光が雲間からもれる.
blind [blɪnt] 形 盲目の
Sie ist *blind*. 彼女は盲目だ.
der **Blitz** [blɪts] -[e]s/-e 電光; 閃光
Der *Blitz* schlägt in den Baum. 雷が木に落ちる.
blitzen [ˈblɪtsən] 自非 ひらめく, ぴかりと光る
Es *blitzt*. いなびかりがする.
Es *blitzte* ihm durch den Kopf. 彼の頭にある考えがひらめいた.
bloß [bloːs] 1 形 裸の; 単なる 2 副 単に
bloße Füße はだし
Ich habe *bloß* zwei Mark. 私は2マルクしか持っていない.
blühen [ˈblyːən] 自 咲いている, 花盛りである
Der Garten *blüht*. 庭に花が咲いている.
die **Blume** [ˈbluːmə] -/-n 花, 草花
Blumen blühen im Garten. 庭に花が咲いている.
das **Blut** [bluːt] -[e]s/ 血
Das *Blut* strömt aus der Wunde. 血が傷口から流れる.
die **Blüte** [ˈblyːtə] -/-n (木の)花; 花盛り
Der Baum steht in voller *Blüte*. 木は花盛りだ.
der **Boden** [ˈboːdən] -s/-, ⸚ 地面; 床
Ich setzte mich auf den *Boden*. 私は地べたにすわった.
der **Bogen** [ˈboːgən] -s/-, ⸚ 弓; 弓形, 曲線; アーチ
Er spannte den *Bogen*. 彼は弓を引きしぼった.
Der Fluss macht einen *Bogen*. 川が彎曲している.
das **Boot** [boːt] -[e]s/-e ボート
Wir sind in (mit) einem *Boot* gefahren. 私たちはボートで渡った.
böse [ˈbøːzə] 形 悪い, 悪意のある; 怒っている
eine *böse* Tat 悪い行い
Es war nicht *böse* gemeint. それは悪意で言った(した)ことではない.
Sie ist *böse auf* mich (*mit* mir). 彼女は私のことを怒っている.
der **Bote** [ˈboːtə] -n/-n 使いの者
Sie schickte einen *Boten* zum Arzt. 彼女は医者に使いをやった.
brauchen [ˈbraʊxən] 他 必要とする
Der Kranke *braucht* Ruhe. 病人は静養が必要だ.
Du *brauchst* nicht zu arbeiten. 君は働くことはないよ.
Sie *brauchen* es *nur* zu sagen. あなたはそれを言いさえすればよい.
braun [braʊn] 形 茶色の, 褐色の
braunes Haar 褐色の髪
die **Braut** [braʊt] -/⸚e 婚約中の女; 花嫁, 新婦
Das ist eine schöne *Braut*! きれいな花嫁さんだ!
brav [braːf] 形 しっかりした, 感心な, 行儀のよい
Er ist ein *braver* Mann. 彼はしっかりした男だ.

Das Kind ist *brav*. その子は行儀がよい.
brechen* ['brɛçən] **1** 他 折る, 破る, くだく **2** 自 《s》折れる, 破れる, くだける
Er hat sich³ den Arm *gebrochen*. 彼は腕を折った.
Das Eis ist *gebrochen*. 氷が割れた.
breit [braɪt] 形 (幅が)広い
Der Weg ist sehr *breit*. 道幅はとても広い.
brennen* ['brɛnən] **1** 自 燃える, (灯が)ともる **2** 他 燃やす, とも す. **3** 再 《sich⁴》やけどする
Es *brennt*! 火事だ!〈非人称的〉
Ich *brenne* Holz im Ofen. 私はストーブで薪を燃やす.
Er *brannte sich⁴* am Finger. 彼は指にやけどした.
der **Brief** [bri:f] -[e]s/-e 手紙
Ich schreibe einen *Brief an* die Mutter. 私は母に手紙を書く.
der **Briefträger** ['bri:ftrɛːɡər] -s/- 郵便配達人
die **Brille** ['brɪlə] -/-n めがね
Sie trägt eine goldene *Brille*. 彼女は金縁のめがねをかけている.
bringen* ['brɪŋən] 他 〈jm に et⁴ を〉もたらす, 持って来る
Bring mir ein Glas Wasser! 水を1杯持って来てくれ!
Das *brachte* ihm Glück. それが彼に幸福をもたらした.
das **Brot** [bro:t] -[e]s/-e パン
ein Stück *Brot* 1切れのパン
die **Brücke** ['brʏkə] -/-n 橋
Er geht über die *Brücke*. 彼は橋を渡る.
der **Bruder** ['bru:dər] -s/⁼ 兄弟
Er hat zwei *Brüder*. 彼には兄弟が2人いる.
mein älterer (jüngerer) *Bruder* 私の兄(弟)
der **Brunnen** ['brʊnən] -s/- 泉, 噴水; 井戸
Der *Brunnen* fließt nicht mehr. 泉はもう涸れた.
die **Brust** [brʊst] -/⁼e 胸; 乳房
Sie drückte das Kind an die *Brust*. 彼女は子供を抱きしめた.
Sie gibt dem Kind die *Brust*. 彼女は子供に乳をふくませる.
das **Buch** [bu:x] -[e]s/⁼er 本
Er liest ein *Buch*. 彼は本を読んでいる.
bunt [bʊnt] 形 色とりどりの
bunte Blumen 色とりどりの花
die **Burg** [bʊrk] -/-en 城, 城廓
Viele Leute besuchen die alte *Burg*. 大ぜいの人がその古城を訪れる.
der **Bürger** ['bʏrɡər] -s/- 市民; 公民(市民権を持つ人); 庶民
das **Büro** [by'ro:] -s/-s 事務所, 事務室
Er ist jetzt im *Büro*. 彼はいま事務所にいる.
der **Bursche** ['bʊrʃə] -n/-n 若者
Er ist ein frischer *Bursche*. 彼は元気な若者だ.
der **Bus** [bʊs] ..sses/..sse バス
Welche *Busse* halten hier? どのバスがここにとまるのですか?

der **Busch** [buʃ] -es/⸚e　やぶ, 茂み, 木立ち
　Ein Vogel flog aus dem *Busch*.　鳥がやぶの中から飛び立った.
die **Butter** [′bʊtər] -/　バター
　Er streicht *Butter* aufs Brot.　彼はパンにバターを塗る.

C

der **Charakter** [ka′raktər] -s/-e [..′te:rə]　性格
　Er ist ein Mensch mit gutem *Charakter*.　彼はよい性格を持った人間である.
die **Chemie** [çe′mi:] -/　化学
　Er studiert *Chemie*.　彼は化学を勉強している.
(*das*) **China** [çi:na]　中国, シナ
　der **Chinese** [çi′ne:zə] -n/-n　中国人
　chinesisch [çi′ne:zɪʃ] 形　中国[人・語]の
der **Christ** [krɪst] -en/-en　キリスト教徒
　Er ist als guter *Christ* gestorben.　彼はよきキリスト教徒として死んだ.

D

da [da:] 1 副 ① そこに ② そのとき　2 接《従》…だから
　Wer ist *da*?　そこにいるのはだれですか?
　Er kam nicht, *da* er krank war.　彼は病気なので来なかった.
dabei [da′baɪ, ′da:baɪ] 副　そのそばに; そのさいに
　Ich war auch *dabei*.　私もそこに居合わせた.
das **Dach** [dax] -[e]s/⸚er　屋根
　Das *Dach* ist mit Stroh gedeckt.　その屋根はわらぶきだ.
dagegen [da′ge:gən, ′da:ge:gən] 1 副 それに反(対)して　2 接《副》それに反して
　Ich habe nichts *dagegen*.　私はそれに異存がない.
　Er ist reich, *dagegen* sind wir arm.　彼は金持だ, それに反して私たちは貧しい.
daher [da′he:r, ′da:he:r] 1 副　そこから(こちらへ); その理由から　2 接《副》それゆえに
　Ich komme *daher*.　私はそこから来た.
　Er ist krank, *daher* kann er nicht kommen.　彼は病気だ, だから来られない.
dahin [da′hɪn, ′da:hɪn] 副　そこへ; 去って
　Ist es noch weit bis *dahin*?　そこまではまだ遠いのか?
　Meine Zeit ist *dahin*.　私の時代は過ぎ去った.
damals [′da:ma:ls] 副　当時
　Damals lebten wir glücklich.　当時, 私たちは幸福に暮らしていた.
die **Dame** [′da:mə] -/-n　淑女, レディー

Er sprach mit einer *Dame*. 彼はある婦人と話していた.

damit [da'mɪt, 'da:mɪt] I 副 それとともに,それでもって 2 接《従》…するために
　Was meinst du *damit*? それはどういう意味か?
　Ich tat es, *damit* sie sich⁴ freue. 私は彼女が喜ぶようにそうしたのだ.

der **Dank** [daŋk] -[e]s/ 感謝
　Besten (Vielen) *Dank*! ほんとうにありがとう!
　Ich habe es mit *Dank* erhalten. 私は感謝してそれを受け取った.

dankbar ['daŋkba:r] 形 〈jm に für et⁴ を〉感謝している
　Du musst ihm *dankbar* sein. 君は彼に感謝しなくてはいけない.

danken ['daŋkən] 自 〈jm に für et⁴ を〉感謝する
　Ich *danke* Ihnen *für* Ihren Brief. お手紙をありがとう.
　Danke schön! どうもありがとう!
　Nein, *danke*! いいえ,けっこうです!

dann [dan] 副 そのとき; それから
　Wenn du fertig bist, *dann* komm zu mir! 済んだら私のところへ来たまえ!
　Erst will ich arbeiten, *dann* ruhen. まず働いて,それから休もう.

daran [da'ran, 'da:ran] 副 それに接して; それについて
　Ich denke gar nicht *daran*. 私はそのことは全然考えない.

darauf [da'rauf, 'da:rauf] 副 その上に(へ); その後
　Ich will eine Decke *darauf* legen. 私はその上におおいをかけよう.
　Ein Jahr *darauf* starb er. その後1年して彼は死んだ.

darin [da'rɪn, 'da:rɪn] 副 その中に
　Es ist nichts *darin*. その中には何もない.
　Darin irrst du dich. その点で君はまちがっている.

darum [da'rum, 'da:rum] I 副 そのまわりに; それについて 2 接《副》それゆえに
　Er weiß *darum*. 彼はそのことを知っている.
　Das Wetter ist schlecht; *darum* bleibe ich zu Hause. 天気が悪い,だから私は家にいる.

das [das] 代 《定冠詞・関係代名詞の中性形のほかに一般的な指示代名詞として》これ,その
　Was ist *das*?—*Das* ist mein Buch. それは何ですか?—これは私の本です.
　Hast du *das* schon gehört? もうそれを聞いたか?

dass [das] 接 《従》…という[こと]; …するために
　Ich weiß, *dass* es wahr ist. 私はそれがほんとうだということを知っている.
　Ich freue mich [darauf], *dass* er kommt. 私は彼が来るのを喜んで待っている.
　Sei still, *dass* ich einschlafen kann! 寝つけるように静かにしてくれ!
　so…, **dass**… …するほどに…だ
　Es wurde *so* kalt, *dass* man heizen musste. 暖房しなければならないほど寒くなった.

dauern ['dauərn] 自 続く
　Der Vortrag *dauerte* zwei Stun- 講演は2時間続いた.

davon [da′fɔn, ′daːfɔn] 副 それの；それについて；それから(離れて)
 Davon weiß ich nichts.   それについては何も知らない.
dazu [da′tsuː, ′daːtsuː] 副 そこへ；そのために；そのうえ
 Dazu habe ich keine Zeit.   それには暇がない.
 Er ist arm und noch krank *dazu*.   彼は貧しく, そのうえ病気だ.
die **Decke** [′dɛkə] -/-n おおい, 掛けぶとん；天井
 Ich legte eine *Decke* auf den Tisch.   私はテーブルに卓布をかけた.
 Die *Decke* des Zimmers ist weiß.   部屋の天井は白い.
decken [′dɛkən] 他 おおう
 Schnee *deckt* die Felder.   雪が野原をおおっている.
dehnen [′deːnən] 1 他 のばす, 広げる 2 再《sich⁴》のびる, 広がる
 Das Band *dehnt sich⁴*.   テープがのびる.
dein, deine, dein [daɪn, ′daɪnə, daɪn] 代 《所有》君の
 Das ist *deine* Schuld.   それは君の罪だ.
 Du musst das *Deine* tun.   おまえは自分の義務を果たさねばならぬ.〈中性名詞化〉
denken* [′dɛŋkən] 自他 思う, 考える
 Wie *denken* Sie über das Buch?   その本をどうお考えですか？
 Ich *denke an* meine Eltern.   私は両親のことを考える.
denn [dɛn] 1 接《並》なぜなら 2 副 いったい
 Ich gehe nicht, *denn* ich habe noch zu tun.   私は行かない, なぜならまだすることがあるから.
 Wo ist er *denn*?   彼はいったいどこにいるのだ？
dennoch [′dɛnɔx] 副接《副》それにもかかわらず
 Er war faul; *dennoch* bestand er die Prüfung.   彼は怠惰だった. それでも試験に合格した.
der, die, das 1 [der, di, das] 冠 2 [deːr, diː, das] 代 ①《指示》この, その, あの[人・物] ②《関係》…する(…である)ところの
 Kennst du *den* Mann dort?—Ja, *den* kenne ich.   あそこにいるあの男を知っているか？—はい, あの男なら知っている.
 Ich kenne den Mann, *der* dort steht.   あそこに立っている男を私は知っている.
derjenige, diejenige, dasjenige [′deːrjeːnɪgə, ′diːjeːnɪgə, ′dasjeːnɪgə] 代《指示》その[人・物]
 Ich danke *demjenigen* [Mann], der mir geholfen hat.   私を助けてくれた人に私は感謝する.
derselbe, dieselbe, dasselbe [deːr′zɛlbə, diː′zɛlbə, das′zɛlbə] 代《指示》同じ[人・物]
 Sie sind aus *derselben* Stadt.   彼らは同じ町の出身だ.
deshalb [′dɛs′halp] 副 それゆえに
 Deshalb hast du das getan.   だから君はそうしたんだね.
desto [′dɛsto] 副〈比較級とともに〉ますます

Je mehr, *desto* besser. 多ければ多いほどよい.
deuten ['dɔʏtən] 1 自 〈auf et⁴ を〉 さし示す, 意味する 2 他 解釈(説明)する
 Er *deutete* mit dem Finger *auf* sie. 彼は彼女を指さした.
 Wie *deuten* Sie das? あなたはそれをどう解釈しますか?
deutlich ['dɔʏtlɪç] 形 明らかな
 Schreiben Sie bitte *deutlich*! はっきり書いてください!
deutsch [dɔʏtʃ] 形 ドイツ[人・語]の, ドイツ的な
 die *deutsche* Sprache ドイツ語
 das *Deutsche* ドイツ語〈名詞的〉
 der (die) **Deutsche** ['dɔʏtʃə] 《形 変化》 ドイツ人
(das) **Deutsch** [dɔʏtʃ] -[s]/ ドイツ語
 Er spricht gut[es] *Deutsch* 彼はドイツ語をじょうずに話す.
 auf *Deutsch* ドイツ語で
(das) **Deutschland** ['dɔʏtʃlant] ドイツ
 Er studiert in *Deutschland*. 彼はドイツで勉学している.
der **Dezember** [de'tsɛmbər] -[s]/- 12月
 Heute ist der erste *Dezember*. きょうは12月1日だ.
dicht [dɪçt] 1 形 密集した, 濃い 2 副 接近して
 Der Nebel wurde immer *dichter*. 霧はますます濃くなった.
 Er stand *dicht* bei dem Haus. 彼は家のすぐそばに立っていた.
dichten ['dɪçtən] 他 自 創(詩)作する
 Er hat ein Lied *gedichtet*. 彼は1つの歌を作った.
der **Dichter** ['dɪçtər] -s/- 詩人, 作家
 Haben Sie diesen *Dichter* gelesen? この作家のものを読みましたか?
die **Dichtung** ['dɪçtʊŋ] -/-en 詩歌, 文学
 die deutsche *Dichtung* ドイツ文学
dick [dɪk] 形 厚い, 太い, 濃い
 Die Wand ist einen Fuß *dick*. 壁は1フィートの厚さがある.
 Er ist sehr *dick*. 彼は非常に肥満している.
der **Dieb** [di:p] -[e]s/-e どろぼう
 Die Polizei fing den *Dieb*. 警察がどろぼうをつかまえた.
dienen ['di:nən] 自 ① 〈jm に〉 奉仕する; 勤務する ② 〈zu et³ に〉 役だつ
 Er hat seinem Herrn treu *gedient*. 彼は主人に忠実に仕えた.
 Das *dient zu* nichts. それは何の役にもたたない.
der **Diener** ['di:nər] -s/- 召使, 従者
der **Dienst** [di:nst] -es/-e 勤め, 奉仕, 尽力
 Er tat dir einen *Dienst*. 彼は君のために尽力した.
der **Dienstag** ['di:nsta:k] -[e]s/-e 火曜日
 Sie kommt nächsten *Dienstag*. 彼女はつぎの火曜日に来る.
dieser, diese, dieses ['di:zər, 'di:zə, 'di:zəs] 代 《指示》 この, これ; 後者[の]
 Wer ist *dieser* Herr? このかたはどなたですか?
 Dies[es] sind meine Eltern. これが私の両親です.

diesmal [ˈdiːsmaːl] 副 今度
　Diesmal hatte er recht. 今度は彼の言うとおりだった.
diesseit[s] [ˈdiːszaɪt(s)] 前《2格》副 [...の]こちら側に
　Er wohnt *diesseits* des Stromes. 彼は川のこちら側に住んでいる.
das **Ding** [dɪŋ] -[e]s/-e 物；事
　Wir kauften uns[3] viele nützliche *Dinge*. 私たちはたくさんの役にたつ物を買った.
　Wir haben andere *Dinge* im Kopf. 私たちは他の事を考えている.
direkt [dɪˈrɛkt] 形 直接の
　Diese Straße führt *direkt* nach der Stadt. この道はまっすぐ町へ通じている.
der **Direktor** [dɪˈrɛktor] -s/-en [..ˈtoːrən] 支配人, 社長, 校長
doch [dɔx] 1 接《副・並》だが 2 副 ① だが ② なんといっても, どっちみち ③〈否定の問いに〉いや, そうではない ④ どうか, ぜひ
　Er ist arm, *doch* zufrieden. 彼は貧しいが満ち足りている.
　Du gehst *doch* in die Stadt. 君はどうせ町へ行くじゃないか.
　Du kommst wohl nicht?—*Doch*! たぶん来ないだろうね?—いや, 行く
　Käme er *doch*! 彼が来てくれたらなあ！しとも！
der **Doktor** [ˈdɔktor] -s/-en [..ˈtoːrən] ドクトル, 博士, 医師
　Er wurde *Doktor*. 彼はドクトルになった.
der **Donner** [ˈdɔnər] -s/- 雷[鳴]
　Der *Donner* rollt. 雷がゴロゴロ鳴る.
donnern [ˈdɔnərn] 1 自 雷が鳴る 2 自 とどろく
　Es *donnert*. 雷が鳴る.
　Der Zug *donnert* über die Brücke. 列車がごうごうと鉄橋を渡る.
der **Donnerstag** [ˈdɔnərstaːk] -[e]s/-e 木曜日
　Donnerstag morgen reiste er ab. 彼は木曜日の朝に出発した.
doppelt [ˈdɔpəlt] 形 2倍の, 2重の
　Dies ist *doppelt* so groß wie jenes. これはあれの2倍も大きい.
das **Dorf** [dɔrf] -[e]s/⸚er 村
　Er wohnt auf (in) dem *Dorf*. 彼は村に住んでいる.
dort [dɔrt] 副 そこに, あそこに
　Ich wohne *dort*. 私はあそこに住んでいる.
　Das Buch liegt *dort* auf dem Tisch. 本はそこの机の上にある.
das **Drama** [ˈdraːma] -s/..men 戯曲, 劇
　Ich werde mir dieses *Drama* ansehen. この劇を見ようと思う.
der **Drang** [draŋ] -[e]s/ 圧迫, 切迫；衝動
　Er vergaß es im *Drang* der Arbeit. 彼は仕事に追われてそれを忘れた.
　Ich hatte einen *Drang* nach frischer Luft. 私は新鮮な空気が吸いたくなった.
draußen [ˈdraʊsən] 副 外で
　Er stand *draußen* im Garten. 彼は外の庭に立っていた.
drehen [ˈdreːən] 1 他 回す, ねじる 2 再《sich[4]》回る
　Er *drehte* den Kopf nach rechts. 彼は首を右に回した.

drei

Das Rad *dreht sich*⁴. 車輪が回転する。

drei [draɪ] 数 3
Es schlägt *drei*. 3時が鳴る。

dringen* ['drɪŋən] 自 ① 《s》 おし進む、はいりこむ ② 《h》〈auf et⁴ を〉せよとしいる ③ 《h》〈in jn を〉促す
Wasser *drang* ins Haus (in die Schuhe). 水が家(靴)の中にはいってきた。
Ich muss *auf* deine Abreise *dringen*. 私は君に出発を迫らざるをえない。

dringend ['drɪŋənt] 形 さし迫った、たっての
Ich habe *dringende* Geschäfte. 私は急用がある。

dritt [drɪt] 数 第3の
Heute ist der *dritte* April. きょうは4月3日だ。

drohen ['dro:ən] 自 〈jm を〉おどす
Er *drohte* ihr mit dem Tode. 彼は彼女を殺すとおどした。
Es *droht* zu regnen. ひと雨きそうだ。

drucken ['drʊkən] 他 印刷する
Die Zeitung wurde *gedruckt*. 新聞は印刷された。

drücken ['drʏkən] 他自 押す、圧する
Er *drückt* auf einen Knopf. 彼は押しボタンを押す。
Die Sorgen *drücken* uns⁴. 心配ごとが私たちを苦しめる。

du [du:] 代 君、おまえ
Darf ich *du* sagen? 「君」と呼んでかまいませんか？

der **Duft** [dʊft] -[e]s/⸚e かおり；もや
süßer *Duft* 甘いかおり

dulden ['dʊldən] 他自 忍ぶ、がまんする
Ich kann es nicht *dulden*. 私はそれをがまんできない。

dumm [dʊm] dümmer, dümmst 形 愚かな
Er ist nicht so *dumm*, wie er aussieht. 彼は見かけほどばかではない。

dumpf [dʊmpf] 形 うっとうしい；にぶい、はっきりしない。
Im Keller ist *dumpfe* Luft. 地下室にはかび臭い空気がこもっている。
Man hörte einen *dumpfen* Fall. 物の落ちるにぶい音が聞こえた。

dunkel ['dʊŋkəl] 形 暗い、(色が)濃い
Es wird *dunkel*. 暗くなる。
Er trägt ein *dunkles* Kleid. 彼は黒っぽい色の服を着ている。

dünn [dʏn] 形 薄い、細い
dünnes Papier 薄い紙
Er hat *dünne* Beine. 彼は細い足をしている。

durch [dʊrç] I 前 《4格》① …を通って(通じて) ② …によって、…のおかげで 2 副 通って；くまなく
Er sah *durch* das Fenster. 彼は窓ごしに見た。
Ich habe das Zimmer *durch* ihn gefunden. 私はその部屋を彼のおかげで見つけた。
Die ganze Nacht⁴ *durch* arbeitete er. 夜通し彼は働いた。

durchaus [dʊrç-ˈaʊs] 副 まったく
　Deine Ansicht ist *durchaus* richtig. 　君の見解はまったく正しい.
dürfen* [ˈdʏrfən] 助 …してもよい
　Darf ich Sie bitten? 　お願いしてもよいですか?
　Man *darf* hier nicht rauchen. 　ここで喫煙してはならない.
　dürfen nur …さえすればよい
　Du *darfst* es *nur* sagen. 　君はそれを言いさえすればよい.
der **Durst** [dʊrst] -es/ (のどの)渇き
　Ich habe *Durst*. 　私はのどが渇いている.
düster [ˈdyːstər] 形 暗い, 曇った; 陰気な
　düstere Gedanken 　暗い物思い

E

eben [ˈeːbən] 1 形 平らな 2 副 ちょうど, たったいま
　Die Gegend ist *eben*. 　その地方は平坦だ.
　Eben jene Ware möchte ich kaufen. 　あの品こそ私の買いたいものだ.
　Er ist *eben* angekommen. 　彼はいましがた到着した.
die **Ebene** [ˈeːbənə] -/-n 平野, 平地
　Der Weg führt durch die *Ebene*. 　道が平野をつらぬいて通っている.
ebenfalls [ˈeːbənfals] 副 同様に, もまた
　Diese Jacke gefällt mir *ebenfalls*. 　この上着も私の気に入った.
ebenso [ˈeːbənzoː] 副 まったく同様に
　Sie kennt ihn *ebenso* gut *wie* ich. 　彼女は私と同様に彼をよく知っている.
echt [ɛçt] 形 真の, 純粋の
　Sie hat *echte* Perlen. 　彼女は本物の真珠を持っている.
die **Ecke** [ˈɛkə] -/-n かど, すみ
　Er bog links um die *Ecke*. 　彼はかどを左へ曲がった.
　Er stellte den Stuhl in die *Ecke*. 　彼は椅子をすみに置いた.
edel [ˈeːdəl] 形 高貴な, けだかい
　Er ist aus *edlem* Geschlecht. 　彼は高貴な家柄の出である.
　Das ist eine *edle* Tat. 　それはけだかい行いだ.
ehe [ˈeːə] 接 《従》…する前に
　Ich werde ihn besuchen, *ehe* ich abreise. 　私は旅立つ前に彼をたずねるだろう.
eher [ˈeːər] 副 〈ehe, bald の比較級〉 ① より早く ② むしろ
　Ich war *eher* da als du. 　私は君よりも先に来ていた.
　Er ist *eher* klein als groß. 　彼は大柄というよりは, むしろ小柄しである.
die **Ehre** [ˈeːrə] -/-n 名誉, 尊敬
　Es ist mir eine *Ehre*. 　私は光栄に存じます.
ehren [ˈeːrən] 他 尊敬する
　Du sollst deine Eltern *ehren*. 　君は両親を敬わねばならぬ.
　[sehr] *geehrter* Herr... 　拝啓〈手紙で〉.
ehrlich [ˈeːrlɪç] 形 誠実な

Du bist nicht *ehrlich* gegen dich. 君は自分に対して誠実でない.
das **Ei** [aɪ] -[e]s/-er 卵
  ein rohes (gekochtes) *Ei* なま(ゆで)卵
eifrig [′aɪfrɪç] 形 熱心な
  Er lernt *eifrig*. 彼は熱心に勉強する.
eigen [′aɪgən] 形 自身の；特有の
  Er hat sein *eigenes* Zimmer. 彼は自分の部屋を持っている.
  Das ist ihm *eigen*. それは彼に特有のものだ.
eigentlich [′aɪgəntlɪç] 1 形 本来の, 固有の 2 副 元来, いったい
  Er ist *eigentlich* ein kluger Mann. 彼は元来賢い男だ.
  Wann kommt *eigentlich* dein Bruder? 君の兄(弟)はいったいいつ来るのか？
das **Eigentum** [′aɪgəntu:m] -[e]s/-̈er 所有物, 財産
  Das ist mein *Eigentum*. それは私のものだ.
die **Eile** [′aɪlə] -/ 急ぎ
  Ich habe *Eile*. 私は急ぐ.
  Er aß in größter *Eile*. 彼は大急ぎで食事した.
eilen [′aɪlən] 自《s, h》急ぐ
  Er ist in die Stadt (zum Arzt) *geeilt*. 彼は町(医者のもと)へ急いで行った.
  Er hat damit nicht *geeilt*. 彼はそれを急がなかった.
eilig [′aɪlɪç] 形 急ぎの
  eilige Nachricht 急ぎの知らせ
ein, eine, ein [aɪn, ′aɪnə, aɪn] 1 冠《不定》1つの, ある… 2 数 1つの, 1人の
  Dort steht *ein* Mann. あそこに[1人の]男が立っている.
  Wir haben alle aus *einem* Glas getrunken. 私たちはみなひとつのコップから飲んだ.
  Ich fragte *eine* der Frauen nach dem Weg. 私は女たちの1人に道をたずねた. 〈名詞的に〉
einander [aɪ′nandər] 副 互いに
  Sie helfen sich[3] *einander*. 彼らは互いに助けあう.
  Wir besuchen uns[4] *einander*. 私たちは互いに訪問しあう.
der **Eindruck** [′aɪndrʊk] -[e]s/-̈e 印象
  der erste *Eindruck* des Films 映画の第一印象
  Sie machte auf mich keinen *Eindruck*. 彼女は私に何の印象も与えなかった.
einerlei [′aɪnər′laɪ] 形〈不変化〉同一の, どちらでもよい
  Das ist mir ganz *einerlei*. それは私にはまったくどうでもよい.
einfach [′aɪnfax] 1 形 単純な；質素な 2 副 まったく
  Die Sache ist nicht so *einfach*. この問題はそれほど簡単ではない.
  Ich verstehe dich *einfach* nicht. 私にはまったく君がわからない.
ein|fallen* [′aɪnfalən] 自《s》① 落ちこむ ②〈jm の〉心に浮かぶ
  Das Wort *fällt* mir nicht *ein*. その言葉が私には浮かんでこない.
der **Einfluss** [′aɪnflʊs] -es/-̈e 影響
  Er hat großen *Einfluss* auf sie. 彼は彼らに大きな影響力を持っている.

der **Eingang** [ˈaɪŋaŋ] -[e]s/ˌ̈e 入口
　Ich warte am *Eingang* auf dich. 私は入口で君を待っている.
einige [ˈaɪnɪɡə] 数《不定》2, 3 の, いくつかの
　Ich habe diese Woche⁴ *einige* Briefe bekommen. 私は今週 2, 3 通の手紙を受け取った.
　Einige von ihnen sind nicht gekommen. 彼らのうちの何人かは来なかった.〈名詞的〉
ein|kaufen [ˈaɪnkaʊfən] 他 買い入れる
　Sie geht *einkaufen*. 彼女は買物に行く.
ein|laden* [ˈaɪnlaːdən] 他 招待する
　Sie hat mich zum Abendessen (ins Kino) *eingeladen*. 彼女は私を夕食に招待した(映画にさそった).
einmal 副 1 [ˈaɪnmaːl] 一度, 1 倍　2 [aɪnˈmaːl] かつて, いつか
　Er wiederholte es noch *einmal*. 彼はそれをもう一度繰り返した.
　So etwas habe ich *einmal* gehört. そんなことを私はかつて聞いたことがある.
　Er wird doch *einmal* kommen. そうはいっても, 彼はいつか来るだろう.
　auf einmal 同時に, 突然
　Alle kamen *auf einmal*. みんないちどきにやって来た.
　Auf einmal fing es an zu regnen. 急に雨が降りだした.
　nicht einmal …すらない
　Sie hat *nicht einmal* Englisch gelernt. 彼女は英語さえ学んだことがない.
eins [aɪns] 数 1
　Einmal *eins* ist *eins*. 1×1＝1
　Es ist *eins*. いま 1 時だ.
einsam [ˈaɪnzaːm] 形 さびしい, 孤独の
　Sie lebt ganz *einsam*. 彼女はまったくひとりぼっちで暮らしている.
ein|schlafen* [ˈaɪnʃlaːfən] 自《s》 寝入る
　Ich bin über dem Lesen *eingeschlafen*. 私は本を読みながら眠りこんだ.
einst [aɪnst] 副 かつて, いつか
　Ich wohnte *einst* in dieser Stadt. 私はかつてこの町に住んでいた.
ein|steigen* [ˈaɪnʃtaɪɡən] 自《s》 乗車(船)する
　Wir sind alle in den Zug *eingestiegen*. われわれはみな汽車に乗りこんだ.
ein|treten* [ˈaɪntreːtən] 自《s》 歩み入る
　Bitte, *treten* Sie [ins Zimmer] *ein*! どうぞ[部屋へ]おはいりください!
der **Einwohner** [ˈaɪnvoːnər] -s/- 住民
　Wieviel *Einwohner* hat diese Stadt? この町は人口がどのくらいですか?
einzeln [ˈaɪntsəln] 形 個々の
　Der Lehrer fragte jeden *einzelnen* Schüler. 先生は生徒に 1 人ずつ質問した.
einzig [ˈaɪntsɪç] 形 唯一の
　Er ist mein *einziger* Freund. 彼は私の唯一の友だ.
das **Eis** [aɪs] -es/ 氷

Eisen

Es hat *Eis* gefroren. 氷が張った.
das **Eisen** [ˈaɪzən] -s/- 鉄
die **Eisenbahn** [ˈaɪzənbaːn] -/-en 鉄道
  Er ist mit der *Eisenbahn* gefahren. 彼は汽車で行った.
elektrisch [eˈlɛktrɪʃ] 形 電気の
  elektrisches Licht 電灯
  die **Elektrische** [eˈlɛktrɪʃə] 《形 変化》 市街電車
  Er fährt mit der *Elektrischen*. 彼は電車で行く.
elend [ˈeːlɛnt] 形 みじめな, 悲惨な
  Sie ist in einer *elenden* Lage. 彼女はみじめな境涯にいる.
elf [ɛlf] 数 11
die **Eltern** [ˈɛltərn] 複 両親
  Er wohnt noch bei seinen *Eltern*. 彼はまだ両親のもとに住んでいる.
empfangen* [ɛmˈpfaŋən] 他 受け取る, 迎え入れる
  Er hat Geschenke *empfangen*. 彼は贈物を受け取った.
  Sie *empfing* Besuche. 彼女は来客を迎えた.
empfehlen* [ɛmˈpfeːlən] 他 〈jm に jn·et⁴ を〉推薦する, 紹介する
  Ich *empfehle* Ihnen dieses Buch. あなたにこの本をおすすめします.
  Empfehlen Sie mich Ihren Eltern! ご両親によろしく!
empfinden* [ɛmˈpfɪndən] 他 感ずる
  Ich habe den Hunger kaum *empfunden*. 私はほとんど空腹を感じなかった.
empor [ɛmˈpoːr] 副 上へ, 高く
  Ich sah zum Himmel *empor*. 私は空を見上げた.
das **Ende** [ˈɛndə] -s/-n 終り
  Wir wohnen am *Ende* der Straße. 私たちは通りのはずれに住んでいる.
  Ich las den Brief *zu Ende*. 私は手紙を読み終えた.
  Am Ende ist die Geschichte gar nicht wahr. 結局その話は全然ほんとうではない.
  Ende Mai werde ich abreisen. 5月の終りに私は出発します.
enden [ˈɛndən] 1 他 終える 2 自再 《sich⁴》終わる
  Ich habe meine Arbeit *geendet*. 私は仕事を終えた.
  Der Unterricht *endet* um 12 Uhr. 授業は12時に終わる.
endlich [ˈɛntlɪç] 副 最後に, ようやく
  Endlich kam die Stunde des Abschieds. とうとう別れの時が来た.
eng [ɛŋ] 形 狭い
  Der Weg ist hier sehr *eng*. 道はここで非常に狭くなっている.
(*das*) **England** [ˈɛŋlant] イギリス
  der **Engländer** [ˈɛŋlɛndər] -s/- イギリス人
  englisch [ˈɛŋlɪʃ] 形 イギリス[人·語]の
  (*das*) **Englisch** [ˈɛŋlɪʃ] -[s]/ 英語
der **Enkel** [ˈɛŋkəl] -s/- 孫
entbehren [ɛntˈbeːrən] 他 …を欠く; …なしに済ます
  Ich kann das Buch nicht *entbehren*. 私はその本なしに済ませない.
entdecken [ɛntˈdɛkən] 他 発見する; 打ち明ける

Er hat einen neuen Stern *entdeckt*. 彼は新しい星を発見した．

Er *entdeckte* seinem Vater den Plan. 彼は父に計画を打ち明けた．

entfernt [ɛnt'fɛrnt] 形 遠い，隔たった

Die Schule ist weit *entfernt* von hier. 学校はここから遠く離れたところにある．

die **Entfernung** [ɛnt'fɛrnʊŋ] -/-en 距離

In einer *Entfernung* von 10 Metern fuhr er vorbei. 10メートル離れたところを彼は車で通り過ぎた．

entgegen [ɛnt'ge:gən] 前《3格》〈普通後置〉① …に向かって ② …に逆らって

Das Kind lief dem Vater *entgegen*. 子供は走って父を出迎えた．

Meiner Erwartung *entgegen* war das Wetter schön. 私の予期に反して，天気はよかった．

enthalten* [ɛnt'haltən] 他 含む

Der Koffer *enthält* Kleider. トランクには衣類がはいっている．

entlang [ɛnt'laŋ] 前《4格または3格》〈普通後置〉…に沿って

Die (Der) Straße *entlang* stehen schöne Häuser. 通りに沿って美しい家が並んでいる．

entscheiden* [ɛnt'ʃaɪdən] 1 他 決定する 2 再《sich⁴》決定される；決心する

Er wird diese Sache *entscheiden*. 彼はこの問題に決着をつけるだろう．

Wir *entschieden uns*⁴ für diese Wohnung. 私たちはこの住いに決めた．

entschließen* [ɛnt'ʃli:sən] 再《sich⁴》決心する

Ich habe *mich entschlossen*, das Bild zu kaufen. 私はその絵を買うことに決心した．

der **Entschluss** [ɛnt'ʃlʊs] -es/ⁿe 決心

Er *fasste* den *Entschluss*, das zu kaufen. 彼はそれを買う決心をした．

entschuldigen [ɛnt'ʃʊldɪgən] 1 他 許す 2 再《sich⁴》弁解する，わびる

Entschuldigen Sie [, dass ich Sie störe]! ごめんください！ 失礼ですが．(おじゃましてすみません．)

Ich *entschuldigte mich* bei ihm. 私は彼にわびを言った．

entstehen* [ɛnt'ʃte:ən] 自《s》起こる，生ずる

Es *entstand* eine schwierige Lage. 困難な事態が生じた．

enttäuschen [ɛnt'tɔʏʃən] 他 失望させる

Das Buch hat mich *enttäuscht*. その本は私を失望させた．

entweder [ɛnt've:dər] 接《並・副》〈entweder...oder...〉…か，あるいは…

Ich fahre *entweder* mit dem Zug *oder* mit dem Auto. 私は汽車か，あるいは自動車で行く．

entwickeln [ɛnt'vɪkəln] 1 他 発展させる 2 再《sich⁴》発展する

Sein Plan *entwickelt sich*⁴ immer mehr. 彼の計画はますます発展する。

er [eːr, er] 代 彼
  Er ist mein Freund. 彼は私の友だちです。
  Statt *seiner* komme ich. 彼のかわりに私が来る。
  Ich gab es *ihm*. 私はそれを彼に与えた。
  Besuchen Sie *ihn* heute? あなたはきょう彼をたずねますか？

erblicken [ɛrˈblɪkən] 他 見る，認める
  Sie *erblickte* mich gleich. 彼女はすぐに私の姿を認めた。

die **Erde** [ˈeːrdə] -/-n 大地，地球，地上
  Die *Erde* bewegt sich⁴ um die Sonne. 地球は太陽の回りを回る。
  Plötzlich fiel er auf die *Erde* (zur *Erde*). 突然彼は地面に倒れた。

das **Ereignis** [ɛrˈaɪgnɪs] -ses/-se 出来事，事件
  Das war ein trauriges *Ereignis*. それは悲しいできごとだった。

erfahren* [ɛrˈfaːrən] 他 経験する；見聞する
  Sie hat viel Unglück *erfahren*. 彼女は多くの不幸を経験した。
  Ich habe es von ihm *erfahren*. 私はそれを彼から聞き知った。

die **Erfahrung** [ɛrˈfaːrʊŋ] -/-en 経験
  Ich weiß es aus *Erfahrung*. 私はそれを経験で知っている。

erfinden* [ɛrˈfɪndən] 他 発明する，案出する
  Er hat eine neue Maschine *erfunden*. 彼は新しい機械を発明した。

der **Erfolg** [ɛrˈfɔlk] -[e]s/-e 結果；成功
  Alles war ohne *Erfolg*. すべてがむだであった。

erfreuen [ɛrˈfrɔyən] 1 他 喜ばせる 2 再 《sich⁴》〈an et³ を〉喜ぶ
  Er hat mich mit seinem Geschenk *erfreut*. 彼は私を贈物で喜ばせた。
  Ich habe *mich an* der Nachricht *erfreut*. 私はその知らせを聞いて喜んだ。

erfüllen [ɛrˈfʏlən] 他 満たす；成就する
  Ich will dir deinen Wunsch *erfüllen*. 君の願いをかなえてやろう。

das **Ergebnis** [ɛrˈgeːpnɪs] -ses/-se 結果
  Wir kamen zu folgendem *Ergebnis*. 私たちはつぎの結論に到達した。

ergreifen* [ɛrˈgraɪfən] 他 つかむ，捕える；感動させる
  Er *ergriff* sie beim Arm. 彼は彼女の腕をつかんだ。
  Ich war von seiner Rede tief *ergriffen*. 私は彼の演説に深く感動した。

erhaben [ɛrˈhaːbən] 形 崇高な，超然たる
  Seine Arbeit ist über alles Lob *erhaben*. 彼の仕事はあらゆる賞賛を絶している。

erhalten* [ɛrˈhaltən] 他 受け取る；保つ，維持する
  Er hat einen Brief *erhalten*. 彼は1通の手紙を受け取った。
  Das Haus ist gut *erhalten*. この家は手入れがよい。

erheben* [ɛr'he:bən] 1 他 高める,上げる 2 再 《sich⁴》 立ち上がる,起こる
 Er *erhebt* die Hände.   彼は両手を上げる.
 Es *erhob sich⁴* ein Sturm.   嵐が吹き起こった.

erholen [ɛr'ho:lən] 再 《sich⁴》 回復する;休養する
 Haben Sie *sich⁴* von Ihrer Krankheit *erholt*?   あなたは病気がよくなりましたか?

erinnern [ɛr-'ɪnɚn] 1 他 〈jn に an et⁴ を〉思い出させる 2 再 《sich⁴》〈an et⁴ を〉思い出す,覚えている
 Er *erinnerte* mich *an* mein Versprechen.   彼は私に約束を思い出させた.
 Erinnern Sie *sich⁴ an* ihn?   あなたは彼を覚えていますか?

die **Erinnerung** [ɛr-'ɪnərʊŋ] -/-en 記憶,思い出
 Nimm das als *Erinnerung an* meinen Vater!   父の記念にこれを受け取ってくれたまえ!

erkälten [ɛr'kɛltən] 再 《sich⁴》 かぜをひく
 Ich habe *mich* stark (leicht) *erkältet*.   私はひどい(ちょっと)かぜをひいた.

erkennen* [ɛr'kɛnən] 他 知る,見分ける,認識する
 Ich *erkenne* dich *an* der Stimme.   私は声で君だとわかる.
 Er *erkannte* seinen Fehler.   彼は自分の誤りを認めた.

die **Erkenntnis** [ɛr'kɛntnɪs] -/-se 認識

erklären [ɛr'klɛ:rən] 他 説明する,明らかにする
 Erklären Sie mir diesen Satz!   この文章を説明してください!

erlauben [ɛr'laʊbən] 他 許す
 Ich *erlaubte* ihm, nach Hause zu gehen.   私は彼に帰宅を許した.

erleben [ɛr'le:bən] 他 経験(体験)する
 Ich habe schon vieles *erlebt*.   私はもう多くのことを経験した.

das **Erlebnis** [ɛr'le:pnɪs] -ses/-se 経(体)験
 Ich werde dir ein *Erlebnis* von meiner Reise erzählen.   君に旅でのある体験を語って聞かせよう.

erlöschen* [ɛr'lœʃən] 自 《s》 (火,光が)消える
 Das Feuer ist *erloschen*.   火が消えた.

ernst [ɛrnst] 形 まじめな,重大な
 Er liest kein *ernstes* Buch.   彼はまじめな本は読まない.
 Die Lage ist sehr *ernst*.   事態はまことに重大である.

die **Ernte** ['ɛrntə] -/-n 収穫
 Man erwartet reiche *Ernte*.   豊作が期待される.

erregen [ɛr're:gən] 他 刺激する,興奮させる;引き起こす
 Sie war furchtbar *erregt*.   彼女はひどく興奮していた.
 Er hat meinen Hass *erregt*.   彼は私に憎悪の念を起こさせた.

erreichen [ɛr'raɪçən] 他 〈et⁴ に〉達する;達成する
 Der Brief *erreichte* ihn zu spät.   手紙は彼の手に届くのが遅すぎた.
 Er hat den Zweck *erreicht*.   彼は目的を達した.

erscheinen* [ɛr'ʃaɪnən] 自 《s》 現われる;思われる

Er *erschien* als Zeuge vor Gericht[3]. 彼は証人として出廷した.
Das *erscheint* mir unmöglich. それは私には不可能に思われる.
die Erscheinung [εr'ʃaɪnʊŋ] -/-en 出現, 現象, 様子
Es ist eine seltsame *Erscheinung*. それは奇妙な現象だ.
erschrecken* [εr'ʃrεkən] **1** 自 《s》〈強変化：über et[4] に〉驚く **2** 他〈弱変化〉驚かす
Ich bin *über* seine Worte *erschrocken*. 私は彼の言葉に驚いた.
Erschrecke mich nicht so! そんなに驚かさないでくれ!
erst [e:rst] **1** 形 最初の, 第1の **2** 副 最初に; はじめて, やっと
Heute ist der *erste* Juli. きょうは7月1日だ.
Ich sah ihn *zum ersten Mal* (*zum erstenmal*). 私ははじめて彼に会った.
Er hat es als *Erster* entdeckt. 彼はそれを最初に（最初の人として）発見した.
Erst kommt der Vater, dann der Sohn. まず父が来て, それから息子が来る.
Es ist *erst* 9 Uhr. ようやく9時になったところだ.
erstaunen [εr'ʃtaʊnən] 自《s》〈über et[4] に〉驚く, 怪しむ
Ich *erstaunte über* seinen Mut. 私は彼の勇気に驚いた.
ertragen* [εr'tra:gən] 他〈et[4] に〉耐える
Ich kann seine Tat nicht *ertragen*. 私は彼の行為にがまんがならない.
erwachen [εr'vaxən] 自《s》目ざめる
Ich bin heute sehr früh *erwacht*. 私はきょうとても早く目がさめた.
erwarten [εr'vartən] 他 待つ; 期待する
Sie *erwartete* ihren Mann am Bahnhof. 彼女は駅で夫を待っていた.
Das habe ich allerdings nicht *erwartet*. そんなことは私もちろん期待していなかった.
die Erwartung [εr'vartʊŋ] -/-en 期待
Sie hat unsere *Erwartungen* erfüllt. 彼女は私たちの期待にそむかなかった.
erwerben* [εr'vεrbən] 他 得る, もうける
Er hat sich[3] einen großen Ruhm *erworben*. 彼は大きな名声を得た.
erwidern [εr'vi:dərn] 自〈auf et[4] に〉答える
Sie *erwiderte* mir (*auf die Frage*). 彼女は私に（質問に）答えた.
erzählen [εr'tsε:lən] 他 物語る
Er *erzählte* den Kindern ein Märchen. 彼は子供たちにおとぎ話をして聞かせた.
die Erzählung [εr'tsε:lʊŋ] -/-en 物語, 小説
Sie liest in einer *Erzählung*. 彼女は小説を読んでいる.
erziehen* [εr'tsi:ən] 他 教育する
Er wurde in dieser Schule *erzogen*. 彼はこの学校で教育を受けた.

die **Erziehung** [ɛr'tsi:ʊŋ] -/-en 教育
 Er hat eine gute *Erziehung* genossen. 彼は良い教育を受けた.

es [es] 代 ① それ ②〈非人称の主語〉 ③〈文法上の主語・目的語〉
 Das ist mein Buch. *Es* wird dir gefallen. これは私の本だ. それは君の気に入るだろう.
 Er ist hier, ich weiß *es*. 彼はここにいる, 私はそれを知っている.
 Er ist arm und ich bin *es* auch. 彼は貧しい, 私もまたそうだ.
 Es wird warm. 暖かくなる.
 Es ist nicht leicht, eine fremde Sprache zu lernen. 外国語を学ぶのは容易なことではない.

der **Esel** ['e:zəl] -s/- ろば; ばか者

essen* ['ɛsən] 他 食べる, 食事する
 Er *isst* gern Obst. 彼はくだものを好む.
 Er hat bei uns³ zu Mittag *gegessen*. 彼は私たちの家で昼食をとった.

das **Essen** ['ɛsən] -s/- 食事
 Er bestellte beim Kellner das *Essen*. 彼はボーイに食事を注文した.
 vor (nach) dem *Essen* 食前(後)に

etwa ['ɛtva] 副 およそ; おそらく, ひょっとして
 Ich komme in *etwa* 14 Tagen. 私は2週間ぐらいしたら来る.
 Hast du *etwa* dein Geld verloren? もしや金をなくしたのではあるまいね?

etwas ['ɛtvas] 1 代 《不定》あるもの(こと) 2 副 いくらか, 若干
 Gibt es *etwas* Neues? 何か変わったことがありますか?
 So *etwas* habe ich noch nicht gesehen. そんなものを私はまだ見たことがない.
 Er spricht *etwas* Deutsch. 彼はいくらかドイツ語を話す.

euer, eu[e]re, euer ['ɔʏər, 'ɔʏ(ə)rə, 'ɔʏər] 代《所有》おまえたち(君たち)の
 Ich kenne *eu[e]ren* Lehrer. 私は君たちの先生を知っている.

(*das*) **Europa** [ɔʏ'ro:pa] ヨーロッパ
 der **Europäer** [ɔʏro'pɛ:ər] -s/- ヨーロッパ人
 europäisch [ɔʏro'pɛ:ɪʃ] 形 ヨーロッパ[人]の

ewig ['e:vɪç] 形 永久の, 永遠の
 ewiger Friede 永遠の平和

das **Examen** [ɛ'ksa:mən] -s/..mina 試験
 Er macht (besteht) ein *Examen*. 彼は試験を受ける(に及第する).

F

die **Fabrik** [fa'bri:k] -/-en 工場
 Er arbeitet in einer *Fabrik*. 彼は工場で働いている.

der **Faden** ['fa:dən] -s/⸚ 糸

Der *Faden* ist gerissen. 糸が切れた．
fähig [ˈfɛːɪç] 形 〈et² (zu et³) の〉能力がある
　Er ist ein *fähiger* Mann. 彼は有能な男だ．
die **Fahne** [ˈfaːnə] -/-n 旗
　die rote *Fahne* 赤旗
fahren* [ˈfaːrən] 1 自 ⦅s⦆ (乗物で)行く；(乗物が)走る　2 他 (乗物を)走らせる，(乗物で)運ぶ
　Er *fuhr* mit der Straßenbahn. 彼は市街電車で行った．
　Der Bus *fährt* zweimal am Tage. バスは日に2度通る．
　Ich *fahre* Auto. 私は自動車を運転する．
　Fahren Sie mich zum Bahnhof! 駅へやってください！
die **Fahrkarte** [ˈfaːrkartə] -/-n 乗車(船)券
　Ich werde die *Fahrkarten* lösen. 私が切符を買ってこよう．
die **Fahrt** [faːrt] -/-en 乗物で行くこと，旅行
der **Fall** [fal] -[e]s/⸚e ① 落下　② 場合，ケース
　Hier sind zwei *Fälle* möglich. ここでは2つの場合が考えられる．
　Auf jeden *Fall* wird er kommen. いずれにせよ彼は来るだろう．
fallen* [ˈfalən] 自 ⦅s⦆ 落ちる，倒れる
　Das Kind ist ins Wasser *gefallen*. 子供が水の中へ落ちた．
　Er *fiel* auf der Treppe. 彼は階段でころんだ．
falsch [falʃ] 形 いつわりの，誤りの
　Er nannte eine *falsche* Adresse. 彼は住所を偽った．
　Die Uhr geht *falsch*. その時計は狂っている．
die **Familie** [faˈmiːliə] -/-n 家族，家庭
　In unserem Haus wohnen drei *Familien*. 私たちの家には3家族が住んでいる．
fangen* [ˈfaŋən] 他 捕える，つかむ
　Er *fängt* Fische im Netz. 彼は網で魚をとる．
　Er hat den Ball nicht *gefangen*. 彼はボールをキャッチできなかった．
die **Farbe** [ˈfarbə] -/-n 色
　Er hat eine gesunde *Farbe*. 彼は健康そうな顔色をしている．
fassen [ˈfasən] 他 つかむ；理解する
　Er *fasste* mich bei der Hand. 彼は私の手をつかんだ．
　Das Kind *fasst* leicht. その子はものわかりが良い．
fast [fast] 副 ほとんど
　Ich habe mein Ziel *fast* erreicht. 私はほとんど目的を達した．
　Fast wäre ich gefallen. 私はあやうくころぶところだった．⦅しく接続法と⦆
faul [faʊl] 形 ① 腐った　② 怠惰な
　faules Obst 腐ったくだもの
　Der Schüler ist *faul*. その生徒は怠け者だ．
der **Februar** [ˈfeːbruaːr] -[s]/-e 2月
die **Feder** [ˈfeːdər] -/-n ① ペン　② 羽毛
　Ich schreibe mit der *Feder*. 私はペンで書く．
　Es ist leicht wie eine *Feder*. それは羽毛のように軽い．
fehlen [ˈfeːlən] 自 ① 欠けている，足りない　② 失敗する
　Er *fehlte* eine Woche in der Schule. 彼は学校を1週間欠席した．

Es *fehlt* mir *an* Geld³.   私は金に不自由している.〈非人称的〉
Was *fehlt* Ihnen?   どこかお悪いのですか?
Er schoss, aber er *fehlte*.   彼は射ったが射そんじた.
der **Fehler** ['fe:lər] -s/-   誤り, 過失, 欠点
　Er macht immer dieselben *Fehler*.   彼はいつも同じまちがいを犯す.
　Wir alle haben *Fehler*.   私たちにはみな欠点がある.
die **Feier** ['faɪər] -/-n   祝祭[日]
　Die *Feier* deines Geburtstags war sehr schön.   君の誕生日のお祝いはとてもすばらしかった.
feiern ['faɪərn] 他　祝う
　Wir *feiern* ihren Geburtstag.   私たちは彼女の誕生日を祝う.
feig[e] [faɪk, ('faɪgə)] 形　臆病な, ひきょうな
　Er ist ein *feiger* Mann.   彼は臆病な男だ.
fein [faɪn] 形　こまかい;洗練された;すてきな
　Er hat einen *feinen* Geschmack.   彼は洗練された趣味を持っている.
　Das ist aber *fein*!   そいつはすばらしいじゃないか!
der **Feind** [faɪnt] -[e]s/-e   敵
　Er ist mein *Feind*.   彼は私の敵だ.
das **Feld** [fɛlt] -[e]s/-er　①　野原　②　畑　③　戦場
　Wir wandern durch *Feld* und Wald.   私たちは野や森をさすらう.
　Der Bauer geht aufs *Feld*.   農夫が野良へ行く.
das **Fell** [fɛl] -[e]s/-e　毛皮
　Er handelt mit *Fellen*.   彼は毛皮を商う.
der **Fels** [fɛls] -en/-en, *der* **Felsen** -s/-　岩[石]
　Er klettert auf den *Felsen*.   彼は岩によじ登る.
das **Fenster** ['fɛnstər] -s/-　窓
　Er macht das *Fenster* auf (zu).   彼は窓をあける(しめる).
die **Ferien** ['fe:riən] 複　休暇
　Er verbringt seine *Ferien* an der See.   彼は休暇を海べで過ごす.
fern[e] ['fɛrn(ə)] 形　遠い
　Er lebt *fern* von der Heimat.   彼は故郷を遠く離れて暮らす.
ferner ['fɛrnər] 〈fern の比較級としてのほか〉　**1** 形　なおそのうえの　**2** 副　さらに
　Ich muss *ferner* einen Brief schreiben.   私はさらに手紙を1通書かなくてはならない.
fertig ['fɛrtɪç] 形　①　〈zu et³ の〉準備ができた　②　できあがった;〈mit et³ を〉済ませた
　Ich bin *zur* Reise *fertig*.   私は旅じたくが済んだ.
　Das Essen ist *fertig*.   食事のしたくができた.
　Ich bin *mit* der Arbeit *fertig*.   私は仕事を済ませた.
fest [fɛst] 形　かたい;しっかりした
　Das Eis ist noch nicht *fest*.   氷はまだかたまっていない.
　Ich bin *fest* davon überzeugt.   私はそれをかたく信じている.
das **Fest** [fɛst] -[e]s/-e　祝祭[日]

fett

    Man feiert ein *Fest*. 祝祭が挙行される.
fett [fɛt] 形 太った, 肥えた
    Er ist dick und *fett*. 彼は肥満している.
feucht [fɔyçt] 形 湿った, じめじめした
    Das Gras ist noch *feucht*. 草がまだ湿っている.
das **Feuer** ['fɔyər] -s/- 火; 火事
    Er machte *Feuer*. 彼は火をおこした.
    Darf ich Sie um *Feuer* bitten? (タバコの)火を拝借できませんか?
    Feuer! 火事だ!
das **Fieber** ['fi:bər] -s/- 熱[病]
    Er hat 40 Grad *Fieber*. 彼は40度の熱がある.
der **Film** [fɪlm] -[e]s/-e フィルム; 映画
    Ich werde mir diesen *Film* ansehen. 私はこの映画を見ようと思う.
finden* ['fɪndən] 他 ① 見つける ② …と思う(感ずる)
    Ich habe das Buch *gefunden*. 私はその本を見つけた.
    Ich *finde* es sehr schön. 私はそれをとても美しいと思う.
der **Finger** ['fɪŋər] -s/- (手の)指
    Er zeigte mit dem *Finger* auf sie. 彼は彼女を指さした.
finster ['fɪnstər] 形 まっくらな; 陰うつな
    Es ist eine *finstere* Nacht. 闇夜だ.
    finstere Gedanken 陰うつな物思い
der **Fisch** [fɪʃ] -es/-e 魚
    Er hat einen *Fisch* gefangen. 彼は魚を捕った.
der **Fischer** ['fɪʃər] -s/- 漁師
flach [flax] 形 平たい, 平坦な
    ein *flacher* Teller 浅い皿
    Die Gegend ist *flach*. この地方は平坦だ.
die **Flamme** ['flamə] -/-n 炎
    Das Haus stand in *Flammen*[3]. 家は炎に包まれていた.
die **Flasche** ['flaʃə] -/-n びん
    Er trank eine *Flasche* Wein. 彼はぶどう酒を1本飲んだ.
das **Fleisch** [flaɪʃ] -es/- 肉
    Er aß kein *Fleisch*. 彼は肉を食べなかった.
fleißig ['flaɪsɪç] 形 勤勉な
    Er arbeitet *fleißig*. 彼は熱心に働く.
die **Fliege** ['fli:gə] -/-n はえ
    Die *Fliegen* stören mich. はえがうるさい.
fliegen* ['fli:gən] 自 《s, h》 飛ぶ
    Der Vogel *fliegt* durch die Luft. 鳥が空中を飛ぶ.
    Ich bin [mit dem Flugzeug] nach Tokio *geflogen*. 私は飛行機で東京へ行った.
fliehen* ['fli:ən] 自 《s》 逃げる
    Sie *floh* vor ihnen. 彼女は彼らから逃げだした.
fließen* ['fli:sən] 自 《s, h》 流れる
    Der Fluss *fließt* ins Meer. 川は海へ流れこむ.

die **Flöte** [ˈfløːtə] -/-n ［横］笛
　Er spielt auf der *Flöte*. 彼は笛を吹く.
der **Flügel** [ˈflyːgəl] -s/- 翼
　Der Vogel schlug mit den *Flügeln*. 鳥が羽ばたいた.
das **Flugzeug** [ˈfluːktsɔyk] -[e]s/-e 飛行機
　Er reist mit dem (im) *Flugzeug*. 彼は飛行機で旅行する.
der **Fluss** [flʊs] -es/⸗e 川，流れ
　Die Stadt liegt am *Fluss*. 町は川のほとりにある.
flüstern [ˈflʏstərn] 自他 ささやく
　Sie *flüstert* ihm etwas ins Ohr. 彼女は何ごとか彼の耳にささやく.
folgen [ˈfɔlgən] 自 ① ⟨s⟩ ⟨jm に⟩ ついて行く; ⟨auf et⁴ の⟩ つぎにくる; ⟨aus et³ から⟩ 生ずる ② ⟨h⟩ ⟨jm・et⁴ に⟩ 従う
　Er ist mir bis ins Haus *gefolgt*. 彼は家まで私についてきた.
　Der Sohn *folgt auf* den Vater. 息子が父の後を継ぐ.
　Er hat meinem Rat *gefolgt*. 彼は私の忠告に従った.
folgend [ˈfɔlgənt] 形 つぎの
　Er sprach *folgende* Worte. 彼はつぎのような言葉を語った.
fordern [ˈfɔrdərn] 他 要求する
　Das Gesetz *fordert* es von uns³. 法律が私たちにそれを要求する.
die **Form** [fɔrm] -/-en 形; 形式
　Die Erde hat die *Form* einer Kugel. 地球は球の形をしている.
　Form und Inhalt 形式と内容
forschen [ˈfɔrʃən] 自 研究(探究)する, 調べる
　Wir *forschen* nach der Wahrheit. 私たちは真理を探究する.
fort [fɔrt] 副 ① 先へ ② 去って
　Er arbeitete *fort*. 彼は働きつづけた.
　Der Zug ist schon *fort*. 汽車はもう出てしまった.
der **Fortschritt** [ˈfɔrt-ʃrɪt] -[e]s/-e 進歩
　Das ist ein großer *Fortschritt* gegenüber früher. それは以前に比べればたいした進歩だ.
die **Frage** [ˈfraːgə] -/-n 質問, 問題
　Er *stellte* mir eine *Frage*. 彼は私にある質問をした.
　Das ist eine andere *Frage*. それは別問題だ.
fragen [ˈfraːgən] 他 ⟨jn に⟩ 質問する
　Er *fragte* mich *nach* meinem Namen. 彼は私の名まえをたずねた.
(*das*) **Frankreich** [ˈfraŋkraiç] フランス
　der **Franzose** [franˈtsoːzə] -n/-n フランス人
　französisch [franˈtsøːzɪʃ] 形 フランス[人・語]の
die **Frau** [frau] -/-en 婦人; 妻, …夫人
　eine alte *Frau* 老婦人
　meine *Frau* 私の妻
　Frau Müller ミュラー夫人
das **Fräulein** [ˈfrɔylain] -s/- お嬢さん
　Fräulein Lehmann レーマン嬢

frei [fraɪ] 形 自由な
  Es ist sein *freier* Wille. — それは彼の自由意志だ.
  Ist der Platz *frei*? — この席はあいていますか?
die **Freiheit** ['fraɪhaɪt] -/-en 自由
  Er hat die *Freiheit*, so zu handeln. — 彼にはそのように行動する自由がある.
freilich ['fraɪlɪç] 副 もちろん
  Kommen Sie morgen?—Ja, *freilich*! — 明日来ますか?—ええ, もちろん!
der **Freitag** ['fraɪtaːk] -[e]s/-e 金曜日
fremd [frɛmt] 形 よその; 外国の; 見知らぬ
  fremde Sprachen — 外国語
  der *Fremde* — 見知らぬ人, 外国人 〈名詞的〉
fressen* ['frɛsən] 他 (動物が)食う
  Das Pferd *frisst* Gras. — 馬が草を食う.
die **Freude** ['frɔydə] -/-n 喜び
  Die Arbeit macht ihm eine *Freude*. — 仕事は彼にとって喜びだ.
freuen ['frɔyən] 1 他 喜ばせる 2 再 《sich⁴》 ① 〈über et⁴ を〉喜ぶ ② 〈auf et⁴ を〉楽しみに待つ 〈非人称的〉
  Es *freut* mich, Sie zu sehen. — あなたにお目にかかれてうれしい.
  Ich *freue* mich über das Geschenk. — 私は贈物がうれしい.
  Ich *freue* mich auf die Ferien. — 私は休暇を楽しみに待つ.
der **Freund** [frɔynt] -[e]s/-e 友人, 味方
  Er ist mein alter *Freund*. — 彼は私の旧友だ.
die **Freundin** ['frɔyndɪn] -/-nen 女の友だち
  Sie fand eine neue *Freundin*. — 彼女には新しい友だちができた.
freundlich ['frɔyntlɪç] 形 友情ある, 親切な, あいそうのよい
  Er war *freundlich* zu uns³. — 彼は私たちに親切だった.
  Das ist sehr *freundlich* von Ihnen. — それはご親切にありがとう.
die **Freundschaft** ['frɔynt-ʃaft] -/-en 友情, 親交
  Ich schließe *Freundschaft* mit ihm. — 私は彼と親交を結ぶ.
der **Friede[n]** ['friːdə(n)] ..dens/..den 平和
  Wir wollen *Frieden*. — 私たちは平和を欲する.
  Lass mich in *Frieden*³! — 私をそっとしておいてくれ!
frieren* ['friːrən] 1 他 寒がらせる 2 自 ①《h》寒い, 冷たい ②《s》凍る
  Es *friert* mich (=Ich *friere*). — 私は寒い.
  Ich *friere* an den Füßen. — 私は足が冷たい.
  Der Fluss ist *gefroren*. — 川が氷結した.
frisch [frɪʃ] 形 新鮮な, さわやかな
  frische Fische — 新鮮な魚
  ein *frischer* Morgen — さわやかな朝
froh [froː] 形 喜んだ; 喜ばしい
  Ich bin *froh* über die Nachricht. — 私はその知らせを喜んでいる.
  eine *frohe* Nachricht — 喜ばしい知らせ
fröhlich ['frøːlɪç] 形 楽しげな; 楽しい
  Sie ist immer *fröhlich*. — 彼女はいつも楽しそうだ.
  eine *fröhliche* Gesellschaft — 楽しい集まり

fromm [frɔm] frommer (-ö-), frommst (-ö-) 形　敬虔な
 Er führt ein *frommes* Leben.　彼は敬虔な生活を送る。
die **Frucht** [fruxt] -/⸚e　実(ミ)，くだもの
 Der Baum trägt keine *Früchte*.　その木は実がならない。
früh [fry:] 形　(時間が)早い
 Es ist noch *früh* am Morgen.　まだ朝早い。
 Er wird morgen *früh* ankommen.　彼は明日の朝着くだろう。
früher [fry:ər] 形〈früh の比較級〉① より早い　② 以前の
 Er ist *früher* gekommen als du.　彼は君より早く来た。
 Früher oder später müssen wir es tun.　おそかれ早かれ私たちはそれをしなければならない。
 Früher kam er oft.　以前は彼はしばしば来た。
der **Frühling** ['fry:lɪŋ] -s/-e　春
 im *Frühling*　春に
 Es wird *Frühling*.　春になる。
das **Frühstück** ['fry:ʃtyk] -[e]s/-e　朝食
 Zum *Frühstück* trinke ich Milch.　私は朝食に牛乳を飲む。
frühstücken ['fry:ʃtykən] 自　朝食をとる
 Haben Sie schon *gefrühstückt*?　もう朝食はお済みですか？
der **Fuchs** [fʊks] -es/⸚e　きつね
fühlen ['fy:lən] 1 他 自 感ずる；さわってみる　2 再《sich⁴》自分を…と感ずる
 Ich *fühlte* einen heftigen Schmerz.　私は激しい痛みを感じた。
 Ich *fühlte mich* müde.　私は自分が疲れているのを感じた。
führen ['fy:rən] 1 他 ① 導く　② 営む　2 自 通ずる
 Er *führt* das Kind an der Hand.　彼は子供の手を引いてやる。
 Er *führt* ein elendes Leben.　彼はみじめな生活を送る。
 Der Weg *führt* ins Dorf.　道は村に通じている。
füllen ['fylən] 他　満たす，…に詰める
 Er *füllt* die Flasche mit Wein.　彼はぶどう酒をびんに詰める。
 Er *füllt* den Wein ins Glas.　彼はぶどう酒をグラスに注ぐ。
der **Füller** ['fylər] -s/-　万年筆
fünf [fynf] 数　5
für [fy:r] 前 (4格) ① …のために　② …に対して　③ …のかわりに　④ …にとって　⑤ …と引き換えに
 Er arbeitet *für* seine Familie.　彼は家族のために働く。
 Ich will *für* ihn bezahlen.　私が彼のかわりに支払おう。
 Das ist zu teuer *für* mich.　それは私には高価すぎる。
 Ich kaufte es *für* fünf Mark.　私はそれを5マルクで買った。
 was *für* [ein]…　なんという，いかなる…
 Was für ein Mann ist das?　それはどういう男ですか？
die **Furcht** [fʊrçt] -/⸚e　恐怖，心配
 Ich habe keine *Furcht* vor ihm.　私は彼を恐れない。
furchtbar ['fʊrçtba:r] 1 形 恐ろしい　2 副 恐ろしく
 Er ist ein *furchtbarer* Mensch.　彼は恐ろしい人だ。
 Es ist *furchtbar* dunkel.　恐ろしく暗い。

fürchten ['fyrçtən] **1** 他 恐れる；気づかう **2** 再《sich⁴》〈vor jm・et³ を〉恐れる **3** 自〈für jn・et⁴ のことを〉気づかう
Ich *fürchte* den Tod nicht. 私は死を恐れない。
Ich *fürchte mich vor* ihm. 私は彼を恐れる。
Ich *fürchte* für seine Gesundheit. 私は彼の健康を気づかう。
Ich *fürchte*, er ist fort. 私は彼が行ってしまったのではないかと懸念する。
der **Fuß** [fu:s] -es/⸚e ① 足 ② 〈複 —〉フィート
Ich habe mir den *Fuß* gebrochen. 私は足の骨を折った。
Wir gehen *zu Fuß*. 私たちは徒歩で行く。
Der Tisch ist vier *Fuß* lang. テーブルは4フィートの長さだ。
der **Fußboden** ['fu:sbo:dən] -s/..böden 床(ゆか)
der **Fußgänger** ['fu:sgɛŋər] -s/- 歩行者

G

die **Gabel** ['ga:bəl] -/-n フォーク
Er nimmt ein Stück Fleisch auf die *Gabel*. 彼は肉を1切れフォークで取る。
der **Gang** [gaŋ] -[e]s/⸚e ① 歩み ② 進行, 動き ③ 通路
Ich erkannte ihn gleich am *Gang*. 私は歩き方ですぐ彼とわかった。
Er trat auf den *Gang* hinaus. 彼は廊下へ出た。
ganz [gants] **1** 形 全体(全部)の **2** 副 まったく
Die *ganze* Stadt wurde zerstört. 町全体が破壊された。
Ich habe *den ganzen Tag* geschlafen. 私は一日じゅう眠っていた。
ganz Deutschland ドイツ全国 〈不変化〉
Es ist heute *ganz* warm. きょうはまったく暖かい。
gar [ga:r] 副 まったく
Ich kenne ihn *gar nicht*. 私はまったく彼を知らない。
Er hat *gar nichts* gesagt. 彼は全然何も言わなかった。
der **Garten** ['gartən] -s/⸚ 庭園
Die Kinder spielen im *Garten*. 子供たちは庭で遊んでいる。
die **Gasse** ['gasə] -/-n 路地, 横町
auf der *Gasse* 路地で
der **Gast** [gast] -[e]s/⸚e 客
Wir haben heute *Gäste*. きょうは来客がある。
Ich bin bei ihm *zu Gaste*. 私は彼のところにお客になっている。
das **Gasthaus** ['gasthaʊs] -es/..häuser 旅館, 料理屋
Isst man in diesem *Gasthaus* gut? この料理屋の食事はおいしいですか？
gebären* [gəˈbɛ:rən] 他 生む
Wann sind Sie *geboren*? あなたはいつ生まれましたか？
Ich bin (wurde) am 3. Mai 1950 *geboren*. 私は1950年5月3日に生まれた。
das **Gebäude** [gəˈbɔʏdə] -s/- 建物
Jenes *Gebäude* ist unsere Schule. あの建物は私たちの学校です。

geben* [′ge:bən] 他 〈jm に et⁴ を〉与える
　Ich *gab* ihm ein Buch.　　　　　私は彼に１冊の本を与えた.
　Gib mir etwas zu essen!　　　　私に何か食べ物をくれ!
es gibt et⁴ 〈et⁴ が〉存在する, 起こる
　In dieser Stadt *gibt es* ein gutes　この町にはよい劇場がある.
　　Theater.
　Was *gibt's*?　　　　　　　　　　何が起こったのか?
das **Gebiet** [gə′bi:t] -[e]s/-e　領域
　Sein *Gebiet* ist die Physik.　　　彼の領域(専門)は物理学だ.
gebieten* [gə′bi:tən] 他　命ずる
　Ich *gebot* ihnen Ruhe.　　　　　私は彼らに静粛を命じた.
das **Gebirge** [gə′bɪrgə] -s/-　山脈, 山地
　Wir gehen ins *Gebirge*.　　　　　私たちは山へ行く.
gebrauchen [gə′brauxən] 他　使用する
　Ihr dürft dieses Zimmer *gebrau-*　君たちはこの部屋を使ってもよろし
　　chen.　　　　　　　　　　　　い.
die **Geburt** [gə′bu:rt] -/-en　誕生
　Er ist *von Geburt an* blind.　　　彼は生まれつきのめくらだ.
der **Geburtstag** [gə′bu:rtsta:k] -[e]s/-e　誕生日
　Morgen ist mein *Geburtstag*.　　明日は私の誕生日だ.
der **Gedanke** [gə′daŋkə] -ns/-n　考え, 思想
　Ein *Gedanke* fiel mir plötzlich ein.　ある考えがふと私の心に浮かんだ.
gedenken* [gə′dɛŋkən] 自　① 〈js・et² を〉覚えている, 思い出す
　② 〈zu 不定詞と〉…するつもりである
　Ich *gedenke* gern des Tages.　　私はあの日を好んで思い出す.
　Ich *gedenke* morgen abzureisen.　私は明日出立するつもりだ.
das **Gedicht** [gə′dɪçt] -[e]s/-e　詩
　Er schreibt *Gedichte*.　　　　　彼は詩を書く.
die **Geduld** [gə′dʊlt] -/　忍耐
　Er hat viel *Geduld*.　　　　　　彼はしんぼう強い.
geduldig [gə′dʊldɪç] 形　忍耐強い
　Ich wartete *geduldig* auf ihn.　　私はしんぼう強く彼を待った.
die **Gefahr** [gə′fa:r] -/-en　危険
　Es droht eine *Gefahr*.　　　　　危険が迫っている.
gefährlich [gə′fɛ:rlɪç] 形　危険な
　Diese Tat ist dir *gefährlich*.　　こんなことをするのは, 君にとって
　　　　　　　　　　　　　　　　　　　　　　　　　　　　危険だ.
gefallen* [gə′falən] 自　〈jm の〉気に入る
　Die Musik hat mir gut *gefallen*.　その音楽はたいそう気に入った.
　Wie *gefällt* es Ihnen hier?　　　当地はお気に召しましたか?〈非
　　　　　　　　　　　　　　　　　　　　　　　　　　　　人称的〉
das **Gefängnis** [gə′fɛŋnɪs] -ses/-se　牢獄
　Er sitzt im *Gefängnis*.　　　　　彼は投獄されている.
das **Gefühl** [gə′fy:l] -[e]s/-e　感情; 感覚
　das *Gefühl* der Achtung (Freude)　尊敬の念(喜びの感情)
　Ich habe kein *Gefühl* mehr in den　私は指に感覚がなくなった.
　　Fingern.
gegen [′ge:gən] 前《4格》① …に対して, 向かって　② …に逆らっ

Gegend

て ③〈時間的〉…ごろに
Wir fuhren *gegen* Süden. 私たちは南をさして行った.
Der Vater ist streng *gegen* seinen Sohn. 父親は息子に対して厳格である.
Er schwimmt *gegen* den Strom. 彼は流れに逆らって泳ぐ.
Ich komme *gegen* 6 Uhr. 私は6時ごろ来ます.

die **Gegend** [ˈgeːgənt] -/-en 地方
Die Stadt befindet sich⁴ in einer schönen *Gegend*. 町は美しい地方にある.

der **Gegensatz** [ˈgeːgənzats] -[e]s/-̈e 対立, 対照
Zwischen ihnen besteht ein *Gegensatz*. 彼らのあいだには対立がある.

gegenseitig [ˈgeːgənzaɪtɪç] 形 相互の
Sie halfen sich³ *gegenseitig*. 彼らは互いに助け合った.

der **Gegenstand** [ˈgeːgənʃtant] -[e]s/-̈e 対象
Er behandelte den *Gegenstand*. 彼はその対象を論じた.

das **Gegenteil** [ˈgeːgəntaɪl] -[e]s/-e 反対
Ich behaupte das *Gegenteil*. 私は反対意見を主張する.
im *Gegenteil* 反対に, それどころか

gegenüber [geːgən-ˈyːbər] 前《3 格》〈多くは後置〉…の向かい側に, …に面して
Er wohnt der Schule *gegenüber*. 彼は学校の向かい側に住んでいる.

die **Gegenwart** [ˈgeːgənvart] -/ ① 現在 ② 現に居ること
die Kultur der *Gegenwart* 現代文化
Er tat es in meiner *Gegenwart*. 彼は私の面前でそれをした.

das **Gehalt**¹ [gəˈhalt] -[e]s/-̈er 給料
Er hat 1000 Mark *Gehalt*. 彼は1000マルクの給料をとっている.

der **Gehalt**² [gəˈhalt] -[e]s/-e 内容, 実質
Der Roman hat keinen *Gehalt*. この小説には内容がない.

geheim [gəˈhaɪm] 形 秘密の
Er gab ihr *geheim* (*im geheimen*) einen Rat. 彼は彼女にひそかに助言を与えた.

das **Geheimnis** [gəˈhaɪmnɪs] -ses/-se 秘密
Ich habe kein *Geheimnis* vor Ihnen. 私はあなたに対して何の秘密も持たない.

gehen* [ˈgeːən] 自《s》① 行く, 歩く ② 動く, 進行する ③〈非人称的に状態を示す〉
Ich muss jetzt *gehen*. 私はもう行かねばならぬ.
Ich *gehe*, ich fahre nicht. 私は歩いて行く, 乗物には乗らない.
Meine Uhr *geht* richtig. 私の時計は合っている.
Wie *geht* es Ihnen?—Es *geht* mir gut. ごきげんいかがですか?—私は元気でおります.

gehorchen [gəˈhɔrçən] 自〈jm に〉服従する
Die Kinder *gehorchen* ihren Eltern. 子供たちは両親の言うことをきく.

gehören [gəˈhøːrən] 自 ①〈jm に〉属する ②〈zu et³ の〉一部

である，必要である
Der Hut *gehört* mir. この帽子は私のです．
Er *gehört zu* unserer Familie. 彼はわれわれの家族の一員である．
Zu dieser Arbeit *gehört* Zeit. この仕事には時間が必要だ．
der **Geist** [gaɪst] -es/-er 精神；霊
Er ist ein großer *Geist*. 彼は偉大な精神の持ち主だ．
geistig [′gaɪstɪç] 形 精神的な
Er ist seinem Bruder *geistig* überlegen. 彼は兄(弟)よりも精神的にすぐれている．
geistlich [′gaɪstlɪç] 形 宗教上の
geistliche Bücher 宗教書
gelangen [gə′laŋən] 自《s》〈an et⁴ に〉達する
Der Brief *gelangte* nicht *an* mich. 手紙は私に届かなかった．
gelb [gɛlp] 形 黄色の
Die Blätter werden *gelb*. 葉が黄色くなる．
das **Geld** [gɛlt] -[e]s/ 金銭
Er hat viel *Geld* bei sich³ (auf der Bank). 彼は大金を身につけている(預金している)．
die **Gelegenheit** [gə′le:gənhaɪt] -/-en 機会
Ich hatte keine *Gelegenheit*, ihn zu sprechen. 私は彼と面談する折がなかった．
Bei dieser *Gelegenheit* besuche ich dich. この機会に君をたずねて行く．
gelehrt [gə′le:rt] 形 学識のある
der **Gelehrte** [gə′le:rtə] (形 変化) 学者
gelingen* [gə′lɪŋən] 自《s》〈jm にとって〉成功する
Die Arbeit *gelang* mir nicht. この仕事は私にはうまくゆかなかった．
gelten* [′gɛltən] 自 ① 価値がある ② 通用する ③〈für et⁴・als et¹ と〉みなされる
Wie viel *gilt* das? それはいくらですか？
Das Gesetz *gilt* nicht mehr. この法律はもう効力がない．
Er *gilt für* einen reichen (*als* reicher) Mann. 彼は金持とおっている．
das **Gemälde** [gə′mɛ:ldə] -s/- 絵画
gemäß [gə′mɛ:s] 前 (3 格)〈多くは後置〉…に従って
Jeder Mensch handelt seinem Charakter *gemäß*. どんな人間もその性格に応じて行動する．
gemein [gə′maɪn] 形 ① 共通の ② 普通の ③ いやしい
gemeiner Feind 共同の敵
ein *gemeines* Jahr 平年
Er ist ein ganz *gemeiner* Mensch. 彼はまったく下劣な人間だ．
gemeinsam [gə′maɪnza:m] 形 共同(共通)の
Sie haben *gemeinsame* Interessen. 彼らには共通の利害関係がある．
das **Gemüse** [gə′my:zə] -s/- 野菜
frisches *Gemüse* 生野菜
das **Gemüt** [gə′my:t] -[e]s/-er 心情，気持

Sie hat ein gutes *Gemüt*. 彼女は気だてがよい．

genau [gə'naʊ] 形 正確な，厳密な
Das ist *genau* dasselbe. それはまったく同じものだ．
Es ist *genau* 12 Uhr. かっきり12時だ．

genesen* [gə'ne:zən] 自 ((s)) ⟨von et³ から⟩ 回復する，なおる
Er ist *von* seiner Krankheit genesen. 彼は病気がなおった．

genießen* [gə'ni:sən] 他 享受(楽)する
Ich möchte die frische Luft *genießen*. 私は新鮮な空気を吸いたい．
Er *genoss* den Urlaub. 彼は休暇を楽しんだ．

genug [gə'nu:k] 形 副 じゅうぶんの(に)
Er hat Geld *genug* (*genug* Geld), um dieses Haus zu kaufen. 彼はこの家を買うのにじゅうぶんな金を持っている．

genügen [gə'ny:gən] 自 じゅうぶんである
Das Brot *genügt* für uns⁴ drei. パンはわれわれ3人にじゅうぶんある．

das **Gepäck** [gə'pɛk] -[e]s/-e 手荷物
Ich trug ihr das *Gepäck* zum Bahnhof. 私は彼女のために荷物を駅へ運んでやった．

gerade [gə'ra:də] 1 形 まっすぐな 2 副 ちょうど，まさに
eine *gerade* Linie 直線
Es ist *gerade* 10 [Uhr]. ちょうど10時だ．
Sie tanzte *gerade*, als ich eintrat. 私がはいって行ったとき，彼女はちょうど踊っていた．

geraten* [gə'ra:tən] 自 ((s)) 陥る
Er ist in Gefahr⁴ *geraten*. 彼は危険に陥った．

das **Geräusch** [gə'rɔʏʃ] -[e]s/-e 物音，騒音，ざわめき
Die Maschine macht viel *Geräusch*. その機械はやかましい音をたてる．

das **Gericht** [gə'rɪçt] -[e]s/-e 裁判；法廷
Er wurde vor *Gericht*⁴ gefordert. 彼は法廷に召喚された．

gering [gə'rɪŋ] 形 わずかの，とるにたらぬ
Das macht mir *geringe* Mühe. それは造作もないことだ．

gern[e] ['gɛrn(ə)] lieber, am liebsten 副 好んで
Sie tanzt *gern*. 彼女はダンスが好きだ．
Er *hat* seinen Großvater *gern*. 彼は祖父が好きである．

der **Gesang** [gə'zaŋ] -[e]s/⸚e 歌
Sie nimmt Unterricht in *Gesang*³. 彼女は歌を習っている．

das **Geschäft** [gə'ʃɛft] -[e]s/-e ① 用事，仕事 ② 店，事務所
Ich habe viel *Geschäft*. 私は忙しい．
Das *Geschäft* ist geschlossen. オフィス(店)はしまっている．

geschehen* [gə'ʃe:ən] 自 ((s)) 起こる，行なわれる
Ein großes Unglück ist *geschehen*. 大きな不幸が起こった．
Das ist noch nie *geschehen*. それは未曾有のことである．

das **Geschenk** [gə'ʃɛŋk] -[e]s/-e 贈物
Sie bekam ein *Geschenk* von ihrer Tante. 彼女はおばから贈物をもらった．

die Geschichte [gəˈʃɪçtə] -/-n ① 歴史 ② 物語
  deutsche (neuere) *Geschichte* ドイツ(近世)史
  Die Großmutter erzählt uns³ schöne *Geschichten*. 祖母は私たちにおもしろい話をしてくれる.
geschickt [gəˈʃɪkt] 形 巧みな, 器用な
  Er ist ein *geschickter* Arzt. 彼は熟練した医者である.
das **Geschlecht** [gəˈʃlɛçt] -[e]s/-er 種族；性；一族
  das menschliche *Geschlecht* 人類
  das andere *Geschlecht* 異性
der **Geschmack** [gəˈʃmak] -[e]s/-̈e ① 味 ② 趣味
  Diese Frucht hat einen bitteren *Geschmack*. このくだものは苦い味だ.
  Sie kleidet sich⁴ mit *Geschmack*. 彼女の服装は趣味がよい.
geschwind [gəˈʃvɪnt] 形 速い
  Die Schwalbe fliegt *geschwind*. ツバメは速く飛ぶ.
der **Geselle** [gəˈzɛlə] -n/-n 仲間；職人；若者
  Er fand einen guten *Gesellen*. 彼はよい仲間を見つけた.
die **Gesellschaft** [gəˈzɛlʃaft] -/-en ① 社会 ② 団体, 会社 ③ 交際[仲間], 会合
  Ich bin auch ein Glied der menschlichen *Gesellschaft*. 私も人間社会の一員である.
  die *Gesellschaft* für Japanisch-Deutsche Freundschaft 日独友好協会
  Sie geht gern in *Gesellschaft*⁴. 彼女は会合に出かけるのが好きだ.
das **Gesetz** [gəˈzɛts] -es/-e 法律, 法則
  Er handelt gegen das *Gesetz*. 彼は法律に反したことをする.
das **Gesicht** [gəˈzɪçt] -[e]s/-er 顔
  Sie machte ein böses *Gesicht*. 彼女は怒った顔をした.
das **Gespräch** [gəˈʃprɛːç] -[e]s/-e 会話
  Er führte ein *Gespräch* mit einem Ausländer. 彼は外国人と会話をした.
die **Gestalt** [gəˈʃtalt] -/-en 姿, 形
  Die Erde hat die *Gestalt* einer Kugel. 地球は球の形をしている.
gestehen* [gəˈʃteːən] 他 告白する
  Er hat seine Schuld *gestanden*. 彼は自分の罪を告白した.
gestern [ˈɡɛstɐrn] 副 昨日
  Heute ist wärmer als *gestern*. きょうは昨日より暖かい.
  Ich war *gestern* zu Hause. 私は昨日家にいた.
  Gestern Abend (*Morgen*) bin ich angekommen. 私は昨晩(昨日の朝)着いた.
gesund [gəˈzʊnt] gesünder (-u-), gesündest (-u-) 形 健康(健全)な
  Er ist *gesund* an Körper³ und Geist³. 彼は心身ともに健康である.
die **Gesundheit** [gəˈzʊnthaɪt] -/ 健康
  Wie steht es mit Ihrer *Gesundheit*? ご健康はいかがですか？

Getreide

Auf Ihre *Gesundheit*!	ご健康を祝します!〈乾杯の辞〉
das **Getreide** [gəˈtraɪdə] -s/-	穀物
die **Gewalt** [gəˈvalt] -/-en	暴力, 権力
Er hat mich in seiner *Gewalt*.	私は彼の思いのままだ.
Sie gebrauchten *Gewalt* gegen ihn.	彼らは彼に暴力をふるった.
gewaltig [gəˈvaltɪç] 形	強力な; 法外な
Er macht *gewaltigen* Lärm.	彼は大騒ぎをする.
das **Gewicht** [gəˈvɪçt] -[e]s/-e	重さ, 目方
Das Obst wird nach *Gewicht* verkauft.	くだものは目方売りです.
gewinnen* [gəˈvɪnən] 他自	獲得する; 勝つ
Ich habe mir ihre Liebe *gewonnen*.	私は彼女の愛を獲得した.
Ich *gewann* das Spiel (in dem Spiel).	私は勝負に勝った.
gewiss [gəˈvɪs] 1 形 ① 確かな ② ある... 2 副 確かに, きっと
Das ist *gewiss*.	それは確かだ.
Ich bin des Sieges *gewiss*.	私は勝利を確信している.
ein *gewisser* Herr	ある紳士
Das ist *gewiss* wahr.	それはきっとほんとうだ.
das **Gewissen** [gəˈvɪsən] -s/-	良心
Er ist ein Mensch ohne *Gewissen*.	彼は良心のない人間だ.
das **Gewitter** [gəˈvɪtər] -s/-	雷雨
Das *Gewitter* kommt näher.	雷雨が接近する.
die **Gewohnheit** [gəˈvoːnhaɪt] -/-en	習慣
Das ist mir zur *Gewohnheit* geworden.	それは私の習慣になった.
die *Gewohnheit* früh aufzustehen	早起きの習慣
gewöhnlich [gəˈvøːnlɪç] 形	普通の, 通常の
Er ist ein ganz *gewöhnlicher* Mensch.	彼はまったくありふれた人間だ.
Wir essen *gewöhnlich* zu Hause.	われわれは通常家で食事をする.
gießen* [ˈgiːsən] 他	注ぐ
Er *gießt* Wein ins Glas.	彼はぶどう酒をグラスに注ぐ.
der **Gipfel** [ˈgɪpfəl] -s/-	頂上, 峰
Wir erreichten den *Gipfel*.	私たちは頂上に着いた.
glänzen [ˈglɛntsən] 自	輝く
Der Schnee *glänzt* in der Sonne.	雪が日の光を浴びて輝いている.
glänzend [ˈglɛntsənt] 形	光輝ある, 輝かしい
Eine *glänzende* Zukunft liegt vor ihm.	彼には輝かしい前途が開けている.
das **Glas** [glaːs] -es/⸚er	ガラス; コップ, グラス
Er hat zwei *Gläser* zerbrochen.	彼はコップを2つ割ってしまった.
Er hat zwei *Glas* Bier getrunken.	彼はビールを2杯飲んだ.
glatt [glat] glatter (-ä-), glattest (-ä-) 形	なめらかな
ein *glattes* Gesicht	すべすべした(きれいな)顔

der **Glaube[n]** [ˈglaʊbə(n)] ..bens/..ben 信ずること，信仰
  der *Glaube an* Gott⁴ 神を信ずること
  Er ist seinem *Glauben* treu geblieben. 彼は自分の信念に忠実でありつづけた．

glauben [ˈglaʊbən] 他自 信ずる；思う
  Diese Geschichte *glaube* ich nicht. 私はこの話を信じない．
  Ich *glaube* ihm nicht. 私は彼の言葉を信じない．
  Ich *glaube an* Gott⁴. 私は神(の存在)を信ずる．
  Ich *glaube*, dass das Wetter bald besser wird. 私は天気がやがてよくなると思う．

gleich [glaɪç] 1 形 同じ, 等しい 2 副 同様に；ただちに
  Er trägt das *gleiche* Kleid wie ich. 彼は私と同じ着物を着ている．
  Sie kamen zu *gleicher* Zeit an. 彼らは同時に到着した．
  Ich komme *gleich*. すぐ参ります．

gleichgültig [ˈglaɪçɡʏltɪç] 形 無関心の, どちらでもよい
  Er bleibt gegen alles *gleichgültig*. 彼は万事に無関心だ．
  Das ist mir *gleichgültig*. それは私にはどうでもよい．

gleichsam [ˈglaɪçzaːm] 副 いわば
  Sie ist *gleichsam* ein großes Kind. 彼女はいわば大きな子供である．

gleiten* [ˈglaɪtən] 自 ⟨h, s⟩ すべる
  Er *glitt* auf dem Eis. 彼は氷の上ですべった．

das **Glied** [gliːt] -[e]s/-er ① 手足 ② 成員
  Ich habe Schmerzen in allen *Gliedern*. 私は体じゅうが痛い．
  Als *Glied* der Familie kann ich nicht anders. 家族の一員として，私はそうせざるをえない．

die **Glocke** [ˈglɔkə] -/-n 鐘
  Die *Glocke* läutet (schlägt). 鐘が鳴る．

das **Glück** [glʏk] -[e]s/ 幸福, 幸運
  Er hat in allem *Glück*. 彼は万事に運がよい．
  Zum *Glück* war die Tür offen. 運よく戸があいていた．

glücklich [ˈglʏklɪç] 形 幸運(幸福)な
  Sie hält sich⁴ für *glücklich*. 彼女は自分を幸福だと考えている．
  glückliche Reise! 道中御無事で！

glühen [ˈglyːən] 自 灼熱する
  Der Ofen *glüht*. ストーブがまっかに燃えている．

die **Gnade** [ˈgnaːdə] -/-n 恩恵, 慈悲
  Das ist eine *Gnade* Gottes. それは神の恵みだ．

gnädig [ˈgnɛːdɪç] 形 恵み深い
  gnädige Frau! 奥さま！⟨呼びかけ⟩
  gnädiges Fräulein! お嬢さま！⟨呼びかけ⟩

das **Gold** [gɔlt] -[e]s/ 金(きん)
  Der Ring ist von (aus) *Gold*. その指輪は金製だ．

golden [ˈgɔldən] 形 金[色]の
  eine *goldene* Uhr. 金時計

der **Gott** [gɔt] -es/⸚er 神⟨普通無冠詞⟩

Wir beten zu *Gott*. 私たちは神に祈る.
Gott[3] sei Dank! ありがたや!

das **Grab** [gra:p] -[e]s/ⸯer 墓
Sie trugen den Toten zu *Grabe*. 彼らは死者を葬った.

graben* ['gra:bən] 自他 掘る
Er *gräbt* ein Loch in die Erde. 彼は地面に穴を掘る.

das **Grad** [gra:t] -[e]s/- 程度, 等級, 度
Es ist heute um einige *Grad*[e] kälter. きょうは気温が2, 3度下がっている.
im höchsten *Grade* 極度に

das **Gras** [gra:s] -es/ⸯer 草
Er legte sich[4] ins *Gras*. 彼は草の中に寝ころんだ.

grau [grau] 形 灰色の
Sie hat *graue* Augen. 彼女の目は灰色だ.
Sein Haar ist *grau*. 彼は白髪だ.

grausam ['grauza:m] 形 残酷な; 恐るべき
eine *grausame* Strafe 残酷な刑罰
Es herrscht eine *grausame* Hitze. 酷熱(暑)だ.

greifen* ['graɪfən] I 他 つかむ, 捕える 2 自 (つかもうとして)手を伸ばす
Er *griff* mich bei der Hand. 彼は私の手をつかんだ.
Ich *griff* mir in die Tasche. 私はポケットに手を突っこんだ.

die **Grenze** ['grɛntsə] -/-n 境界, 限界
Das Dorf liegt nahe der *Grenze*[3]. 村は[国]境の近くにある.

groß [gro:s] größer, größt 形 大きい, 偉大な
Der Hut ist zu *groß* für mich. この帽子は私には大きすぎる.
Er ist *größer* als ich. 彼は私より背が高い.
Er ist ein *großer* Dichter. 彼は偉大な詩人だ.

die **Größe** ['grø:sə] -/-n 大きいこと, 大きさ
Er ist unter gewöhnlicher *Größe*. 彼は人並みより小さい.

die **Großmutter** ['gro:smʊtər] -/..mütter 祖母
der **Großvater** ['gro:sfa:tər] -s/..väter 祖父

grün [gry:n] 形 緑の
Die Bäume werden wieder *grün*. 木々は再び緑になる.

der **Grund** [grʊnt] -[e]s/ⸯe ① 土地 ② 基礎 ③ 底 ④ 根拠, 理由
Er wohnt auf eigenem *Grund*. 彼は自分の地所に住んでいる.
Das Haus ist von *Grund* auf neu gebaut. 家は土台から改築された.
Im *Grunde* haben Sie recht. 結局, あなたのおっしゃるとおりです.
Das Schiff geriet auf Grund[4]. 船が座礁した.
Sie hat keinen *Grund* zu weinen. 彼女には泣く理由がない.

die **Gruppe** ['grʊpə] -/-n グループ
Sie stehen in *Gruppen*[3] zusammen. 彼らは群れをなして集まっている.

der **Gruß** [gru:s] -es/ⸯe 挨拶
Viele *Grüße* an Ihren Vater! お父上によろしく!
Er reichte mir die Hand zum 彼は手をさしのべて握手を求めた.

Gruß.

grüßen [ˈgryːsən] 他 〈jn に〉挨拶する
    Sie *grüßte* mich freundlich. 彼女は私にあいそよく挨拶した.
    Grüßen Sie Ihren Bruder von mir! 御兄弟によろしく!

günstig [ˈgʏnstɪç] 形 ① 好意ある　② 好都合な
    Er ist mir *günstig*. 彼は私に好意をいだいている.
    günstiger Wind 順風

gut [guːt] besser, best 形　よい, 善良な, 親切な
    Es ist *gut*, dass er kommt. 彼の来るのはよいことだ.
    Wir haben heute *gutes* Wetter. きょうはよい天気だ.
    Es geht mir *gut*. 私は元気です.
    Guten Tag (*Abend*)! こんにち(こんばん)は!

H

das **Haar** [haːr] -[e]s/-e　毛, 髪の毛
    Sie hat schwarzes *Haar* (schwarze 彼女は黒い髪をしている.
    Haare).

haben* [ˈhaːbən] 他　① 持っている　② 〈zu を伴う不定詞と: 義務・必要をあらわす〉　③〈完了の助動詞として〉
    Ich *habe* einen Sohn. 私には息子が 1 人ある.
    Wir *haben* nur noch fünf Minuten. あと 5 分しかない.
    Ich *habe* noch *zu* arbeiten. 私はまだ仕事をしなくてはならない.
    Ich *habe* das Buch *gelesen*. 私はその本を読んだ.

der **Hafen** [ˈhaːfən] -s/⸚　港
    Die Schiffe liegen im *Hafen*. 船は港に停泊している.

der **Hahn** [haːn] -[e]s/⸚e　おんどり

der **Haken** [ˈhaːkən] -s/-　鉤(かぎ), かけ釘(くぎ), とめ金
    Er hängt seinen Hut an den 彼は帽子を掛け釘に掛ける.
    Haken.

halb [halp] 形　半分の
    In einer *halben* Stunde bin ich 半時間したらもどってきます.
    zurück.
    Es ist *halb* vier [Uhr]. 3 時半だ.

die **Hälfte** [ˈhɛlftə] -/-n　半分
    Sie gab ihm eine *Hälfte* davon. 彼女は彼にそれを半分与えた.

die **Halle** [ˈhalə] -/-n　ホール; 玄関の広間
    Ich traf ihn in der *Halle*. 私はホールで彼と会った.

der **Hals** [hals] -es/⸚e　首, えりもと; のど
    Sie fiel mir um den *Hals*. 彼女は私の首に抱きついた.
    Der *Hals* tut mir weh. 私はのどが痛い.

halten* [ˈhaltən] I 他　① つかんでいる　② 保つ, 保持する　③ 行なう　④〈et⁴ を für et⁴ と〉見なす　2 自　① 止まる　② もちこたえる
    Er *hält* mich an (bei) der Hand. 彼は私の手をつかんでいる.

Hand

   Halte die Hand in die Höhe! 手を高くあげていろ!
   Er *hielt* eine Rede. 彼は演説をした.
   Hältst du mich *für* einen Narren? 君は私をばかだと思っているのか?
   Der Zug *hält* hier nicht (5 Minuten). 汽車はここには停車しない(5分間停車する).

die **Hand** [hant] -/⸚e 手
   Ich wasche mir die *Hände*. 私は手を洗う.
   Ich drücke ihm die *Hand*. 私は彼と握手をする.

der **Handel** ['handəl] -s/⸚ 取引き; 商業, 貿易
   Er treibt *Handel* mit Zucker. 彼は砂糖商を営む.

handeln ['handəln] 1 自 ① 行動する ② 〈von et³ を〉論ずる ③ 商業を営む 2 再非 《sich⁴》〈um et⁴ が〉問題である
   Ich *handelte* nach seinem Rat. 私は彼の忠告に従って行動した.
   Das Buch *handelt von* Politik. その本は政治を論じている.
   Er *handelt mit* Fisch. 彼は魚を商う.
   Es *handelt sich⁴ um* deine Zukunft. 君の将来が問題なのだ.

der **Handschuh** ['hant-ʃuː] -[e]s/-e 手袋
   Ich zog [mir] *Handschuhe* an. 私は手袋をはめた.

hängen⁽*⁾ ['hɛŋən] 1 自 (h, s) 〈強変化〉掛かって(下がって)いる 2 他 〈弱変化〉つるす, 掛ける
   Der Rock *hängt* am Nagel. 上着は釘に掛かっている.
   Ich *hänge* den Rock an den Nagel. 私は上着を釘に掛ける.

hart [hart] härter, härtest 形 堅い; きびしい; つらい
   Das Brot war *hart*. パンは堅かった.
   Er ist *hart* gegen seine Kinder. 彼は子供たちにきびしい.
   harte Arbeit つらい仕事

der **Hass** [has] -es/ 憎しみ
   Sie hat einen *Hass* auf (gegen) ihn. 彼女は彼に憎しみを抱いている.

hassen ['hasən] 他 憎む, きらう
   Er *hasst* dich. 彼は君を憎んで(きらって)いる.

hässlich ['hɛslıç] 形 醜い
   Ihr Gesicht ist nicht so *hässlich*. 彼女の顔はそれほど醜くない.

hastig ['hastıç] 形 あわただしい; せっかちな
   Er reiste *hastig* ab. 彼は急いで出発した.

hauen* ['haυən] 1 自 打つ, 切[りかか]る 2 他 打つ; (木や石などを)切る
   Er *haut* nach ihnen. 彼は彼らに打ちかかる.
   Du sollst ihn nicht *hauen*. 彼を打ってはいけない.
   Er *haut* Holz im Wald. 彼は森で木を切り倒す.

der **Haufe[n]** ['haυfə(n)] ..fens/..fen ① 堆積, 山 ② 多数, 群れ
   ein *Haufen* Getreide 穀物の山
   Die Reise kostet einen *Haufen* Geld. 旅行にはたくさんの金がかかる.

häufig ['hɔyfıç] 形 たびたびの, ひんぱんな
   Das kommt *häufig* vor. それはよくあることだ.

das **Haupt** [haυpt] -[e]s/⸚er ① 頭 ② 首長

Er ist das *Haupt* einer großen Familie. 彼は大家族の家長である.

die **Hauptstadt** ['haʊpt-ʃtat] -/..städte 首都
das **Haus** [haʊs] -es/⸚er 家
 Er wohnt in einem großen *Haus*. 彼は大きな家に住んでいる.
 Er geht *nach Hause*. 彼は家へ帰る.
 Ich bin morgen nicht *zu Hause*. 私は明日は家にいない.
die **Haut** [haʊt] -/⸚e 皮膚
 Mir brennt die *Haut*. 私は膚がひりひりする.
heben* ['he:bən] 1 他 持ち(ひき)上げる, 高める 2 再 《sich⁴》上がる, 高まる
 Ich kann den Stein nicht *heben*. 私はその石を持ち上げることができない.
 Sie *hob* die Augen. 彼女は目を上げた.
 Ihre Brust *hob* und senkte *sich⁴*. 彼女の胸は波打った.
das **Heer** [he:r] -[e]s/-e ① 軍隊 ② 大群, 多勢(数)
 Er dient im *Heer*. 彼は軍隊にいる.
 ein *Heer* von Bienen 蜜蜂の大群
das **Heft** [hɛft] -[e]s/-e ① ノート ② 小冊子, パンフレット
 Er schrieb ins *Heft*. 彼はノートに書きこんだ.
heftig ['hɛftɪç] 形 激しい
 Der Wind blies *heftig*. 風が激しく吹いた.
heilen ['haɪlən] 1 自 《h, s》(病気・傷が)なおる 2 他 治療する
 Die Wunde ist gut *geheilt*. 傷は全快した.
 Der Arzt *heilt* den Kranken. 医者が病人を治療する.
heilig ['haɪlɪç] 形 神聖な
 die *Heilige* Schrift 聖書
 der *Heilige* Abend クリスマス・イブ
das **Heim** [haɪm] -[e]s/-e ① わが家; 故郷 ② 収容所, ホーム
 Sie ging in ihr *Heim* zurück. 彼女はわが家へ帰った.
 Er ist in einem *Heim* erzogen worden. 彼はある施設で教育を受けた.
die **Heimat** ['haɪma:t] -/-en 故郷
 Er kehrt in die *Heimat* zurück. 彼は故郷へ帰る.
heimlich ['haɪmlɪç] 形 ひそかな, 秘密の
 Sie lachte *heimlich*. 彼女は忍び笑いをした.
heiraten ['haɪra:tən] 他自 〈jn と〉結婚する
 Er hat das Mädchen *geheiratet*. 彼はその少女と結婚した.
heiß [haɪs] 形 暑い, 熱い
 Es ist heute sehr *heiß*. きょうはとても暑い.
 Mir ist [es] *heiß*. 私は暑い.
heißen* ['haɪsən] 自 ① …と呼ばれる ② 意味する
 Wie *heißen* Sie?—Ich *heiße* Fritz. お名前は?—フリッツといいます.
 Was soll das *heißen*? それはいったいどういう意味か?
 das heißt (略: d.h.) すなわち
heiter ['haɪtər] 形 ① 明るい, 晴れた ② 陽気な, 快活な
 Heute ist es *heiter*. きょうは快晴だ.

Er ist stets *heiter*. 彼はいつも上きげんだ.

heizen [′haɪtsən] 他自 暖める, 熱する
 Das Zimmer ist gut *geheizt*. 部屋は暖房がよくきいている.

der **Held** [hɛlt] -en/-en ① 英雄 ② 主人公, 主役
 Die Erzählung hat keinen *Helden*. その物語には主人公がない.

helfen* [′hɛlfən] 自 〈jm を〉助ける, 手伝う
 Ich *helfe* ihr [die Brille suchen]. 私は彼女[がめがねを捜すの]を手
 Er *hilft* mir bei der Arbeit. 彼は私の仕事を手伝う. し伝う.
 Ich *helfe* ihr aus der Not. 私は彼女を窮境から救う.

hell [hɛl] 形 明るい
 Es wird langsam *hell*. 夜がゆっくりと明ける.
 Sie hat *helles* Haar. 彼女は明るい色の髪をしている.

das **Hemd** [hɛmt] -[e]s/-en シャツ, ワイシャツ, シュミーズ
 Er zieht das weiße *Hemd* an (aus). 彼は白いシャツを着る(脱ぐ).

her [heːr] 副 ここへ, こちらへ
 Er kommt *von* weit *her*. 彼は遠いところから来た.
 von früher *her* 以前から
 Das ist schon lange *her*. それはもうずっと前のことだ.
 hin und *her* あちこち, 時おり

heraus [hɛ′raʊs] 副 (こちらの)外へ
 Er kam *aus* dem Haus *heraus*. 彼は家から出てきた.

der **Herbst** [hɛrpst] -es/-e 秋
 Es wird *Herbst*. 秋になる.

herein [hɛ′raɪn] 副 (こちらの)内へ, 内部へ
 Herein! おはいり!〈ノックに答えて〉

der **Herr** [hɛr] -n/-en ① 主人 ② 紳士 ③ ...氏, ...さん
 Er ist der treue Diener seines 彼は主人の忠実な僕(しもべ)だ.
  Herrn.
 Wer ist dieser *Herr*? このかたはどなた?
 Meine *Herren*! 諸君!
 Herr Schmidt シュミットさん
 Herr Professor! (*Herr* Doktor!) 先生!(ドクトル!)〈呼びかけ〉

herrlich [′hɛrlɪç] 形 りっぱな, すばらしい
 Es ist ein *herrliches* Wetter. 上天気だ.
 Das ist ja *herrlich*! そいつはすばらしいじゃないか!

herrschen [′hɛrʃən] 自 〈über jn・et⁴ を〉支配する
 Der König *herrscht* über Länder. 王が国々を統治する.
 Es *herrscht* Schweigen. 静まりかえっている.

her|stellen [′heːrʃtɛlən] 他 製作(製造・生産)する
 Die Waren sind in Japan *herge-* それらの商品は日本製だ.
  stellt.

herum [hɛ′rʊm] 副 回りに, ぐるりと
 Der Hund läuft auf dem Hof 犬が中庭を駆け回る.
  herum.
 Um die Stadt *herum* gibt es keine その町の周囲には山がない.
  Berge.

hervor [hɛrˈfoːr] 副 (内部から)外へ, 表へ
  Eine Frau trat hinter der Tür *hervor*. 1人の婦人が戸の陰から歩み出た.

das **Herz** [hɛrts] -ens², -en³, -⁴/-en 心臓; 心
  Das *Herz* schlägt (klopft). 心臓が鼓動する.
  Sie hat ein warmes *Herz*. 彼女は心の暖かい人だ.

herzlich [ˈhɛrtslɪç] 形 心からの
  Ich danke Ihnen *herzlich*! 心からお礼を申しあげます!

heulen [ˈhɔʏlən] 自 ほえる; 泣きわめく
  Der Hund *heulte* die ganze Nacht. 犬が1晩じゅうほえていた.
  Die Kinder *heulten*. 子供たちが泣き叫んだ.

heute [ˈhɔʏtə] 副 ① きょう ② 現今
  Heute ist Sonntag. きょうは日曜です.
  Heute Morgen bin ich angekommen. 私はけさ着いた.
  Wir gehen *heute Abend* ins Kino. 私たちは今晩映画を見に行く.
  Von *heute* ab (*an*) arbeitet er in der Fabrik. きょうから彼は工場で働く.
  das Deutschland von *heute* 現代のドイツ

hier [hiːr] 副 ここに
  Hier bin ich. 私はここにいます.
  Ich warte *hier* an der Ecke. 私はこのかどで待っている.

die **Hilfe** [ˈhɪlfə] -/-n 助け
  Sie bat ihn um *Hilfe*. 彼女は彼に助けを乞うた.
  Hilfe! 助けてくれ!

der **Himmel** [ˈhɪməl] -s/- 空; 天国
  Die Sterne stehen am *Himmel*. 星が空にでている.
  Ich fühle mich wie im *Himmel*. 私は天国にいるようなここちだ.

hin [hɪn] 副 そこへ, あちらへ
  Wo will er *hin*? 彼はどこへ行くつもりなのか?
  Der Weg führt über den Berg *hin*. 道は山を越えて行く.

hinab [hɪˈnap] 副 (あちらの)下へ
  Wir fuhren den Berg *hinab*. 私たちは車で山を下った.

hinauf [hɪˈnaʊf] 副 (あちらの)上へ
  Er ging die Treppe⁴ *hinauf*. 彼は階段をのぼって行った.

hinaus [hɪˈnaʊs] 副 (あちらの)外へ
  Er sieht zum Fenster *hinaus*. 彼は窓から外を見やる.
  Hinaus mit dir! 出て行け!

hindern [ˈhɪndərn] 他 妨げる, じゃまする
  Der Lärm *hindert* mich an (bei) der Arbeit. 騒音が私の仕事のじゃまになる.

hindurch [hɪnˈdʊrç] 副 とおして, 貫いて
  Es regnete den ganzen Sommer *hindurch*. 夏じゅう雨が降りつづいた.

hinein [hɪˈnaɪn] 副 (あちらの)中へ, 内へ

Ich kann nicht in das Haus *hinein*. 私は家の中へはいれない.

hinten ['hɪntən] 副 うしろに
Das Buch lag *hinten* im Schrank. その本は本棚の奥にあった.

hinter ['hɪntər] 1 前 《3·4格》...のうしろに(へ) 2 形 うしろにある
Der Garten liegt *hinter* dem Haus. 庭は家の裏にある.
Sieh *hinter* dich! うしろを見なさい!
die *hinteren* Zähne 奥歯

hinzu [hɪn'tsu:] 副 ① そのほうへ, そこへ ② それに加えて
Es kamen viele Menschen *hinzu*. 大ぜいの人がそこへやって来た.
Schreiben Sie seinen Namen *hinzu*! 彼の名を書き加えてください!

der **Hirt** [hɪrt] -en/-en 牧人, 家畜番
Der *Hirt* hütet das Vieh. 家畜番が家畜を見張る.

die **Hitze** ['hɪtsə] -/ 熱, 暑さ
Es war große *Hitze*. とても暑かった.

hoch [ho:x] höher, höchst 形 〈付加語的には: hoh-〉高い
Der Turm ist sehr *hoch*. その塔はとても高い.
Er klettert auf einen *hohen* Baum. 彼は高い木によじ登る.

die **Hochzeit** ['hɔxtsaɪt] -/-en 結婚式
Sie halten *Hochzeit*. 彼らは結婚式をあげる.

der **Hof** [ho:f] -[e]s/⁻e ① 中庭 ② 農家; 農場 ③ 宮廷
Die Kinder spielen auf dem *Hof*. 子供たちが中庭で遊んでいる.
Auf dem *Hof* waren schon alle an der Arbeit. 農場ではもうみんな働らいていた.
England hat noch einen *Hof*. イギリスにはまだ王室がある.

hoffen ['hɔfən] 他自 希望する, 期待する
Er *hofft auf* die Zukunft. 彼は未来に期待をよせる.
Man kann von ihm nicht viel *hoffen*. 彼からはたいしたことを期待できない.
Ich *hoffe*, dass du gesund bist. 私は君が健康だと信ずる.

die **Hoffnung** ['hɔfnʊŋ] -/-en 希望, 期待
Ich habe die *Hoffnung* noch nicht aufgegeben. 私はまだ希望を捨てていない.
Sie setzte ihre *Hoffnung* auf ihn. 彼女は彼に期待した.

höflich ['hø:flɪç] 形 礼儀正しい, 丁重な
Er ist *höflich* gegen jeden. 彼はだれに対しても丁重だ.

die **Höhe** ['hø:ə] -/-n 高さ; 高いところ; 頂上
Das Flugzeug erreichte eine *Höhe* von 15 km. 飛行機は15キロメートルの高度に到達した.
Er klettert in die *Höhe*. 彼は高いところへよじ登る.

hohl [ho:l] 形 うつろな; くぼんだ; 空虚な
Dieser Baum ist *hohl*. この木は中がうつろだ.
Er hat *hohle* Wangen. 彼は頬がこけている.

holen ['ho:lən] 他 取りに(迎えに)行って持って(連れて)くる

Er ließ den Arzt *holen*. 彼は医者を呼びにやった.
Er *holte* die Stühle aus der Küche. 彼は台所からいすを持ってきた.
(das) **Holland** [′hɔlant] オランダ
die **Hölle** [′hœlə] -/-n 地獄
das **Holz** [hɔlts] -es/⸚er 木材；薪(まき)
   Das Boot ist aus *Holz*. そのボートは木造だ.
   Wir heizen mit *Holz*. 私たちは薪で暖房する.
der **Honig** [′ho:nɪç] -s/ 蜂蜜
   Der *Honig* ist süß. 蜂蜜は甘い.
horchen [′hɔrçən] 自 傾聴する；盗み聞きする
   Sie *horchten auf* seine Worte. 彼らは彼の言葉に傾聴した.
   Er *horcht* an der Tür. 彼が戸のそばで立ち聞きしている.
hören [′hø:rən] 自他 聞く；聞こえる
   Ich *höre* ein Geräusch. 私にはある物音が聞こえる.
   Ich *hörte* den Sänger. 私はその歌手の歌を聞いた.
   Ich *höre* ihn draußen singen. 彼が外で歌うのが聞こえる.
   Ich habe *gehört*, dass er krank ist. 私は彼が病気だということを聞いた.
das **Horn** [hɔrn] -[e]s/⸚er ① 角(つの) ② 角笛，ホルン
   Er bläst das *Horn*. 彼は角笛を吹く.
die **Hose** [′ho:zə] -/-n 〈多くは複数形〉ズボン
   Ich ziehe die *Hose[n]* an (aus). 私はズボンをはく(脱ぐ).
das **Hotel** [ho′tɛl] -s/-s ホテル
   Seit drei Tagen wohne ich in diesem *Hotel*. 私は 3 日前からこのホテルにいる.
hübsch [hʏpʃ] 形 好ましい，愛らしい，こぎれいな
   Das Mädchen ist *hübsch*. その少女はかわいらしい.
der **Hügel** [′hy:gəl] -s/- 丘
   Auf dem *Hügel* steht ein Haus. 丘の上に家がある.
das **Huhn** [hu:n] -[e]s/⸚er 鶏；めんどり
   Ich esse gern *Huhn*. 私は鶏肉が好きだ.
hüllen [′hʏlən] 1 他 包む，おおう 2 再 (sich⁴) おおわれる，くるまる
   Er *hüllt* das Geschenk in Papier⁴. 彼は贈物を紙に包む.
   Ich *hülle* mich in meinen Mantel. 私は外套にくるまる.
der **Hund** [hʊnt] -[e]s/-e 犬
   Der *Hund* hat mich gebissen. 犬が私にかみついた.
hundert [′hʊndərt] 数 100
   Es kamen mehr als *hundert* Menschen. 100 人以上の人が来た.
der **Hunger** [′hʊŋər] -s/ 空腹
   Ich habe großen *Hunger*. 私はとても腹がすいている.
hungrig [′hʊŋrɪç] 形 空腹の
   Ich bin *hungrig*. 私は腹がすいている.
husten [′hu:stən] 自 せきをする
   Er *hustet* dumpf. 彼はうつろなせきをする.
der **Hut** [hu:t] -[e]s/⸚e (縁のある)帽子

hüten

Ich nahm den *Hut* ab. 私は帽子を脱いだ．
Er trägt einen *Hut*. 彼は帽子をかぶっている．

hüten [ˈhyːtən] 1 他 見張る，番をする 2 再 ((sich⁴)) ⟨vor et³ に⟩用心(警戒)する「らない．
Ich muss die Kinder *hüten*. 私は子供たちの守りをしなくてはな
Hüte dich vor schlechter Gesellschaft! 悪い仲間にはいらないように気をつけなさい！

die **Hütte** [ˈhʏtə] -/-n 掘っ建て小屋，山小屋
die kleine *Hütte* des Fischers 漁師の小屋

I

ich [ɪç] 代 私
Ich bin Student. 私は学生です．

das **Ideal** [ideˈaːl] -s/-e 理想
Er hat keine *Ideale* mehr. 彼にはもう理想がない．

die **Idee** [iˈdeː] -/-n 観念，理念；考え
Das ist eine gute *Idee*. それはよい思いつきだ．

ihr [iːr] 代 ① 君たち ② ((所有)) 彼女・彼らの，⟨Ihr⟩ あなた[がた]の
Seid *ihr* schon aufgestanden? 君たちはもう起きたかね？
Die Schülerin hat *ihr* Buch verloren. 女生徒は(彼女の)本をなくした．

immer [ˈɪmər] 副 ① つねに ② ⟨比較級と⟩ ますます
Er ist *immer* krank. 彼はいつも病気をしている．
Sie ist *noch immer* (*immer noch*) nicht da. 彼女は相変わらずやって来ない．
Er ist *nicht immer* zu Hause. 彼は家にいるとは限らない．
Es wird *immer* dunkler. ますます暗くなる．
immer wieder 再三再四

in [ɪn] 前 ((3・4格)) ① …の中に(へ) ② ⟨時間的に⟩ …のうちに；…たってから
Mein Onkel wohnt *in* der Stadt. おじは町に住んでいる．
Ich fahre *in* die Stadt. 私は町へ行く．
Kommen Sie *in* einer Woche wieder! 1週間以内に(1週間たったら)また来てください！

indem [ɪnˈdeːm] 接 ((従)) ① …するあいだに，…しながら ② …することによって
Indem er dies sagte, fiel er zu Boden. 彼はこう言いながら倒れた．
Indem er es getan hatte, verriet er mich. 彼はそれをしたことによって，私を裏切った．

indes[sen] [ɪnˈdɛs(ən)] 副 そのあいだに
Ich will schnell meinen Hut holen, bleibe *indessen* hier. 急いで帽子を取りに行ってくる，そのあいだここにいてくれ．

die **Industrie** [ɪndʊsˈtriː] -/-n [..ˈtriːən] 産業，工業

der **Inhalt** [ˈɪnhalt] -[e]s/-e 内容
 Er erzählte mir den *Inhalt* des Buches. 彼は私にその本の内容を話してくれた.
innen [ˈɪnən] 副 中に
 Das Fenster geht nach *innen* auf. その窓は内側へ開く.
innere [ˈɪnərə] 形 中の, 内部の
 Seine *innere* Stimme riet ihm zu gehen. 内(良)心の声は彼に行くようにと忠告した.
innerhalb [ˈɪnərhalp] 前《2格》…の内部で；…以内に
 Innerhalb dieser Stadt gibt es viele Gärten. この町の中には多くの庭がある.
 Innerhalb eines Monats wird er ankommen. 1か月以内に彼は到着するだろう.
innig [ˈɪnɪç] 形 親密な, 心からの
 Die Eltern lieben ihn *innig*. 両親は心から彼を愛している.
die **Insel** [ˈɪnzəl] -/-n 島
 Auf jener *Insel* wohnt niemand. あの島にはだれも住んでいない.
das **Instrument** [ɪnstruˈmɛnt] -[e]s/-e 器具；楽器
 Er kann ein *Instrument* spielen. 彼は楽器を弾くことができる.
interessant [ɪntɛrɛˈsant] 形 興味をひく, おもしろい
 Dieser Roman ist sehr *interessant*. この小説はたいそうおもしろい.
das **Interesse** [ɪntɛˈrɛsə] -s/-n ① 興味, 関心 ② 利害
 Er hat *Interesse an* der (*für* die) Musik. 彼は音楽に興味を持っている.
 Er handelt nur aus *Interesse*. 彼は利害関係(打算)でのみ行動する.
interessieren [ɪntɛrɛˈsiːrən] 1 再《sich⁴》〈für et⁴ に〉興味をいだく 2 他〈jn に für et⁴ に対して〉興味をいだかせる
 Ich *interessiere* mich *für* dieses Buch. 私はこの本に興味がある.
 Er *interessiert* mich *für* die Politik. 彼は私に政治に対する興味をいだかせる.
irgend [ˈɪrgənt] 副 そもそも, いったい；何か, ある
 Irgend jemand hat es mir gesagt. だれかがそれを私に言った.
 *Irgend*ein Kind hat es gefunden. だれかある子供がそれを見つけた.
 Hast du noch *irgend* etwas zu sagen? 君はまだ何か言うことがあるのか？
 Er muss *irgend*wo in der Stadt sein. 彼は町の中のどこかにいるにちがいない.
irren [ˈɪrən] 1 自《h, s》迷う；誤る 2 再《sich⁴》思い違いをする
 Du *irrst* [*dich*], er hieß anders. 君の勘違いだ, 彼はそういう名まえではなかったよ.
 Er hat *sich⁴* in der Straße *geirrt*. 彼は通りをまちがえた.
der **Irrtum** [ˈɪrtuːm] -[e]s/¨er 誤り
 Da sind Sie im *Irrtum*! それはあなたの思い違いですよ！

J

ja [ja:] 副 ① はい，そうです ② いやそれどころか ③ だって… だから，…ではないか

Kommst du mit?—*Ja*!	君はいっしょに来るかい？—はい！
Ich schätze ihn, *ja* ich verehre ihn.	私は彼を高く買う，いやそれどころか尊敬する．
Du weißt es *ja*.	君はそれを知っているじゃないか．
Er hat es *ja* selbst gesagt.	彼自身がそう言ったんだからね．

die **Jacke** ['jakə] -/-n （背広などの）上着，セーター

Er zieht die *Jacke* an (aus).	彼は上着を着る(脱ぐ)．

die **Jagd** [ja:kt] -/-en 狩猟

Er ist auf die *Jagd* gegangen.	彼は狩猟に出かけた．

jagen ['ja:gən] 1 他 ① 追う ② 狩る 2 自 ((h, s)) ① 突進する ② ⟨nach et³ を⟩ 追い求める ③ 猟をする

Ich *jage* ihn aus dem Hause.	私は彼を家から追い出す．
Wir *jagen* [auf] Füchse.	私たちは狐狩りをする．
Die Wolken *jagen* am Himmel.	雲が空を飛ぶように動いてゆく．
Die Menschen *jagen nach* dem Glück.	人々は幸福を追い求める．

der **Jäger** ['jɛ:gər] -s/- 猟師，狩猟家

Er ist ein guter *Jäger*.	彼は腕ききの猟師だ．

das **Jahr** [ja:r] -[e]s/-e 年

dieses *Jahr*⁴	今年
voriges (nächstes) *Jahr*⁴	去年(来年)
nach (vor) drei *Jahren*	3年後(前)
drei *Jahre* lang	3年間
jedes *Jahr*⁴	毎年
Ich bin zwanzig *Jahre* alt.	私は20歳だ．

die **Jahreszeit** ['ja:rəstsaɪt] -/-en 季節，シーズン

in dieser *Jahreszeit*	この季節には

das **Jahrhundert** [ja:r'hʊndərt] -[e]s/-e 100年，世紀

das 20. (zwanzigste) *Jahrhundert*	20世紀

der **Januar** ['janua:r] -[s]/-e 1月

(das) **Japan** ['ja:pan] 日本

der **Japaner** [ja'pa:nər] -s/- 日本人
die **Japanerin** [ja'pa:nərɪn] -/-nen 日本の女性
japanisch [ja'pa:nɪʃ] 形 日本[人・語]の

je [je:] 1 副 ① かつて ② …ずつ，…ごとに 2 接 ① ~nachdem …に応じて(従って) ② ⟨比較級とともに⟩ …であればあるほど

Habe ich das *je* gesagt?	私がいつかそんなことを言っただろうか？
Er gab ihnen *je* eine Mark.	彼は彼らに1マルクずつ与えた．
Je nachdem ich Zeit habe, lese ich	暇のあるなしによって，私の読書は

mehr oder weniger. ふえたり減ったりする.
Je schneller er kommt, *desto* besser ist es. 彼が早く来れば来るほどよい.
Je länger, *je* besser. 長ければ長いほどよい.

jedenfalls ['je:dənfals] 副 いずれにしても, ともかく
Wir sehen uns⁴ *jedenfalls* bald wieder. どっちみち私たちはまたじきに会う.

jeder, jede, jedes ['je:dər, 'je:də, 'je:dəs] 代《不定》おのおのの[人], どの…も
Jeder [Mensch] muss arbeiten. 人間はだれでも働かねばならぬ.
jeder von uns³ 私たちのだれもが
Wir arbeiten *jeden Tag*. 私たちは毎日働く.

jedoch [je'dɔx] 副 接《副・並》けれども, だがしかし
Ich will es tun, *jedoch* nicht gleich. 私はそうしようと思う. ただし今すぐにではない.

jemand ['je:mant] 代《不定》-[e]s², -[em]³, -[en]⁴ だれか, ある人
Jemand hat es mir erzählt. だれかが私にそれを話した.
Er spricht mit *jemand*[em]. 彼はだれかと話している.

jener, jene, jenes ['je:nər, 'je:nə, 'je:nəs] 代《指示》あの, あれ; 前者[の]
Dieser Garten ist schöner als *jener*. この庭はあの庭より美しい.

jenseit[s] ['je:nzaɪt(s)] 前《2格》副 […の]向こう側に
Jenseits des Flusses steht ein Haus. 川の向こう側に1軒の家がある.

jetzt [jɛtst] 副 いま
Er studiert *jetzt* in Berlin. 彼はいまベルリンで勉強している.
Er war eben *jetzt* hier. 彼はいましがたここにいた.

die **Jugend** ['ju:gənt] -/ ① 若さ, 青春 ② 若い人〈集合名詞〉
von *Jugend* auf 若い時から
die *Jugend* von heute いまの若い人

der **Juli** ['ju:li] -[s]/-s 7月

jung [jʊŋ] jünger, jüngst 形 若い
ein *junger* Mann 若い男
Er ist *jünger* als sie. 彼は彼女より若い.

der **Junge** ['jʊŋə] -n/-n 男の子, 少年
Er ist ein netter *Junge*. 彼は感じのよい少年だ.

der **Juni** ['ju:ni] -[s]/-s 6月

K

der **Kaffee** ['kafe] -s/-s コーヒー
Geben Sie mir noch eine Tasse *Kaffee*! コーヒーをもう1杯ください!

kahl [ka:l] 形 はげた, 裸の
kahle Bäume 葉の落ちた木々

der **Kaiser** ['kaɪzər] -s/- 皇帝

kalt [kalt] kälter, kältest 形 寒い, 冷たい

Kälte

Es ist (wird) *kalt*. 寒い(寒くなる).
Mir ist an den Füßen *kalt*. 私は足が冷たい.
Sie ist *kalt* gegen mich. 彼女は私に対して冷淡だ.
die **Kälte** ['kɛltə] -/- 寒さ, 冷たさ
Wir haben fünf Grad *Kälte*. 零下5度である.
Ich zittere vor *Kälte*[3]. 私は寒さに震える.
der **Kamerad** [kamə'ra:t] -en/-en 仲間, 友だち
Sie waren alte *Kameraden*. 彼らは古くからの友人だった.
der **Kamm** [kam] -[e]s/⸚e 櫛(くし)
die **Kammer** ['kamər] -/-n 小部屋
der **Kampf** [kampf] -[e]s/⸚e 戦い
Sie bestanden den (im) *Kampf*. 彼らは戦い(試合)に勝った.
der *Kampf* um die Macht 権力闘争
kämpfen ['kɛmpfən] 自 戦う
Er *kämpfte mit* dem (*gegen* den) Feind. 彼は敵と戦った.
Wir *kämpfen um* die Freiheit. われわれは自由のために戦う.
die **Karte** ['kartə] -/-n カード, 切符, トランプ, [絵]はがき, 地図
Wir spielen *Karten*. 私たちはトランプ遊びをする.
Er schickte mir eine *Karte* aus Berlin. 彼は私にベルリンから[絵]はがきをくれた.
Er studiert die *Karte* von Europa. 彼はヨーロッパの地図を調べる.
die **Kartoffel** [kar'tɔfəl] -/-n じゃがいも
Die *Kartoffeln* müssen gekocht werden. じゃがいもを煮なければならない.
der **Käse** ['kɛ:zə] -s/- チーズ
Alle *Käse* werden aus Milch gemacht. チーズはすべて牛乳から作られる.
der **Kasten** ['kastən] -s/⸚ 箱；郵便箱
Werfen Sie den Brief in den *Kasten*! この手紙を投函してください！
die **Katze** ['katsə] -/-n [雌]猫
Die *Katze* schläft vor dem Ofen. 猫は暖炉の前で眠っている.
kaufen ['kaʊfən] 他 買う
Er *kaufte sich*[3] das Auto billig. 彼はその自動車を安く買った.
der **Kaufmann** ['kaʊfman] -[e]s/..leute 商人
Mein Onkel ist *Kaufmann*. おじは商人だ.
kaum [kaʊm] 副 ① ほとんど…ない ② …するやいなや
Ich kann es *kaum* glauben. 私はそれをほとんど信ずることができない.
Kaum hatte er dies gesagt, so ging er fort. 彼はこう言うやいなや, 立ち去った.
kehren ['ke:rən] 1 他 向ける 2 再 《*sich*[4]》向く 3 自 《s》帰る
Sie *kehrte* mir den Rücken. 彼女は私に背を向けた.
Plötzlich *kehrte* sie *sich*[4] zu mir. 不意に彼女は私のほうへ向きなおった.
Er *kehrte* nach Hause. 彼は家に帰った.

kein, keine, kein [kaɪn, ˈkaɪnə, kaɪn] 数《不定》 一つも(少しも)
  Er hat *keinen* Sohn. 彼には息子がない.
  Sie ist *kein* Kind *mehr*. 彼女はもう子供ではない.
  Keiner will ihm helfen. だれも彼を助けようとしない.〈名詞的〉

keineswegs [ˈkaɪnəsˌveːks] 副 けっして…[し]ない
  Am Sonntag arbeitet er *keineswegs*. 日曜日には彼はけっして働かない.

der **Keller** [ˈkɛlər] -s/- 穴ぐら, 地下室
  Er stieg in den *Keller* hinab. 彼は地下室へ降りて行った.

der **Kellner** [ˈkɛlnər] -s/- 給仕, ボーイ
  Ich bestellte beim *Kellner* ein Bier. 私は給仕にビールを注文した.

kennen* [ˈkɛnən] 他 知っている
  Ich *kenne* diesen Mann (diese Stadt). 私はこの男(この町)を知っている.
  Ich *kenne* ihn nur nach dem Namen. 私は彼の名まえだけしか知らない.

kennen lernen [ˈkɛnənˈlɛrnən] 他〈jn と〉知り合いになる
  Er hat sie zufällig *kennen gelernt*. 彼は彼女と偶然知り合った.

die **Kenntnis** [ˈkɛntnɪs] -/-se 知ること, 知識
  Er hat eine genaue *Kenntnis* von der Gegend. 彼はその地方をよく知っている.

der **Kern** [kɛrn] -[e]s/-e 核, 核心
  Das ist der *Kern* der Sache. これがこの問題の核心だ.

die **Kerze** [ˈkɛrtsə] -/-n ろうそく
  Sie zündete die *Kerze* an. 彼女はろうそくに火をともした.

die **Kette** [ˈkɛtə] -/-n 鎖
  Sie trug eine goldene *Kette* um den Hals. 彼女は金の鎖を首にかけていた.

das **Kind** [kɪnt] -[e]s/-er 子供
  Er hat zwei *Kinder*. 彼には子供が2人いる.
  Die *Kinder* spielen auf dem Hof. 子供たちは中庭で遊んでいる.

die **Kindheit** [ˈkɪnthaɪt] -/- 幼年時代
  Er erzählte uns³ von seiner schönen *Kindheit*. 彼は私たちに楽しかった幼年時代のことを物語った.

kindlich [ˈkɪntlɪç] 形 子供らしい, 無邪気な
  Sie freute sich⁴ *kindlich* an meinem Geschenk. 彼女は私の贈物を子供のように喜んだ.

das **Kinn** [kɪn] -[e]s/-e あご
  Er stützt das *Kinn* auf die Hand. 彼はあごを手で支える.

das **Kino** [ˈkiːno] -s/-s 映画[館]
  Gestern *ging* ich *ins Kino*. 昨日私は映画を見に行った.

die **Kirche** [ˈkɪrçə] -/-n 教会
  Sonntags geht sie in die (zur) *Kirche*. 毎日曜日に彼女は教会へ行く.

das **Kissen** [ˈkɪsən] -s/- クッション, 枕

die **Klage** [ˈklaːɡə] -/-n 嘆き, 訴え, 苦情
  Über ihn hörte man viele *Klagen*. 彼について苦情が多かった.

klagen ['klaːgən] 1 自 嘆く, 訴える　2 他 〈jm に et⁴ を〉訴える
　Ich muss über mein Schicksal *klagen*.　私は運命を嘆かずにはいられない。
　Sie *klagt* mir ihr Unglück.　彼女は私に不幸を訴える。
der **Klang** [klaŋ] -[e]s/⸚e　音, 響き
　Ihre Stimme hat einen warmen *Klang*.　彼女の声には暖かい響きがある。
klar [klaːr] 形　澄んだ；明白な
　Der Himmel ist *klar*.　空は澄んでいる。
　Es ist mir *klar*.　それは私には明らかだ。
die **Klasse** ['klasə] -/-n　等級, クラス
　Er fährt zweiter *Klasse*².　彼は(汽車・船の)2等で行く。
　Er ist ein Schüler der fünften *Klasse*.　彼は第5学級の生徒だ。
das **Klavier** [kla'viːr] -s/-e　ピアノ
　Sie spielt *Klavier* sehr gut.　彼女はピアノがたいそううまい。
das **Kleid** [klaɪt] -[e]s/-er　着物
　Sie zieht die *Kleider* an (aus).　彼女は着物を着る(脱ぐ)。
kleiden ['klaɪdən] 1 再 《sich⁴》着物を着る　2 他 〈jn に〉着物を着せる
　Sie *kleidet sich*⁴ in Seide⁴.　彼女は絹の着物を着る。
　Ich habe das Kind *gekleidet*.　私は子供に着物を着せた。
die **Kleidung** ['klaɪdʊŋ] -/-en　服装, 衣装
　Sie kam in einfacher *Kleidung*.　彼女は地味な服装で来た。
klein [klaɪn] 形　小さい
　Sie ist [um] einen Kopf *kleiner* als er.　彼女は彼より頭のぶんだけ背が低い。
　Die Schuhe sind mir zu *klein*.　その靴は私には小さすぎる。
klettern ['klɛtərn] 自 《s, h》よじ登る
　Der Junge *kletterte* auf den Baum.　少年は木によじ登った。
das **Klima** ['kliːma] -s/-s (..mate [kli'maːtə])　気候, 風土
　Hier ist das *Klima* mild.　当地は気候が温和である。
klingeln ['klɪŋəln] 自　りんりん鳴る, 呼び鈴を鳴らす
　Es *klingelt* an der Tür.　戸口の呼び鈴が鳴る。〈非人称的〉
klingen* ['klɪŋən] 自　鳴る, 響く；…に聞こえる(思われる)
　Ihre Stimme *klingt* hell.　彼女の声は明るく響く。
　Das *klingt* ganz anders.　それはまったく別のように思われる。
klopfen ['klɔpfən] 自他　打つ, たたく
　Er *klopfte* mir auf die Schulter.　彼は私の肩をたたいた。
　Es *klopft* an die (der) Tür.　ドアをノックする音が聞こえる。〈非人称的〉
klug [kluːk] klüger, klügst 形　利口な, 賢い
　Das Kind ist *klug*.　その子供は利口だ。
　Das ist eine *kluge* Antwort.　それは賢明な答えだ。
der **Knabe** ['knaːbə] -n/-n　少年〈詩語〉
der **Knecht** [knɛçt] -[e]s/-e　下男(下僕)
das **Knie** [kniː] -[e]s/- ['kniːə]　ひざ

Er sank auf (in) die *Knie*. 彼はがくりとひざをついた.
der **Knochen** ['knɔxən] -s/- 骨
    Er ist nur Haut und *Knochen*. 彼は骨と皮ばかりだ.
der **Knopf** [knɔpf] -[e]s/⸚e ボタン
    Ein *Knopf* ist mir gesprungen. 私のボタンが1つ落ちた.
    Auf den *Knopf* drücken! 押しボタンを押すこと!
die **Knospe** ['knɔspə] -/-n 芽, つぼみ
    Die Bäume treiben *Knospen*. 木々が芽をつける.
knüpfen ['knʏpfən] 他 結ぶ, 結びつける
    Er *knüpfte* sich³ ein Band um den Hut. 彼は帽子にリボンを巻きつけた.
    Daran *knüpfen sich*⁴ liebe Erinnerungen. それにはなつかしい思い出がまつわる. 〈再帰的〉
der **Koch** [kɔx] -[e]s/⸚e コック
    Der *Koch* kocht Fleisch. コックが肉料理を作る.
kochen ['kɔxən] 他自 煮る(煮える); 料理する
    Das Wasser hat *gekocht*. 湯が沸いた.
    Sie kann gut *kochen*. 彼女は料理がうまい.
der **Koffer** ['kɔfər] -s/- トランク
    Er packte den *Koffer*. 彼はトランクに荷物を詰めた.
die **Kohle** ['ko:lə] -/-n 炭, 石炭
    Das Zimmer wird mit *Kohle* geheizt. その部屋は[石]炭で暖房する.
kommen* ['kɔmən] 自《s》来る; 〈um et⁴ を〉失う
    Sie *kam* zur rechten Zeit. 彼女はちょうどよい時に来た.
    Ich *komme* gleich. 私はすぐまいります.
    Er *kommt* gelaufen. 彼は走って来る. 〈方法を示す過去分詞と〉
    Er ist *auf* einen guten Gedanken *gekommen*. 彼はよいことを思いついた.
    Er *kam um* sein ganzes Geld. 彼は有り金残らず失った.
der **König** ['kø:nɪç] -[e]s/-e 王
    Er hat seinem *König* treu gedient. 彼は王に忠勤をはげんだ.
können* ['kœnən] 助 ① ...できる ② ...かもしれない ③ ...してもよい
    Er *kann* Deutsch sprechen. 彼はドイツ語を話すことができる.
    Mit dem Auto *können* wir bald dort sein. 自動車でならば, われわれはじきにそこへ行くことができる.
    Es *kann* heute regnen. きょうは雨が降るかもしれない.
    Ihr *könnt* morgen ins Kino gehen. 君たちは明日映画に行ってもよろしい.
das **Konzert** [kɔn'tsɛrt] -[e]s/-e 音楽会, 演奏会
    Wir gehen heute Abend ins *Konzert*. 私たちは今晩コンサートへ行く.
der **Kopf** [kɔpf] -[e]s/⸚e 頭
    Er hat einen guten *Kopf*. 彼は頭がよい.
    Ein Gedanke fuhr mir durch den ある考えがふと私の頭に浮かんだ.

Kopf.
der **Korb** [kɔrp] -[e]s/⁼e かご
  Sie legt Eier in den *Korb*. 彼女は卵をかごに詰める.
das **Korn** [kɔrn] -[e]s/⁼er 穀粒；穀物
  Das *Korn* ist reif. 穀物が実っている.
der **Körper** ['kœrpər] -s/- からだ；物体
  Sie zitterte am ganzen *Körper*. 彼女は全身を震わせた.
kosten ['kɔstən] 自他 価する, 要[求]する
  Was (Wie viel) *kostet* dieses Buch? この本はいくらですか？
  Diese Arbeit *kostet* Zeit. この仕事には時間がかかる.
die **Kraft** [kraft] -/⁼e 力
  Das geht über meine *Kraft*. それは私の力に余ることだ.
  die elektrische *Kraft* 電力
kräftig ['krɛftɪç] 形 力のある, 強い
  Er schlug mir *kräftig* auf die Schulter. 彼は私の肩を強くたたいた.
krank [kraŋk] 形 病気の
  Er ist *krank* am Herzen. 彼は心臓が悪い.
  der **Kranke** ['kraŋkə] 《形 変化》 病人, 患者
  das **Krankenhaus** ['kraŋkənhaus] -es/..häuser 病院
die **Krankheit** ['kraŋkhaɪt] -/-en 病気
  Er ist an einer *Krankheit* gestorben. 彼は病気で死んだ.
die **Krawatte** [kra'vatə] -/-n ネクタイ
  Ich binde mir die *Krawatte*. 私はネクタイを結ぶ.
die **Kreide** ['kraɪdə] -/-n 白墨
  Der Lehrer schreibt den Satz mit *Kreide*. 先生は文章を白墨で書く.
der **Kreis** [kraɪs] -[e]s/-e 円；サークル
  Die Kinder bilden einen *Kreis*. 子供たちが輪になっている.
das **Kreuz** [krɔʏts] -[e]s/-e 十字, 十字架
  Sie machte sich³ ein *Kreuz*. 彼女は十字を切った.
kriechen* ['kri:çən] 自 《h, s》 はう
  Der Hund ist unter den Tisch *gekrochen*. 犬は机の下にはいこんだ.
der **Krieg** [kri:k] -[e]s/-e 戦争
  Er ist im *Krieg* gefallen. 彼は戦死した.
die **Krone** ['kro:nə] -/-n ［王］冠
  Der König trägt eine *Krone* auf dem Kopf. 国王は王冠をいただいている.
die **Küche** ['kʏçə] -/-n 台所；料理
  Sie arbeitet in der *Küche*. 彼女は台所で働いている.
der **Kuchen** ['ku:xən] -s/- 菓子
  Sie hat *Kuchen* gebacken. 彼女は菓子を焼いた.
die **Kugel** ['ku:gəl] -/-n 球；弾丸
  Die Erde ist eine *Kugel*. 地球は一つの球である.

Die *Kugel* hat das Tier getroffen. 弾丸は獣にあたった.
die **Kuh** [kuː] -/⸚e 雌牛
    Die *Kuh* gibt keine Milch mehr. その雌牛はもう乳を出さない.
kühl [kyːl] 形 涼しい；冷静(冷淡)な
    Heute ist *kühl*. きょうは涼しい.
    Sie war *kühl* gegen mich. 彼女は私に対して冷淡だった.
die **Kultur** [kʊlˈtuːr] -/-en 文化
    Jedes Volk hat seine eigene *Kultur*. どんな民族も独自の文化を持っている.
die **Kunst** [kʊnst] -/⸚e 芸術, 技術, 芸
    die bildenden *Künste* 造型美術
    Der Hund zeigt seine *Künste*. 犬が芸を見せる.
der **Künstler** [ˈkʏnstlər] -s/- 芸術家
    Er war ein großer *Künstler*. 彼は偉大な芸術家だった.
kurz [kʊrts] kürzer, kürzest 形 短い
    Sie trägt das Haar *kurz*. 彼女は髪を短く切っている.
    Die Tage sind *kürzer* geworden. 日が短くなった.
der **Kuss** [kʊs] -es/⸚e キス
    Er gab ihr einen *Kuss* [auf die Stirn]. 彼は彼女[の額]にキスをした.
küssen [ˈkʏsən] 他 キスする
    Er *küsste* ihren (sie auf den) Mund. 彼は彼女の口にキスした.
die **Küste** [ˈkʏstə] -/-n 海岸
    Wir fahren im Sommer an die *Küste*. われわれは夏に海岸へ行く.

L

lächeln [ˈlɛçəln] 自 微笑する
    Er *lächelte* heiter. 彼は快活に微笑した.
lachen [ˈlaxən] 自 笑う
    Er *lachte* laut. 彼は大声をたてて笑った.
    Er *lachte* über mich. 彼は私のことを笑った.
laden* [ˈlaːdən] 他 ① 積む ② 招待する
    Sie *laden* Steine auf den Wagen. 彼らは石を車に積む.
    Ich *lade* ihn zu Tisch. 私は彼を食事に招く.
der **Laden** [ˈlaːdən] -s/⸚, - ① 店 ② よろい戸
    Der *Laden* wird um neun Uhr geöffnet. 店は9時に開く.
    Das Haus hat grüne *Läden*. その家はよろい戸が緑色だ.
die **Lage** [ˈlaːgə] -/-n 位置, 状態, 立場
    Das Haus hat eine ruhige *Lage*. その家は静かな場所にある.
    Stelle dir meine *Lage* vor! 私の立場を察してくれたまえ！
die **Lampe** [ˈlampə] -/-n ランプ, 灯火, 電灯
    Die *Lampe* brennt (leuchtet). 灯がともっている.

das Land [lant] -[e]s/¨-er, -e ① 〈複：個別的に：¨-er, 総括的に：-e〉国, 州 ② 〈複なし〉陸[地] ③ 〈複なし〉土地, 耕地 ④ 〈複なし〉地方, いなか
  Er besucht fremde *Länder*. 彼は外国を訪れる.
  Wir stiegen ans *Land*. 私たちは上陸した.
  Er besitzt viel *Land*. 彼は多くの土地を所有する.
  Er wohnt *auf dem Lande*. 彼はいなかに住む.

die Landschaft ['lant-ʃaft] -/-en ① 地方 ② 風景
  die Bewohner einer *Landschaft* ある地方の住民
  Die *Landschaft* hier ist sehr schön. ここの風景はとても美しい.

lang [laŋ] länger, längst 形 長い
  Er schrieb ihr einen *langen* Brief. 彼は彼女に長い手紙を書いた.
  Sie ist vor *langer* Zeit gestorben. 彼女はずっと以前になくなった.
  Sie war einen Monat *lang* bei uns³. 彼女は1か月間私たちのもとにいした.

lange ['laŋə] 副 長い間
  Ich habe ihn *lange* nicht gesehen. 私は久しく彼に会っていない.

langsam ['laŋzaːm] 形 （速度が）おそい
  Sprechen Sie *langsamer*! もっとゆっくり話してください！

längst [lɛŋst] 〈lang の最高級のほかに〉副 とっくに
  Ich habe es *längst* gemerkt. 私はとうにそれに気づいていた.

der Lärm [lɛrm] -[e]s/ 喧騒, 騒音
  Macht nicht solchen *Lärm*! そんなに騒ぐんじゃない！

lassen* ['lasən] 1 助 …させる 2 他 やめる；そのままにしておく；放す
  Ich *lasse* dich nicht gehen. 私は君を行かせない.
  Ich *lasse* das Gepäck von dem Mann tragen. 私はその男に荷物を運んでもらう.
  Er *lässt* sich³ ein Kleid machen. 彼は服を仕立てさせる.
  Das *lässt* sich⁴ denken. それは考えられることだ.
  Lass[t] uns⁴ gehen! 行こう！
  Er kann es nicht *lassen*. 彼はそれをやめることができない.
  Er ließ die Tür offen. 彼はドアを開けたままにしておいた.
  Lass ihn nicht aus den Augen! 彼から目を放すな！

die Last [last] -/-en ① 重み；積み荷 ② 負担
  Der Baum brach unter der *Last* des Schnees. 木が雪の重みで折れた.
  Mir fiel eine *Last* vom Herzen. 私は心の重荷がおりた.

laufen* ['laufən] 自 (s) 走る
  Ich bin vom Bahnhof bis nach Hause *gelaufen*. 私は駅から家まで走った.

die Laune ['launə] -/-n きげん, 気まぐれ
  Er ist in (bei) guter *Laune*. 彼はきげんが良い.

lauschen ['lauʃən] 自 聞き耳をたてる
  Ich *lauschte* seinen Worten. 私は彼の言葉に耳を傾けた.
  Sie hat an der Tür *gelauscht*. 彼女が戸口で立ち聞きしていた.

laut [laut] 形 大声の

Sprich nicht so *laut*!   そんなに大きな声で話すな！

der **Laut** [laʊt] -[e]s/-e   音, 声, 響き
  Kein *Laut* war zu hören.   物音ひとつ聞こえなかった.

läuten [ˈlɔytən] **1** 自 (鐘やベルが)鳴る   **2** 他 (鐘やベルを)鳴らす
  Die Glocken *läuten*.   鐘が鳴る.
  Er *läutete* die Glocken.   彼は鐘を鳴らした.

leben [ˈleːbən] 自   生きている, 生活する
  Er hat sehr lange *gelebt*.   彼はたいへん長生きをした.
  Er *lebt* auf dem Lande.   彼はいなかで暮らしている.
  Leben Sie wohl!   さようなら, ごきげんよう！

das **Leben** [ˈleːbən] -s/-   生命, 生活, 一生
  Es besteht keine Gefahr für sein *Leben*.   彼の生命には何も危険がない.
  Er *führte* ein glückliches *Leben*.   彼は幸福な生活を送った.

lebendig [leˈbɛndɪç] 形   ① 生き生きとした   ② 生きている
  Die Straßen sind sehr *lebendig*.   通りは非常ににぎやかだ.
  Er war mehr tot als *lebendig*.   彼は生きているよりむしろ死んでいるのに近かった.

lebhaft [ˈleːphaft] 形   生き生きとした, 活発な
  Das Kind ist sehr *lebhaft*.   その子供はとても元気がよい.
  Ich bedaure *lebhaft*.   私はたいへん残念に思う.

das **Leder** [ˈleːdər] -s/-   皮革
  Die Schuhe sind aus *Leder*.   その靴は皮製だ.

leer [leːr] 形   からの
  Das Haus steht schon lange *leer*.   その家はもう長いことあき家だ.

legen [ˈleːgən] **1** 他 横たえる, 置く   **2** 再 《sich⁴》横たわる
  Er *legte* das Buch auf den Tisch.   彼は本を机の上へ置いた.
  Ich *lege* mich ins Bett.   私は床につく.

lehnen [ˈleːnən] **1** 自 寄りかかっている, 立てかけてある   **2** 他 もたせかける   **3** 再 《sich⁴》寄りかかる
  Sie *lehnte* an der Wand.   彼女は壁に寄りかかっていた.
  Sie *lehnte* den Kopf an seine Schulter.   彼女は彼の肩に頭をもたせかけた.
  Er *lehnte sich*⁴ aus dem Fenster.   彼は窓から身を乗り出した.

lehren [ˈleːrən] 他   〈jn に et⁴ を〉教える
  Er *lehrt* mich Geschichte.   彼は私に歴史を教える.
  Er *lehrt* sie tanzen.   彼は彼女にダンスを教える.

der **Lehrer** [ˈleːrər] -s/-   教師, 先生
  Er ist *Lehrer* für Deutsch.   彼はドイツ語の教師だ.
  die **Lehrerin** [ˈleːrərɪn] -/-nen   女教師

der **Leib** [laɪp] -[e]s/-er   肉体, 胴, 腹
  Er zittert am ganzen *Leibe*.   彼は体じゅうが震えている.

leicht [laɪçt] 形   軽い, 容易な
  Das Gepäck ist ganz *leicht*.   荷物はごく軽い.
  Das ist *leicht* zu verstehen.   それは容易に理解できる.

leid [laɪt] 形 〈述語的にのみ〉   気の毒(残念)な

Leid

    Es *tut* (*ist*) mir *leid*. 私は残念に(悲しく)思う.〈非人
    Es *tut* mir *leid* um dich. (Du *tust* 私は君を気の毒に思う.｟称的)
      mir *leid*.)

das **Leid** [laɪt] -[e]s/ 悲しみ, 悩み；害
    Er klagte mir sein *Leid*. 彼は私に悩みを訴えた.
    Dir soll kein *Leid* geschehen. 君に害が及ぶようなことはさせない.

leiden* [ˈlaɪdən] **1** 他 (害を)こうむる；耐え忍ぶ **2** 自 苦しむ, わ
    Er *leidet* Not. 彼は困窮している. ｟ずらう
    Sie *litten* [unter] Hunger. 彼らは飢えに苦しんだ.
    Ich *kann* ihn *nicht leiden*. 私は彼にがまんできない(彼がきら
    Er *leidet an* einer Krankheit. 彼は病気にかかっている. ｟いだ).

das **Leiden** [ˈlaɪdən] -s/- 苦悩, 悲痛；病苦
    Er starb nach langem *Leiden*. 彼は長い病苦の後に死んだ.

die **Leidenschaft** [ˈlaɪdənʃaft] -/-en 情熱, 激情
    Er hat eine *Leidenschaft* für die 彼は音楽に情熱を燃やしている.
      Musik.

leider [ˈlaɪdər] 副 残念ながら
    Leider kann ich nichts tun. 残念ながら私には何もできない.

leihen* [ˈlaɪən] 他 ① 〈jm に et⁴ を〉貸す ② 〈et⁴ を von jm か
    ら〉借りる
    Kannst du mir das Buch *leihen*? その本を貸してもらえますか？
    Ich habe ein Buch von ihm *ge-* 私は彼から本を借りた.
      liehen.

leise [ˈlaɪzə] 形 小声の, かすかな
    Sie sprach *leise* (mit *leiser* Stim- 彼女は小声で話した.
      me).
    Er klopfte *leise*. 彼はそっとノックした.

leisten [ˈlaɪstən] 他 ① 成し遂げる, 果たす ② 提供する
    Er *leistete* nichts. 彼は何も果たさなかった.
    Er *leistet* uns³ einen großen Dienst. 彼は私たちのために大いに尽力す

leiten [ˈlaɪtən] 他 ① 導く, 指導する ② 主宰(管理)する ｟る
    Ich ließ mich von diesem Ge- 私はこの考えに導かれた.
      danken *leiten*.
    Er *leitet* die Fabrik. 彼がその工場を経営している.

lenken [ˈlɛŋkən] 他 向ける, 操縦する
    Er *lenkte* das Auto. 彼が自動車を運転した.

lernen [ˈlɛrnən] 他 学ぶ, 習得する
    Er hat Deutsch *gelernt*. 彼はドイツ語を学んだ.
    Er hat zeichnen *lernen* (*gelernt*). 彼は絵を描くことを習った.

lesen* [ˈleːzən] 他自 読む
    Haben Sie diesen Roman *gelesen*? この小説をお読みになりましたか？
    Er *liest* in einem Buch. 彼は本を読んでいる.

letzt [lɛtst] 形 最後の, この前の, 最近の
    Es war die *letzte* Gelegenheit. それが最後のチャンスだった.
    Am *letzten* Sonntag waren wir この前の日曜に私たちは映画を見
      im Kino. に行った.

leuchten [ˈlɔyçtən] 圓 光を発する, 輝く
  Die Sterne *leuchten*. 星が輝く.
  Seine Augen *leuchteten* vor Freude[3]. 彼の目は喜びに輝いた.

leugnen [ˈlɔygnən] 他 否定する
  Das kann man nicht *leugnen*. それは否定できない.

die **Leute** [ˈlɔytə] 複 人々
  Es waren viele *Leute* im Saal. 広間には大ぜいの人々がいた.

das **Licht** [lɪçt] -[e]s/-er 光；灯火
  Kein *Licht* dringt in das Zimmer. その部屋には光が全然射しこまない.
  Sie machte *Licht*. 彼女はあかりをつけた.

lieb [liːp] 形 愛する, 親愛な, 好ましい
  lieber Freund! 親愛なる友よ！, 君！
  Das ist mein *liebstes* Buch. これが私のいちばん好きな本だ.
  Ich *habe* dich *lieb*. 私は君が好きだ.

die **Liebe** [ˈliːbə] -/-n 愛, 愛情, 恋愛
  die *Liebe* des Vaters 父親の愛情
  die *Liebe* zum (für den) Vater 父親への愛情

lieben [ˈliːbən] 他 愛する
  Ich *liebe* meine Eltern. 私は父母を愛している.
  Ich *liebe* die Wahrheit. 私は真理を愛する.

geliebt [gəˈliːpt] 形 愛された
  der (die) *Geliebte* 恋人〈名詞的〉

lieber [ˈliːbər] Ⅰ 形〈lieb の比較級〉より愛らしい(好ましい) 2 副〈gern の比較級〉① より好んで ② むしろ
  Das ist mir *lieber*. 私にはそのほうが好ましい.
  Ich trinke *lieber* Bier als Wein. 私はぶどう酒よりもビールを好んで飲む.
  Ich möchte *lieber* sterben. 私はいっそ死んでしまいたい.

das **Lied** [liːt] -[e]s/-er 歌, 歌曲
  Sie sang ein *Lied*. 彼女は1つの歌を歌った.

liegen* [ˈliːgən] 圓 横たわっている；ある
  Sie *liegt* im Bett. 彼女は床にふしている.
  Die Zeitung *liegt* unter dem Buch. 新聞は本の下にある.
  Dresden *liegt* an der Elbe. ドレスデンはエルベ河畔にある.

die **Linde** [ˈlɪndə, ˈliːndə] -/-n, *der* **Lindenbaum** [ˈlɪndənbaʊm] -[e]s/..bäume ぼだい樹

die **Linie** [ˈliːniə] -/-n 線
  Er zieht eine gerade *Linie*. 彼は直線をひく.
  Mit welcher *Linie* fährt man nach Köln? ケルンへ行くのは何番線ですか？

link [lɪŋk] 形 左の
  Er geht auf der *linken* Seite der Straße. 彼は街路の左側を歩く.

links [lɪŋks] 副 左に, 左側に
  Sie sitzt *links* von ihm. 彼女は彼の左側にすわっている.

die **Lippe** [ˈlɪpə] -/-n 唇

Literatur

Ich biss mir (mich) auf die *Lippe*. 私は唇をかんだ。
die **Literatur** [lɪteraˈtuːr] -/-en 文学；文献
 Er liest die deutsche *Literatur* des 19. Jahrhunderts. 彼は19世紀のドイツ文学を読んでいる。
 Über dieses Problem gibt es keine *Literatur*. この問題に関しては文献がない。
das **Lob** [loːp] -[e]s/ 賞賛，賛辞
 Du verdienst ein *Lob*. 君は賞賛に値する。
loben [ˈloːbən] 他 ほめる，たたえる
 Er *lobt* sie für (um) ihre Arbeit. 彼は彼女の仕事ぶりをほめる。
das **Loch** [lɔx] -[e]s/-̈er 穴
 Ich habe mir ein *Loch* ins Kleid gerissen. 私は服に裂き穴をつくってしまった。
der **Löffel** [ˈlœfəl] -s/- スプーン
 Er führt den *Löffel* zum Mund. 彼はスプーンを口へもってゆく。
der **Lohn** [loːn] -[e]s/-̈e ① 賃金，給料　② 〈複 なし〉報い
 Ich zahle ihm seinen *Lohn*. 私は彼に賃金を支払う。
 Er bekam den *Lohn* für seine Tat. 彼はおのが所業の報いを受けた。
lohnen [ˈloːnən] I 他 報いる　2 自再 ((sich⁴)) やりがいがある
 Er hat mir die Hilfe schlecht *gelohnt*. 彼は私の助力にひどい返報をした。〈的〉
 Es *lohnt* [sich⁴] der Mühe². それはほねおりがいがある。〈非人称〉
los [loːs] I 形 〈述語的〉はな[t]れた，免れた　2 副 目がけて
 Der Knopf ist *los*. ボタンがとれた。
 Ich bin eine große Gefahr⁴ *los*. 私は大きな危険を免れた。
 Was ist *los*? 何ごとが起こったのだ？
 Los! 始めろ！進め！
löschen [ˈlœʃən] 他 消す
 Er *löschte* das Feuer (Licht). 彼は火(あかり)を消した。
lösen [ˈløːzən] I 他 ① ゆるめる，解く　② 解決する　③ (切符などを)買う　2 再 ((sich⁴)) 解ける，離れる
 Sie *löste* das Band. 彼女はひも(リボン)を解いた。
 Er hat die Frage *gelöst*. 彼はその問題を解いた。
 Hast du schon Fahrkarten *gelöst*? 切符はもう買ってあるのか？
 Der Zucker *löst sich*⁴ in Wasser³. 砂糖が水に溶ける。
der **Löwe** [ˈløːvə] -n/-n ライオン
die **Luft** [lʊft] -/-̈e ① 〈複 なし〉空気，大気　② そよ風
 Wir atmen frische *Luft*. 私たちは新鮮な空気を呼吸する。
 Der Vogel fliegt in die *Luft*. 鳥が空中へ舞い上がる。
die **Lüge** [ˈlyːgə] -/-n うそ
 Das ist eine *Lüge*! それはうそだ！
lügen* [ˈlyːgən] 自 うそをつく
 Du hast *gelogen*. 君はうそを言った。
die **Lunge** [ˈlʊŋə] -/-n 肺
die **Lust** [lʊst] -/ ① 喜び，快楽　② …したい気持
 Diese Pflanzen sind meine *Lust*. これらの植物は私の楽しみだ。

Hast du *Lust*, das zu tun? 君はそうする気があるか？
lustig ['lʊstɪç] 形 楽しい，陽気な，おもしろい
Es war ein *lustiger* Abend. 楽しい夕べだった．
Er ist ein *lustiger* Mensch. 彼は陽気な(愉快な)人だ．

M

machen ['maxən] 他 ① つくる ② なす，行なう ③ 〈zu のない不定詞と〉…させる
Er *macht* Schuhe. 彼は靴をつくる．
Sie *macht* Feuer (Licht). 彼女は火をおこす(あかりをつける)．
Was *machen* Sie? 何をしておいでですか？　ごきげんはいかがです？

Er hat viele Fehler *gemacht*. 彼は多くの誤りをおかした．
Er *machte* sie glücklich. 彼は彼女を幸福にした．
Seine Worte *machten* sie lachen. 彼の言葉が彼女を笑わせた．
die **Macht** [maxt] -/¨e 力，権力
Er hat die *Macht* an sich⁴ gerissen. 彼が権力を奪取した．
Das steht (liegt) nicht in meiner *Macht*. それは私の力の及ばぬところである．
mächtig ['mɛçtɪç] 形 強力な
China ist ein *mächtiger* Staat geworden. 中国は強大な国家になった．
Ich habe einen *mächtigen* Hunger. 私はひどく腹がすいた．
das **Mädchen** ['mɛ:tçən] -s/- 少女
Sie ist die schönste der *Mädchen*. 彼女は娘たちの中でいちばん美人だ．
der **Magen** ['ma:gən] -s/- 胃
Der *Magen* tut mir weh. 私は胃が痛い．
mager ['ma:gər] 形 やせた
Er sieht *magerer* aus als früher. 彼は前よりもやせたようだ．
die **Mahlzeit** ['ma:ltsaɪt] -/-en （定刻の）食事
Sie bereitet eine *Mahlzeit* vor. 彼女は食事のしたくをする．
Mahlzeit! どうぞおあがりください；いただきます，ごちそうさま！

mahnen ['ma:nən] 他 ① 〈jn に〉思い出させる ② 注意(警告)する
Dies Bild *mahnt* mich *an* meine Mutter. この肖像は私に母を思い起こさせる．
Ich habe ihn oft *an* sein Versprechen *gemahnt*. 私はしばしば彼に約束の実行を促した．
der **Mai** [maɪ] -, -[e]s/-e 5月
der erste *Mai* 5月1日
der Erste *Mai* メーデー
das **Mal** [ma:l] -[e]s/-e 回，度
Es ist das erste *Mal*, dass ich diese Stadt besuche. 私がこの町を訪れるのははじめてだ．

-mal

zum ersten *Male* (zum ersten*mal*) はじめて
zum letzten *Male* (zum letzten*mal*) 最後に

mal [ma:l] 副 …回, 倍
Zwei *mal* drei ist (macht) sechs.　2×3＝6
zwei*mal*　2回, 2倍

malen [′ma:lən] 他 彩色する, 描く
Er *malt* die Wände (ein Bild).　彼は壁にペンキを塗る(絵を描く).
Er hat sich⁴ *malen* lassen.　彼は自分の肖像を描かせた.

der **Maler** [′ma:lər] -s/- 画家

man [man] 代 《不定》 人[々]は, 世間は
Sonntags arbeitet *man* nicht.　日曜日には人は働かない.
Was *man* verspricht, [das] muss *man* halten.　約束したことは守らなければならない.

mancher, manche, manches [′mançər, ′mançə, ′mançəs] 数 《不定》 かなり多くの
Manche Studenten sind mit dem Unterricht nicht zufrieden.　かなり多くの学生が授業に満足していない.
Ich kenne *manche* von ihnen.　私は彼らの中のかなりのものを知っている.

manchmal [′mançma:l] 副 幾度か, ときどき
Im Sommer fahren wir *manchmal* an die See.　夏には私たちは幾度か海へ行く.

der **Mangel** [′maŋəl] -s/⸚ ① [単] ⟨an et³ の⟩ 欠乏 ② 欠点
Er hat es aus *Mangel an* Geld³ getan.　彼は金に困ってそれをやった.
Das sind kleine *Mängel*.　それはささいな欠点だ.

der **Mann** [man] -[e]s/⸚er 男; 夫
Ich kenne den *Mann* dort.　私はあそこにいる男を知っている.
Grüßen Sie Ihren *Mann* von mir!　どうぞよろしく主人によろしく!

der **Mantel** [′mantəl] -s/⸚ マント, オーバー
Er half ihr aus (in den) *Mantel*.　彼は彼女に手伝ってオーバーを脱がせ(着せ)てやった.

das **Märchen** [′mɛːrçən] -s/- 童話, おとぎ話
Die Mutter erzählte uns³ ein schönes *Märchen*.　母は私たちにおもしろい話をして聞かせた.

die **Mark** [mark] -/- マルク(旧貨幣単位)
Es kostet eine (drei) *Mark*.　それは1(3)マルクする.

der **Markt** [markt] -[e]s/⸚e 市場, マーケット
Sie geht täglich auf den *Markt*.　彼女は毎日マーケットへ(買物に)行く.

der **März** [merts] -[es]/-e 3月

die **Maschine** [ma′ʃiːnə] -/-n 機械
Die *Maschine* läuft.　機械が動いている.
Sie schreibt den Brief mit (auf) der *Maschine*.　彼女は手紙をタイプライターで打つ.

die **Masse** [′masə] -/-n 塊, 集団; 多数(量)
Er sprach zu den versammelten *Massen*.　彼は集まった群集に演説した.

Eine *Masse* Bücher wurde[n] verkauft.	たくさんの本が売れた.

mäßig ['mɛːsɪç] 形 節度ある, 適度の
Er ist *mäßig* im Trinken.	彼は飲酒の度を過ごさない.

matt [mat] 形 ① 疲れきった ② 濁った, くすんだ
Er ist ganz *matt* vor Hunger[3] und Durst[3].	彼は飢えと渇きのために弱りきっている.
Das Metall ist *matt* geworden.	金属がくすんで光沢をなくした.

die **Mauer** ['maʊər] -/-n 壁, 塀(へい)
Das Haus hat dicke *Mauern*.	その家には厚い壁がある.

die **Maus** [maʊs] -/ˉe ねずみ
Er hat eine *Maus* gefangen.	彼はねずみをつかまえた.

die **Medizin** [medi'tsiːn] -/-en ① 〈複 なし〉医学 ② 薬剤
Er studiert *Medizin*.	彼は医学を勉強している.
Die *Medizin* schmeckt bitter.	薬は苦い.

das **Meer** [meːr] -[e]s/-e 海
Er wohnt am *Meer*.	彼は海べに住んでいる.
Er ist auf allen *Meeren* gefahren.	彼は海という海はすべて航海した.

mehr [meːr] 数 《不定》〈viel の比較級〉① より多く[の] ② いっそう ③ 〈否定詞と〉もはや…でない
Er hat *mehr* Bücher als ich.	彼は私よりもたくさん本を持っている.
Das Zimmer ist *mehr* lang als breit.	その部屋は間口よりもむしろ奥行きがある.
Sie ist *nicht mehr* jung.	彼女はもう若くはない.

mehrere ['meːrərə] 数 《不定》 いくつかの, 2・3 の
Er war *mehrere* Tage bei mir.	彼は数日間私の家にいた.

mein, meine, mein [maɪn, 'maɪnə, maɪn] 代 《所有》私の
Mein Onkel ist der Bruder *meines* Vaters.	私のおじは私の父の兄弟である.

meinen ['maɪnən] 自他 思う, (を)意味する, 言う
Er *meint* Sie.	彼はあなたのことを言っているのだ.
Was *meinen* Sie damit?	それはどういう意味なのですか?
Was *meinen* Sie [dazu]?	あなたは[それに対して]どういうご意見か?

die **Meinung** ['maɪnʊŋ] -/-en 意見
Was ist Ihre *Meinung*?	あなたのご意見はいかがですか?
Ich bin der *Meinung*[2], dass es keine Gefahr gibt.	私は危険はない, という意見だ.

meist [maɪst] 数 《不定》〈viel の最高級〉最も多くの, たいていの
Die *meiste* Zeit des Jahres ist er auf Reisen.	1年の大半, 彼は旅行している.
Das freut mich *am meisten*.	それが私をいちばん喜ばせる.

meistens ['maɪstəns] 副 たいていは
Die Gäste waren *meistens* meine Bekannten.	お客はたいてい私の知人であった.

der **Meister** ['maɪstər] -s/- ① 主人, 長 ② 名人, 大家
Er ist *Meister* geworden.	彼は(手工業の)親方になった.

Das Bild ist von einem alten deutschen *Meister*. その絵は昔のドイツの巨匠の手になる.

melden ['mɛldən] 1 他 通知する 2 再《sich⁴》申し出る, 出頭する
Die Zeitungen *melden* den großen Unfall. 新聞がその大事故を報じている.
Sie müssen *sich⁴ bei* der Polizei *melden*. あなたは警察に出頭しなければならない.

die **Menge** ['mɛŋə] -/-n ① 多数, 多量 ② 群衆
Er hat eine *Menge* Geld. 彼は金をたくさん持っている.
Die große *Menge* will den Frieden. 大衆は平和を望んでいる.

der **Mensch** [mɛnʃ] -en/-en 人間
Kein *Mensch* tut es. だれもそんなことはしない.
Es wohnen ein tausend *Menschen* in diesem Dorf. この村には, 1000人の人が住んでいる.

die **Menschheit** ['mɛnʃhaɪt] -/ 人類
Er hat sich³ ein Verdienst um die *Menschheit* erworben. 彼は人類のために功績をたてた.

menschlich ['mɛnʃlɪç] 形 人間の, 人間的な
Er behandelte die Feinde *menschlich*. 彼は敵を人間的に扱った.

merken ['mɛrkən] 他 認める, 気づく;《sich³ et⁴ を》銘記する
Man *merkt* es sofort *an* seiner Miene. それは彼の顔つきですぐわかる.
Ich werde es *mir merken*. 私はそれを覚えておこう.

messen* ['mɛsən] 他 測る
Der Arzt *misst* das Fieber. 医者が熱を計る.

das **Messer** ['mɛsər] -s/- ナイフ
Sie schnitt es mit dem *Messer*. 彼女はそれをナイフで切った.

das **Metall** [me'tal] -s/-e 金属
Das *Metall* ist sehr hart. その金属は非常に固い.

das **Meter** ['me:tər] -s/- メートル
Die Mauer ist 80 *Meter* lang. その塀は長さが80メートルある.
Der See ist hier vier *Meter* tief. 湖水はこの場所で4メートルの深さだ.
Zenti*meter* センチメートル
Kilo*meter* キロメートル

die **Miene** ['mi:nə] -/-n 顔つき, 様子
Sie veränderte keine *Miene*. 彼女は顔色ひとつ変えなかった.

mieten ['mi:tən] 他 賃借りする
Ich will das Zimmer für (auf) drei Jahre *mieten*. 私はその部屋を3年間借りようと思う.

die **Milch** [mɪlç] -/ ミルク
Jeden Morgen trinke ich eine Flasche *Milch*. 私は毎朝ミルクを1びん飲む.

mild[e] [mɪlt('mɪldə)] 形 穏やかな, 優しい
Mit *mildem* Blick sah sie mich an. 優しい目で彼女は私を見つめた.

die **Million** [mɪli'o:n] -/-en 100万

In dieser Stadt wohnen eine *Million* Menschen. / この都市には100万人の人が住んでいる.

der **Minister** [mi'nɪstər] -s/- 大臣
　Er ist der *Minister* für Kultur. / 彼が文部大臣だ.

die **Minute** [mi'nu:tə] -/-n 分
　Es ist fünf *Minuten* vor sechs. / 6時5分前だ.

mischen ['mɪʃən] 1 他 混ぜる　2 再 《sich⁴》混ざる
　Er *mischt* Wasser in den Wein. / 彼はぶどう酒を水で割る.
　Öl und Wasser *mischen sich*⁴ nicht. / 油と水は混ざり合わない.

mit [mɪt] 1 前 《3格》① …とともに　② …で　③ …に関して　2 副 いっしょに
　Ich fahre *mit* ihm nach Köln. / 私は彼といっしょにケルンへ行く.
　Er sucht ein Zimmer *mit* Bad. / 彼は浴室つきの部屋を捜している.
　Ich fahre *mit* dem Auto nach Köln. / 私は自動車でケルンへ行く.
　Wie weit sind Sie *mit* Ihrer Arbeit? / お仕事はどれほどはかどりましたか?
　Ich will *mit*. / 私もいっしょに行くつもりだ.

miteinander [mɪt-aɪ'nandər] 副 互いに, いっしょに
　Wir sprechen *miteinander*. / 私たちはともに語り合う.

das **Mitleid** ['mɪtlaɪt] -[e]s/ 同情
　Ich habe *Mitleid mit* ihm. / 私は彼に同情する.

der **Mittag** ['mɪta:k] -[e]s/-e 正午, 真昼
　Am *Mittag* scheint die Sonne am wärmsten. / 真昼に太陽は最も暖かく照る.
　Wir *essen zu Mittag*. / 私たちは昼食をとる.
　heute *Mittag* / きょうの正午に

das **Mittagessen** ['mɪta:k-ɛsən] -s/- 昼食

mittags ['mɪta:ks] 副 正午[ごろ]に

die **Mitte** ['mɪtə] -/-n 中央
　Er ging in der *Mitte* des Weges. / 彼は道のまん中を歩いた.
　Mitte August / 8月中旬に

mit|teilen ['mɪttaɪlən] 他 知らせる, 伝える
　Sie *teilte* mir ihre neue Adresse *mit*. / 彼女は私に新住所を知らせてよこした.

das **Mittel** ['mɪtəl] -s/- ① 手段, 方法　② 《複》財産　③ 薬
　Er hat mich als *Mittel* zu seinem Zweck gebraucht. / 彼は私を目的のための手段として利用した.
　Dazu fehlen mir die *Mittel*. / それには私は資金がない.
　Er hat ein gutes *Mittel* gegen die Krankheit erfunden. / 彼はこの病気にきくよい薬を発明した.

die **Mitternacht** ['mɪtərnaxt] -/-e 真夜中
　Nach *Mitternacht* kam er nach Hause. / 真夜中すぎに彼は帰宅した.

der **Mittwoch** ['mɪtvɔx] -[e]s/-e 水曜日

das **Möbel** ['mø:bəl] -s/- 家具

Mode

die **Mode** [′mo:də] -/-n 流行
  Sie kleidet sich⁴ stets nach der 彼女はいつも最新流行の服装を
  neuesten *Mode*. している.
modern [mo′dɛrn] 形 近代(現代)の, 現代的な
  Das ist nicht mehr *modern*. それはもうモダンとはいえない.
mögen* [′mø:gən] 助 ① …かもしれない ② …するがよい ③ 好む, …したい
  Sie *mag* krank sein. 彼女は病気かもしれない.
  Er *mag* gehen, wohin er will. 彼は行きたいところへ行くがよい.
  Was *immer* geschehen *mag*, ich bin 何が起ころうと, 私は覚悟ができて
  bereit. いる.
  Ich *mag* ihn sehr gern. 私は彼がたいへん好きだ.
  Ich *möchte* nach Hause gehen. 私は家へ帰りたい.〈接続法で〉
möglich [′mø:klɪç] 形 可能な, ありうる
  Kommen Sie so bald (schnell) wie できるだけ早く来てください!
  möglich!
die **Möglichkeit** [′mø:klɪçkaɪt] -/-en 可能性
  Ich finde keine *Möglichkeit*, ihm 彼を助けてやれる見込みはない.
  zu helfen.
der **Moment** [mo′mɛnt] -[e]s/-e 瞬間, 時点
  Bitte, warten Sie einen *Moment*! どうかちょっとお待ちください!
der **Monat** [′mo:nat] -[e]s/-e (暦の)月
  Das Kind ist drei *Monate* alt. この子は生後3か月である.
  nächsten (vorigen) *Monats* 来月(先月)
  Anfang (Mitte, Ende) dieses *Monats* 今月上(中・下)旬に
der **Mond** [mo:nt] -[e]s/-e (天体の)月
  Der *Mond* stand am Himmel. 月が空にかかっていた.
der **Montag** [′mo:nta:k] -[e]s/-e 月曜日
  Das Konzert findet am *Montag* コンサートは月曜日に催される.
  statt.
der **Mord** [mɔrt] -[e]s/-e 殺人
  Hilfe, *Mord*! 助けて, 人殺し!
der **Morgen** [′mɔrgən] -s/- 朝
  Es wird *Morgen*. 夜が明ける.
  Guten *Morgen*! おはよう!
  Er kam früh *am Morgen*. 彼は朝早く来た.
  Ich arbeite vom *Morgen* bis zum 私は朝から晩まで働いている.
  Abend.
  eines *Morgens* ある朝
morgen [′mɔrgən] 副 明日
  Morgen gehen wir ins Kino. 明日私たちは映画を見に行く.
  morgen früh (abend) 明朝(明晩)
morgens [′mɔrgəns] 副 朝に
  früh *morgens* 朝早く
  Ich stehe *morgens* um 5 Uhr auf. 私は朝5時に起きる.

müde ['myːdə] 形 ① 疲れた ② 〈et², et⁴ に〉あきた
 Ich bin sehr *müde*. 私はとても疲れた.
 Ich bin des Lebens *müde*. 私は人生にあきた.
die **Mühe** ['myːə] -/-n 苦労, ほねおり
 Machen Sie sich³ keine *Mühe*! どうぞおかまいなく!
 Ich habe mir mit der Sache große *Mühe* gegeben. 私はそのことで大骨を折った.
die **Mühle** ['myːlə] -/-n 製粉所, 水(風)車[小屋]
 Die *Mühle* geht. 水(風)車が動く.
mühsam ['myːzaːm] 形 苦しい, ほねの折れる
 Er kroch *mühsam* aus dem Busch hervor. 彼はやっとのことで, やぶからはい出した.
der **Mund** [mʊnt] -[e]s/-e, ⁼e[r] 口
 Sie führte den Löffel zum *Mund*. 彼女はスプーンを口へもっていった.
 Ich habe es aus seinem eigenen *Munde* gehört. 私はそれを当人の口から聞いた.
munter ['mʊntər] 形 活発な, 快活な
 Die Kinder spielen *munter*. 子供たちが元気よく遊んでいる.
das **Museum** [muˈzeːʊm] -s/..seen [..ˈzeːən] 博物館, 美術館
 Gestern habe ich das *Museum* besucht. 昨日私は博物館へ行った.
die **Musik** [muˈziːk] -/ 音楽
 Sie machen *Musik*. 彼らは音楽を演奏する.
 Ich mag gern *Musik* hören. 私は音楽を聴くのが好きだ.
der **Musiker** ['muːzikər] -s/- 音楽家
 Er ist der größte *Musiker* auf der Welt. 彼は世界で最も偉大な音楽家である.
müssen* ['mʏsən] 助 ① …しなければならぬ ② …せざるをえない ③ …にちがいない ④ 〈否定詞と〉…する必要はない
 In Deutschland *muss* man rechts fahren. ドイツでは, 車は右側を通らなければならない.
 Ich *musste* lachen, als ich es sah. それを見たとき, 私は笑わざるをえなかった.
 Er *muss* sehr krank sein. 彼は病気が重いにちがいない.
 Sie *müssen* sich⁴ *nicht* fürchten. あなたは恐れる必要はない.
müßig ['myːsɪç] 形 暇な, 怠惰な
 Er führt ein *müßiges* Leben. 彼は怠惰な生活を送っている.
der **Mut** [muːt] -[e]s/ 勇気; 気分
 Fasse *Mut*! 元気を出せ!
 Er ist guten *Mutes*². 彼は上きげんだ.
mutig ['muːtɪç] 形 勇気のある
 Er ist ein *mutiger* Mensch. 彼は勇気のある人だ.
die **Mutter** ['mʊtər] -/⁼ 母
 Sie ist die *Mutter* des Kindes. 彼女がその子の母親だ.

N

nach [na:x] **1** 前《3格》① …ののち ② …のほうへ，…を目ざして ③ …に従って，…によれば **2** 副 あとから
  Nach dem Essen gehe ich immer spazieren. 　私は食後にはいつも散歩に出る．
  Ich habe ihn *nach* 3 Jahren wieder gesehen. 　私は彼に3年後に再会した．
  Der Zug fährt *nach* Berlin. 　その列車はベルリン行きだ．
  Er strebt *nach* Ruhm. 　彼は名声を得ようと努める．
  Seinem Brief *nach* (*Nach* seinem Brief) wird er morgen hier ankommen. 　手紙によると，彼は明日ここへ着くだろう．
  nach und *nach* 　だんだんと，徐々に

nach|ahmen ['na:x-a:mən] 他　まねる
  Du *ahmst* seine Stimme *nach*. 　君は彼の声色をつかっている．

der **Nachbar** ['naxba:r] -s, -n/-n　隣人
  Er spricht mit dem *Nachbar*[n]. 　彼は隣家の人と話をする．

nachdem [na:x'de:m] 接《従》① …したあとで ②〈je とともに〉…次第で
  Nachdem er das gesagt hatte, ging er. 　そう言ったあとで彼は立ち去った．
  Die Sache ist gut oder schlecht, *je nachdem* wie man sie ansieht. 　事柄は見方次第で良くも悪くもなる．

nach|denken* ['na:xdɛŋkən] 自〈über et⁴ を〉熟考(慮)する
  Ich *dachte* lange *über* dieses Problem *nach*. 　私はこの問題を長いこと熟考した．

nachher [na:x'he:r, 'na:xhe:r] 副　そのあとで，のちに
  Ich will es dir *nachher* erzählen. 　それを君にあとで物語ろう．

der **Nachmittag** ['na:xmɪta:k] -[e]s/-e　午後
  Er kam spät am *Nachmittag*. 　彼は午後おそく来た．
  Heute *Nachmittag* bin ich frei. 　きょうの午後はあいています．

nachmittags ['na:xmɪta:ks] 副　午後に
  Das Museum ist *nachmittags* geöffnet. 　博物館は午後は開館している．

die **Nachricht** ['na:xrɪçt] -/-en　通知，ニュース，たより
  Die Zeitung verbreitet eine *Nachricht*. 　新聞があるニュースを流す．
  Ich habe keine *Nachricht* von ihm. 　私は彼の消息を聞かない．

nächst [nɛ:çst] 形〈nah[e] の最高級としてのほか〉次の
  Der Brief kam am *nächsten* Morgen. 　手紙は翌朝届いた．
  Ich warte an der *nächsten* Ecke. 　私は次の街かどで待っている．

die **Nacht** [naxt] -/⁻e　夜

Es ist (wird) *Nacht*. 夜だ(夜になる).
Ich habe *die ganze Nacht*[4] nicht geschlafen. 私は夜どおし眠らなかった.
heute *Nacht* 今夜；昨夜
Gute *Nacht*! おやすみなさい！
nachts [naxts] 副 夜に
[um] zwölf Uhr *nachts* 夜の12時に
der **Nachteil** [ˈnaːxtaɪl] -[e]s/-e 損失, 不利；短所
Du bist ihm gegenüber im *Nachteil*. 君は彼に比べると不利だ.
Das ist dein *Nachteil*. それが君の短所だ.
nackt [nakt] 形 裸の
nackte Füße はだし
Er schlief auf der *nackten* Erde. 彼は何も敷いてない地面で眠った.
die **Nadel** [ˈnaːdəl] -/-n 針, ピン
Sie stach sich[4] mit der *Nadel*. 彼女は(手などを)針で刺した.
der **Nagel** [ˈnaːɡəl] -s/⸚ ① つめ ② 釘
Ich schnitt mir die *Nägel*. 私はつめを切った.
Er schlug den *Nagel* in die Wand. 彼は壁に釘を打った.
nah[e] [naː(ə)] näher, nächst [nɛːçst] 形 近い
Wir wohnen *nahe* am Bahnhof. 私たちは駅の近くに住んでいる.
Kommen Sie *näher*! もっと近くへいらっしゃい！
die **Nähe** [ˈnɛːə] -/ 近いこと, 近く
Er wohnt ganz in der *Nähe*. 彼はすぐ近くに住んでいる.
nähen [ˈnɛːən] 他自 縫う
Sie *näht* Knöpfe ans Hemd. 彼女はシャツにボタンを縫いつける.
nähern [ˈnɛːərn] 1 他 近づける 2 再《sich[4]》近づく
Ich *näherte mich* der Tür[3]. 私はドアに近づいた.
nähren [ˈnɛːrən] 他 養う, 食物を与える
Die Mutter *nährt* ihr Kind. 母親が子供に乳を与える.
die **Nahrung** [ˈnaːruŋ] -/-en 食物, 食料, 養分
Ich nehme genug *Nahrung* zu mir. 私はじゅうぶんに食物(栄養分)を摂取する.
der **Name** [ˈnaːmə] -ns/-n 名まえ
Wie ist Ihr *Name*? お名まえは何とおっしゃいますか？
Mein *Name* ist Müller. 私の名はミュラーです.
nämlich [ˈnɛːmlɪç] 1 形 同一の 2 副 すなわち, 何となれば
Er sagt immer das *nämliche*. 彼はいつも同じことを言う.
Er hat drei Kinder, *nämlich* zwei Söhne und eine Tochter. 彼には子供が3人, すなわち息子が2人と娘が1人いる.
Sie verstand ihn nicht, sie war *nämlich* taub. 彼女には彼の言うことがわからなかった. というのは, 彼女は耳が不自由だから.
der **Narr** [nar] -en/-en ばか
Ich halte ihn für einen *Narren*. 私は彼をばかだと思う.
die **Nase** [ˈnaːzə] -/-n 鼻
Er spricht durch die *Nase*. 彼は鼻声で話す.
naß [nas] nässer (-a-), nässest (-a-) 形 ぬれた, 湿った

Das Tuch ist *naß*. 布がぬれている.

die Nation [natsi'o:n] -/-en 国民, 国家
  die deutsche *Nation* ドイツ国民
  national [natsio'na:l] 形 国民(国家)の
  die *nationale* Kultur 国民(民族)文化

die Natur [na'tu:r] -/-en ① 自然 ② 本性, 性質
  Er beobachtet die *Natur*. 彼は自然を観察する.
  Er ist *von Natur* schüchtern. 彼は生来はにかみやだ.

natürlich [na'ty:rlıç] I 形 自然の[ままの]; 当然の 2 副 自然に; もちろん
  Das ist ein *natürlicher* Wunsch. それは当然な願いだ.
  Kommen Sie morgen?—*Natürlich*! 明日来ますか?―もちろん!

der Nebel ['ne:bəl] -s/- 霧, もや
  Der *Nebel* hängt über dem See. 湖に霧がかかっている.

neben ['ne:bən] 前 《3・4格》 ...のかたわらに(へ), ...と並んで(並べして)
  Er sitzt *neben* mir. 彼は私の横にすわっている.
  Er setzt sich⁴ *neben* mich. 彼は私の横にすわる.

der Neffe ['nɛfə] -n/-n 甥(おい)
  Der Sohn meines Bruders ist mein *Neffe*. 私の兄(弟)の息子は私の甥だ.

nehmen* ['ne:mən] 他 ① 取る, 受け取る, 奪う ② (飲食物を)とる ③ 解[釈]する
  Er *nahm* das Buch in die Hand. 彼は本を手に取った.
  Du *nimmst* mir alle Hoffnung. 君は私からすべての希望を奪う.
  Er *nahm* das Geld von ihr. 彼は彼女からその金を受け取った.
  Er *nahm* die Medizin. 彼は薬を飲んだ.
  Du *nimmst* das zu leicht. 君はそれを軽く考えすぎる.

der Neid [naɪt] -[e]s/ ねたみ, 羨望
  Sie tat es aus *Neid*. 彼女はねたんでそうしたのだ.

neigen ['naɪgən] I 他 傾ける 2 再 《sich⁴》 ① 傾く ② おじぎをする
  Er *neigte* den Kopf. 彼は頭を下げた.
  Er *neigte* sich⁴ vor ihr. 彼は彼女におじぎをした.

nein [naɪn] 副 いいえ
  Hast du es gesehen?—*Nein*. 君はそれを見たか?―いや, 見なかった.
  Hast du es *nicht* gesehen?—*Nein*. 君はそれを見なかったか?―うん, 見なかった.

nennen* ['nɛnən] 他 ...と呼ぶ; ...の名を言う
  Er *nennt* dich seinen Freund. 彼は君を友と呼んでいる.
  Ich kann dir den Namen nicht *nennen*. 私は君にその名まえを言えない.

das Nest [nɛst] -es/-er 巣
  Im Garten haben die Vögel ihr *Nest* gebaut. 庭に鳥が巣をかけた.

nett [nɛt] 形 気持のよい, 愛らしい; 親切な
  Er ist ein *netter* Mensch. 彼は感じのよい人だ.
  Das ist *nett* von Ihnen! ご親切にありがとう!

das Netz [nɛts] -es/-e 網, ネット

Der Fisch geht ins *Netz*. 魚が網にかかる.
neu [nɔy] 形 新しい
　Das Haus ist noch ganz *neu*. その家はまだ新しい.
　Ich habe nichts *Neues* gehört. 私は何も新しいことを聞いていない.〈名詞的〉
das **Neujahr** [ˈnɔyjaːr, nɔyˈjaːr] -[e]s/-e 新年, 正月
　Prosit *Neujahr*! 新年おめでとう!
neulich [ˈnɔylɪç] 形 近ごろの, 先日の
　Er war *neulich* bei uns³. 彼は先日私たちの家へ来た.
neun [nɔyn] 数 9
nicht [nɪçt] 副 …[し]ない
　Ich meine dich *nicht*. 私は君のことを言っているのではない.
　Ich bin *nicht* krank gewesen. 私は病気ではなかった.
die **Nichte** [ˈnɪçtə] -/-n 姪(めい)
nichts [nɪçts] 代《不定》何も…ない
　Ich weiß *nichts* davon. 私はそれについて何も知らない.
　Es gibt *nichts* Neues. 何も耳新しいことはない.
nicken [ˈnɪkən] 自 うなずく, 会釈する
　Er *nickte* mit dem Kopfe. 彼はうなずいた.
nie [niː] 副 けっして(一度も)…ない
　Ich bin noch *nie* an der See gewesen. 私はまだ一度も海べに行ったことがない.
nieder [ˈniːdər] 副 [より]下へ, 低く
　Die Sonne geht *nieder*. 日が沈む.
niedrig [ˈniːdrɪç] 形 低い; 卑しい
　Hänge das Bild *niedriger*! 絵をもっと低く掛けなさい!
niemals [ˈniːmaːls] 副 けっして…ない
niemand [ˈniːmant] 代《不定》-[e]s², -[em]³, -[en]⁴ だれも…ない
　Es ist *niemand* im Hause. 家の中にはだれもいない.
nimmer [ˈnɪmər] 副 けっして…ない
　Ich will dich *nimmer* wieder sehen. 私は君に二度と会いたくない.
nirgends [ˈnɪrɡənts] 副 どこにも…ない
　Er ist *nirgends* zu finden. 彼はどこにも姿が見当たらない.
noch [nɔx] 副 まだ, なお; もっと, さらに
　Er wohnt *noch* hier. 彼はまだここに住んでいる.
　Ich habe ihn *noch nicht* gesehen. 私はまだ彼に会ったことがない.
　Er ist *noch* immer krank. 彼はいまだに病気だ.
　Ich versuche es *noch* einmal. 私はもう一度それを試みる.
　Tokio ist *noch* größer als London. 東京はロンドンよりもっと大きい.
der **Nord[en]** [nɔrt(ˈnɔrdən)] ..d[e]s, ..dens/ 北, 北国
　Der Wind kommt von *Norden*. 風は北から吹いて来る.
die **Not** [noːt] -/¨e ① 必要, 切迫 ② 困難, 窮乏
　Er hat es aus *Not* getan. 彼はやむをえずそうしたのだ.
　Er rettet sie aus der *Not*. 彼は彼女を苦境から救い出す.
　Das *tut* [nicht] *not*. それは必要だ[必要ではない].〈小文字で〉
nötig [ˈnøːtɪç] 形 必要な

notwendig

Ich *habe* Geld *nötig*. 私は金を必要とする.
Ihre Hilfe ist gar nicht *nötig*. あなたの助力は全く必要ではない.
notwendig ['noːtvɛndɪç, -'vɛn-] 形 必然的な, 必要な
Ich halte es für *notwendig*. 私はそれをやむをえない(必要な)ことと思う.
der **November** [no'vɛmbər] -[s]/- 11 月
die **Nummer** ['nʊmər] -/-n (略: Nr.) 数字, 番号
Mein Haus hat die *Nummer* 26. うちは 26 番地です.
Welche *Nummer* haben Sie gewählt? (電話で)何番におかけになりましたか?
nun [nuːn] 副 いま, いまや; さて, さあ
von *nun* an いまから, そのときから
Bist du *nun* zufrieden? これで君は満足か?
Nun wollen wir anfangen. さあ始めよう.
nur [nuːr] 副 ① ただ, ...のみ ② 〈願望, 命令の意味を強める〉 ③ 〈疑惑の意味を強める〉
Er hat *nur* zwei Kinder. 彼には 2 人しか子供がいない.
Er ist *nicht nur* dumm, *sondern auch* faul. 彼は愚かであるばかりか, 怠惰でもある.
Ich habe *nur noch* zehn Mark. 私はいまはもう 10 マルクしかない.
Wenn er *nur* käme! 彼が来てくれさえすればよいのに!
Wie kannst du so etwas *nur* sagen? どうしてまあそんなことが言えるんだ?
die **Nuss** [nʊs] -/¨ くるみ
der **Nutzen** ['nʊtsən] -s/- 有用, 利益
Es ist von allgemeinem *Nutzen*. それは公共のためになることだ.
Er sucht überall seinen *Nutzen*. 彼はいつでも自分の利益を求める.
nutzen ['nʊtsən], **nützen** ['nʏtsən] 自 〈jm に〉 役だつ, 利益となる
Das Werk soll vielen Menschen *nützen*. この事業は多くの人に役だつことを目ざしたものだ.
nützlich ['nʏtslɪç] 形 有用(有利)な
Er ist mir *nützlich*. 彼は私にとって有用な人だ.

O

ob [ɔp] 接 《従》 ① ...かどうか ② ...であろうとなかろうと
Ich weiß nicht, *ob* er die Prüfung bestanden hat. 彼が試験に及第したかどうか, 私は知らない.
Es ist mir gleichgültig, *ob* Sie kommen oder nicht. あなたが来ようと来まいと私にはどうでもよいことだ.
als ob あたかも...かのように
Er spricht Deutsch, *als ob* er ein Deutscher wäre. 彼はまるでドイツ人であるかのように, ドイツ語を話す.
oben ['oːbən] 副 上に, 高いところに
Er sitzt *oben* auf dem Baum. 彼は木の上(の高いところ)にいる.

obgleich [ɔpˈglaɪç] 接《従》 …にもかかわらず
  Obgleich das Wetter schlecht war, bin ich ausgegangen. 天気が悪かったけれども，私は外出した．

das **Obst** [oːpst] -es/ くだもの
  Er hat viel *Obst* in seinem Garten. 彼は庭にたくさんのくだものを栽培している．

obwohl [ɔpˈvoːl] 接《従》 …にもかかわらず
  Obwohl er arm ist, ist er doch glücklich. 彼は貧しいが，しかし幸福だ．

der **Ochs[e]** [ˈɔks(ə)] -[e]n/-[e]n 雄牛

oder [ˈoːdər] 接《並》 …かあるいは
  Er kommt heute *oder* morgen. 彼はきょうか明日来る．
  Ich schreibe ihm, *oder* besuche ihn. 私は彼に手紙を書くか，あるいは彼を訪問する．

der **Ofen** [ˈoːfən] -s/⸚ ストーブ
  Der *Ofen* brennt gut (schlecht). このストーブは燃えがよい(悪い)．

offen [ˈɔfən] 形 ① あいた ② 率直な
  Das Fenster ist *offen*. 窓があいている．
  Der Laden ist bis zehn Uhr *offen*. 店は10時まであいている．
  Darf ich meine *offene* Meinung sagen? 腹蔵のない意見を述べてもよいでしょうか？

öffentlich [ˈœfəntlɪç] 形 公然の；公共の
  Das ist doch *öffentliches* Geheimnis. だってそれは公然の秘密だ．
  öffentliche Meinung 世論

öffnen [ˈœfnən] 他 開く
  Öffne mir die Tür! ドアをあけてくれ！
  Der Laden wird um 9 Uhr *geöffnet*. 店は9時にあく．

oft [ɔft] 副 öfter, am öftesten しばしば
  Er kommt *oft* zu mir. 彼はしばしば私のところへ来る．

ohne [ˈoːnə] 前《4格》 …なしに
  Er ist *ohne* Geld, aber nicht *ohne* Hoffnung. 彼は金はないが，希望は失わない．
  Der Zug fuhr, *ohne* auch nur einmal *zu* halten. 汽車はただ一度もとまらずに走った．〈zu 不定詞と〉

das **Ohr** [oːr] -[e]s/-en 耳
  Ich steckte die Finger in die *Ohren*. 私は耳を指でふさいだ．

der **Oktober** [ɔkˈtoːbər] -[s]/- 10月

das **Öl** [øːl] -[e]s/-e 油
  Sie backt Fische in *Öl*[3]. 彼女は魚を油で揚げる．

der **Onkel** [ˈɔŋkəl] -s/- おじ(伯父・叔父)
  Er war bei seinem *Onkel*. 彼はおじさんの家に住んでいた．

das **Opfer** [ˈɔpfər] -s/- 犠牲
  Er wurde das *Opfer* der Krankheit. 彼は病気の犠牲になった．

ordnen [ˈɔrdnən] 他 整理(整頓)する

Ordnung

 Er *ordnete* die Bücher auf seinem Tisch.   彼は机の上の本を整頓した.

die Ordnung [ˈɔrdnʊŋ] -/-en 秩序, 順序
 Es ist alles in *Ordnung*³.   万事整然としている(順調である).

der Ort [ɔrt] -[e]s/-e, ⸚er 場所；町村[の人]
 An diesem *Ort* habe ich ihn getroffen.   この場所で私は彼に出会った.
 Die Einwohner dieses *Ortes* sind alle sehr arm.   この土地の住民はみな非常に貧しい.

der **Ost[en]** [ˈɔst(ən)] ..t[e]s/..tens/ 東
 Die Sonne steigt im *Osten* auf.   太陽が東にのぼる.

[das] Ostern [ˈoːstərn] -/ ⟨または 複 で⟩ 復活祭
 Wir fahren zu *Ostern* nach Berlin.   私たちは復活祭のときにベルリンへ行く.

(das) Österreich [ˈøːstəraɪç] オーストリア

der Österreicher [ˈøːstəraɪçər] -s/- オーストリア人

P

das **Paar** [paːr] -[e]s/-e (2つのものからなる)対(?), 組
 Sie kaufte sich³ ein *Paar* Schuhe.   彼女は1足の靴を買った.

paar [paːr] 数 《不定》, ⟨**ein paar**⟩ ⟨不変化⟩ 2・3の, 若干の
 Ich sah ihn nur *ein paar* Male.   私は2・3回しか彼に会わなかった.

packen [ˈpakən] 他 包装(荷造り)する
 Er *packt* Kleider in den Koffer.   彼は衣類をトランクに詰める.

das **Paket** [paˈkeːt] -[e]s/-e 小包, 小荷物
 Sie schickten ihm ein *Paket*.   彼らは彼に1つの小包を送った.

das **Papier** [paˈpiːr] -s/-e ① 紙 ② ⟨普通 複⟩ 書類
 ein Stück *Papier*   1片の紙
 Geben Sie mir Tinte, Feder und *Papier*!   インクとペンと紙をください!
 Ich muss meine *Papiere* ordnen.   私は書類を整理しなくてはならない.

der Park [park] -[e]s/-s, -e 公園

passen [ˈpasən] 自 適する, 似合う
 Der Mantel *passt* dir gut.   この外套は君によく似合う.
 Er *passt* nicht zum Lehrer.   彼は教師には適任でない.

der **Patient** [patsiˈɛnt] -en/-en 患者, 病人
 Der *Patient* muss Ruhe haben.   患者は安静にしていなければならない.

die **Pause** [ˈpaʊzə] -/-n 休止, 中休み
 Sie arbeiteten ohne *Pause*.   彼らは休憩もしないで働いた.

die **Pein** [paɪn] -/ 激しい苦痛, 苦悩
 Es ist eine wahre *Pein*, ihm das zu sagen.   彼にそれを言うのはほんとうにつらい.

der **Pelz** [pɛlts] -es/-e 毛皮
 Sie trug einen *Pelz*.   彼女は毛皮(の外套)を着ていた.

die **Perle** [ˈpɛrlə] -/-n 真珠

Sie hat Zähne wie *Perlen*. 彼女は真珠のような歯をしている.

die **Person** [pɛr'zoːn] -/-en 人物, 人柄, 個人
 Er ist eine wichtige *Person* in der Stadt. 彼は町では重要な人物だ.
 Man sprach über die *Person* des Künstlers. その芸術家の人柄が話題になった.

persönlich [pɛr'zøːnlɪç] 形 人の, 個人的, 自身の
 Ich kenne ihn *persönlich*. 私は彼を個人的に知っている.
 Er kam *persönlich*. 彼は自分で来た.

die **Pfeife** ['pfaɪfə] -/-n 笛, 横笛；パイプ
 Er bläst *Pfeife*. 彼は笛を吹く.
 Er raucht seine *Pfeife*. 彼はパイプをふかす.

pfeifen* ['pfaɪfən] 1 自 笛(口笛)を吹く 2 他 笛(口笛)で吹く
 Ich *pfeife* ein Lied. 私は歌を[口]笛で吹く.
 Der Zug *pfiff*. 汽車が汽笛を鳴らした.

der **Pfeil** [pfaɪl] -[e]s/-e 矢
 Er schießt den *Pfeil*. 彼は矢を射る.

der **Pfennig** ['pfɛnɪç] -[e]s/-e 〈単位を示すときは /-〉 ペニヒ(貨幣単位, 100分の1マルク)
 Das kostet acht *Pfennig*. それは8ペニヒする.
 Hast du ein paar einzelne *Pfennige*? 君はペニヒ貨幣を2・3枚持っているか?

das **Pferd** [pfeːrt] -[e]s/-e 馬
 Er steigt aufs *Pferd*. 彼は馬にまたがる.

die **Pflanze** ['pflantsə] -/-n 植物
 Die *Pflanze* trägt Früchte. 植物が実を結ぶ.

pflegen ['pfleːgən] 1 他 世話(看護, 手入れ)する 2 自 〈zu 不定詞と〉…するのがつねである
 Sie *pflegte* den Kranken. 彼女は病人を看護した.
 Er *pflegte* nach dem Essen *zu* schlafen. 彼は食後に睡眠をとるのがつねだった.

die **Pflicht** [pflɪçt] -/-en 義務
 Es ist deine *Pflicht*. それはおまえの義務だ.

die **Pforte** ['pfɔrtə] -/-n 門, 入口
 Die *Pforte* zum Garten war geöffnet. 庭の門はあいていた.

das **Pfund** [pfʊnt] -[e]s/-e 〈量を示すときは /-〉 ポンド
 zwei *Pfund* Zucker 2ポンドの砂糖

die **Philosophie** [filozo'fiː] -/-n [..'iːən] 哲学
 Er studiert *Philosophie*. 彼は哲学を勉強する.

die **Physik** [fy'ziːk] -/ 物理学
 der Professor der *Physik* 物理学の教授

plagen ['plaːgən] 他 苦しめる, さいなむ
 Der Hunger *plagt* mich. 飢えが私をさいなむ.

der **Plan** [plaːn] -[e]s/⸚e 計画；設計図, 地図
 Was hast du für *Pläne*? 君はどんな計画があるのか?

Platte 88

die **Platte** [ˈplatə] -/-n ① 板；敷石 ② 皿 ③ レコード
  Platten aus Metall (Holz) 金属板(木の板)
der **Platz** [plats] -es/⸚e ① 場所；あき場所；席 ② 広場
  Ich habe wenig *Platz* in meinem 私の部屋にはあまり余地がない.
  Zimmer.
  Nehmen Sie *Platz*! おかけください！
  Die Stadt hat viele große *Plätze*. 都市には大きな広場がたくさんある.
plaudern [ˈplaʊdərn] 自 おしゃべり(雑談)をする
  Wir *plauderten* lange miteinander. 私たちは長いこと互いにおしゃべりをした.
plötzlich [ˈplœtslɪç] 形 突然の
  Er ist ganz *plötzlich* gestorben. 彼は急逝した.
die **Politik** [poliˈtiːk] -/-en 政治, 政策
  Du musst dich mehr für die *Poli-* 君はもっと政治に関心をもたなく
  tik interessieren. てはいけない.
die **Polizei** [poliˈtsai] -/-en 警察
  Sie holen die *Polizei*. 人々は警察を呼んでくる.
die **Post** [pɔst] -/-en 郵便[局], 郵便物
  Ich schicke es mit der *Post*. 私はそれを郵送する.
  Die *Post* ist heute geschlossen. 郵便局はきょうはしまっている.
  Die *Post* kommt heute nicht. 郵便がきょうは来ない.
  die **Postkarte** [ˈpɔstkartə] -/-n はがき
prächtig [ˈprɛçtɪç] 形 華麗(壮麗)な, すばらしい
  prächtige Kleider はなやかな衣装
  Das Wetter war *prächtig*. 天気は快晴だった.
praktisch [ˈpraktɪʃ] 形 実際的な, 実用的な
  Ich will ihr etwas *Praktisches* 私は彼女に何か実用的なものを
  schenken. 贈ろう.〈名詞的〉
der **Präsident** [prɛziˈdɛnt] -en/-en 会長, 総裁；大統領
predigen [ˈpreːdɪɡən] 自 他 説教する
  Man *predigt* heute in der Kirche. きょうは教会で説教がある.
der **Preis** [prais] -es/-e ① 値段, 価格 ② 賞
  Die *Preise* fallen (steigen). 物価が下がる(上がる).
  Ich will das Bild *um jeden Preis* 私はその絵をどんな値段を払って
  haben. でも(どんなことをしてでも)手に入れたい.
  Er gewann den ersten *Preis*. 彼は1等賞を得た.
preisen* [ˈpraizən] 他 賞賛する, 賛美する
  Alle *preisen* den Künstler. 万人がその芸術家を賞賛する.
der **Prinz** [prɪnts] -en/-en 王子
privat [priˈvaːt] 形 個人の, 私的な
  Das ist eine *private* Meinung. それは個人的な意見だ.
das **Problem** [proˈbleːm] -s/-e 問題, 課題
  Das *Problem* liegt klar. 問題ははっきりしている.
der **Professor** [proˈfɛsɔr] -s/-en [..ˈsoːrən] 教授
  Herr *Professor*! 先生！〈呼びかけ〉
  Er ist *Professor* an der Universi- 彼はN大学の教授だ.
  tät N.

pros[i]t! [′pro:zit, pro:st] 間 〈乾杯のときの言葉〉おめでとう、健康を祝す
das **Prozent** [pro′tsɛnt] -[e]s/-e パーセント
 Wir haben den Plan mit (zu) 90 *Prozent* erfüllt. われわれは計画を90パーセント達成した.
prüfen [′pry:fən] 他 試験する, 検査する
 Er wurde in Geschichte³ *geprüft*. 彼は歴史の試験を受けた.
die **Prüfung** [′pry:fʊŋ] -/-en 検査, 試験
 Er hat die *Prüfung* bestanden. 彼は試験にパスした.
das **Publikum** [′pu:blikʊm] -s/ 公衆, 聴衆, 観客, 読者
 Er saß mitten im *Publikum*. 彼は聴衆のまん中にすわっていた.
das **Pulver** [′pʊlfər, ′pʊlvər] -s/- ① 粉末, 粉薬 ② 火薬
 Das *Pulver* wirkt nicht. その粉薬はきかない.
 Das *Pulver* ist feucht geworden. 火薬が湿った.
der **Punkt** [pʊŋkt] -[e]s/-e 点, ピリオド
 In diesem *Punkt* hast du recht. この点君の言うことはもっともだ.
 Am Ende dieses Satzes muss ein *Punkt* stehen. この文章の終りにピリオドがなければいけない.
pünktlich [′pyŋktlɪç] 形 時間を守る, きちょうめんな
 Er kam *pünktlich*. 彼は時間どおりに来た.
die **Puppe** [′pʊpə] -/-n 人形
 Das Kind spielt mit *Puppen*. 子供は人形と遊んでいる.
putzen [′pʊtsən] 他 ① きれいにする, みがく ② 飾る
 Ich *putze* mir die Zähne (Schuhe). 私は歯(靴)をみがく.

Q

die **Qual** [kva:l] -/-en 苦痛, 苦悩
 Der Durst wurde mir zur *Qual*. のどの渇きが私には耐えがたくなった.
quälen [′kvɛ:lən] 他 苦しめる, 悩ます
 Sie *quälte* mich mit allerlei Fragen. 彼女はいろいろな質問で私を悩ませた.
die **Quelle** [′kvɛlə] -/-n 源泉
 Der Fluss hat seine *Quelle* im hohen Gebirge. この川は高い山脈に源を発する.
 Ich habe es aus guter *Quelle* erfahren. 私はそれを確かな筋から聞いた.
quer [kve:r] 副 斜めに, 横切って
 Er geht *quer* über die Straße. 彼は通りを横切って行く.

R

die **Rache** [′raxə] -/ 復讐
 Er forderte *Rache*. 彼は復讐を要求した.
das **Rad** [ra:t] -[e]s/¨er ①[車]輪 ② 自転車
 Das *Rad* dreht sich⁴. 車輪が回る.

Er fährt mit dem *Rad*. 彼は自転車に乗って行く.
das **Radio** [ˈraːdio] -s/-s ラジオ
　Ich habe gestern *Radio* gehört. 私は昨日ラジオを聞いた.
der **Rand** [rant] -[e]s/ˈ̈er ふち, へり
　Er füllte das Glas bis zum *Rand*. 彼はグラスにふちまで注いだ.
der **Rang** [raŋ] -[e]s/ˈ̈e 等級, 階級, 身分
　Er steht im *Range* über mir. 彼は私よりも地位が上だ.
rasch [raʃ] 形 すばやい
　Er stand *rasch* auf. 彼はすばやく起き上がった.
rasen [ˈraːzən] 自《h, s》① 荒れ狂う, あばれる　② 突進する
　Er *raste* vor Zorn³. 彼は憤怒のあまり荒れ狂った.
　Der Wagen *rast*. 車が疾走する.
die **Rast** [rast] -/-en 休息
　Sie machten eine *Rast*. 彼らは休憩した.
der **Rat** [raːt] -[e]s/ ①〈複:..schläge〉忠告, 助言　②〈複:なし〉方策　③〈複:ˈ̈e〉顧問, 評議員[会]
　Er gab mir einen guten *Rat*. 彼は私によい忠告をしてくれた.
　Ich weiß mir keinen *Rat* mehr. 私はもうどうしてよいかわからない.
raten* [ˈraːtən] 自他 ①〈jm に et⁴ (zu et³) を〉忠告(助言)する　② 推測する, 言い当てる
　Ich *rate* dir, Sport zu treiben. 私は君にスポーツをするよう忠告す
　Er *riet* die richtige Zahl. 彼は正しい数を言い当てた. 〔る.
das **Rätsel** [ˈrɛːtsəl] -s/- 謎
　Das *Rätsel* wird gelöst. 謎が解ける.
rauben [ˈraʊbən] 他〈jm から et⁴ を〉奪い取る
　Man hat ihm sein Geld *geraubt*. 彼は金を奪われた.
der **Räuber** [ˈrɔʏbər] -s/- 強盗, 盗賊
　Er ist unter die *Räuber* geraten. 彼は追いはぎに出会った.
der **Rauch** [raʊx] -[e]s/ 煙
　Das Zimmer ist voller *Rauch*. 部屋は煙がたちこめている.
rauchen [ˈraʊxən] 自他 喫煙する
　Er *raucht* eine Zigarette. 彼は紙巻タバコを吸う.
rauh [raʊ] 形 手ざわりのあらい; 荒れ模様の; 粗暴な
　Der Alte hat *rauhe* Hände (Stimme). その老人はざらざらの手(しわがれ声)をしている.
　Das Klima dort ist sehr *rauh*. そこの気候はとてもきびしい.
　Sei nicht so *rauh* zu dem Kind! その子にそんなにひどく当たるな!
der **Raum** [raʊm] -[e]s/ˈ̈e 空間, 余地; 部屋
　Es ist kein *Raum* da. 場所(余地)がない.
　Das Gebäude hat viele *Räume*. その建物には部屋がたくさんある.
rauschen [ˈraʊʃən] 自《h, s》ざわざわ(さらさら)音をたてる
　Die Bäume *rauschen*. 木々がざわめく.
　Das Wasser *rauscht*. 水がさらさら音をたてて流れる.
rechnen [ˈrɛçnən] 自他 ① 計算する　②〈auf et⁴〉当てにする　③〈mit et³ を〉考慮に入れる
　Er *rechnet* im Kopf. 彼は暗算をする.

Du kannst *auf* mich *rechnen*. 君は私を当てにしてよい.
Man muss *mit* dem schlechten Wetter *rechnen*. 天気が悪い場合を考慮しなくてはならない.

die **Rechnung** [ˈrɛçnʊŋ] -/-en 計算, 会計, 勘定[書]
Die *Rechnung* macht zehn Mark. 勘定は10マルクになる.

recht [rɛçt] **1** 形 ① 右の ② 正しい, 適切な, 好都合な ③ ほんとうの **2** 副 まったく, 非常に
Ich brach mir den *rechten* Arm. 私は右腕を骨折した.
Du bist nicht auf dem *rechten* Wege. 君は道をまちがえている.
Er kam zur *rechten* Zeit. 彼はちょうどよいときに来た.
Es ist mir *recht*. けっこうだ, 承知した.
Er ist mein *rechter* Bruder. 彼は私の実兄(実弟)だ.
Es tut mir *recht* leid. まことにお気の毒です.

das **Recht** [rɛçt] -[e]s/-e ① 正しいこと, 正義 ② 権利 ③ 法[律]
Das *Recht* ist auf meiner Seite. 私のほうが正しい.
Er sagt es *mit Recht*. 彼がそう言うのはもっともだ.
Du *hast* recht. 君の言う(する)ことは正しい.〈小文字で〉「〈小文字で〉
Ich *gebe* dir recht. 私は君(の言行)を正しいと認める.
Wir haben das *Recht* auf ein glückliches Leben. 私たちは幸福な生活をする権利がある.
Er studiert das *Recht* (die *Rechte*). 彼は法律を勉強する.

rechts [rɛçts] 副 右に
Ich saß *rechts* von ihm. 私は彼の右にすわっていた.

die **Rede** [ˈreːdə] -/-n 話, 談話; 演説
Er hielt eine lange *Rede*. 彼は長い演説をした.
Es war *von* dir die *Rede*. 君のことが話題になった.

reden [ˈreːdən] 自他 語る; 演説する
Er *redete* einige Worte mit ihr. 彼は彼女とふた言み言話した.
Reden wir nicht davon! その話はよそう!

die **Regel** [ˈreːɡəl] -/-n 規則
Er lebt nach der *Regel*. 彼は規則正しく生活する.
In der Regel kommt er früher. たいてい彼はもっと早く来る.

regelmäßig [ˈreːɡəlmɛːsɪç] 形 規則的な, 通常の
Er isst *regelmäßig*. 彼は規則正しく食事する.

der **Regen** [ˈreːɡən] -s/- 雨
Es kommt bald *Regen*. じきに雨になる.

der **Regenschirm** [ˈreːɡənʃɪrm] -[e]s/-e 雨がさ
Ich habe den *Regenschirm* vergessen. 私は雨がさを忘れてきた.

die **Regierung** [reˈɡiːrʊŋ] -/-en ① 統治 ② 政府, 内閣
Die *Regierung* wird gebildet. 内閣が組織される.

regnen [ˈreːɡnən] 自 非 雨が降る
Es *regnet* stark. 激しく雨が降る.
Es fängt an (hört auf) zu *regnen*. 雨が降りだす(やむ).

reiben* ['raɪbən] 他　こする, 摩擦する
 Er *reibt* sich³ die Augen.　彼は目をこする.
reich [raɪç] 形　豊かな, 富んだ
 Er ist sehr *reich*.　彼は大金持だ.
 Der See ist *reich an* Fischen.　その湖は魚が豊富にいる.
das **Reich** [raɪç] -[e]s/-e　国, 帝国
 das Deutsche *Reich*　ドイツ帝国 (1871-1918), ドイツ国 (1918-1945)
reichen ['raɪçən] 1 自 ① 達する, 届く ② 足りる 2 他 〈jm に et⁴ を〉さし出す, 渡す
 Er *reichte* bis an die Decke.　彼は背が天井まで届いた.
 Das Geld *reicht* nicht.　金が足りない.
 Er *reichte* dem Kranken ein Glas Wasser.　彼は病人に1杯の水を手渡した.
der **Reichtum** ['raɪçtuːm] -[e]s/ⁱer　富, 財産
 Er sammelt *Reichtümer*.　彼は富をたくわえる.
reif [raɪf] 形　熟した, 成熟 (円熟) した
 Das Obst wird (ist) *reif*.　くだものが熟する (熟している).
die **Reihe** ['raɪə] -/-n ① 列, 系列 ② 順番, 順序
 Sie standen in einer *Reihe*.　彼らは1列に並んでいた.
 Die *Reihe* ist an mir. (Ich bin an der *Reihe*.)　私の番だ.
rein [raɪn] 形　純粋な, よごれのない
 Er spricht ein *reines* Deutsch.　彼は生粋のドイツ語を話す.
 Nach dem Regen ist die Luft *rein*.　雨が降ったあとは空気がきれいだ.
die **Reise** ['raɪzə] -/-n　旅行
 Er macht eine *Reise* nach Wien.　彼はウィーンへ旅行する.
 Er ist auf der *Reise*.　彼は旅行中だ.
reisen ['raɪzən] 自 《s, h》　旅行する
 Er *reist* nach Europa (an die See).　彼はヨーロッパ (海岸) へ旅行する.
der (*die*) **Reisende** ['raɪzəndə] 《形 変化》　旅行者, 旅客
reißen* ['raɪsən] 1 他 ① [引き] 裂く ② ひったくる, もぎとる 2 自 《s》 裂ける
 Er *reißt* das Papier in Stücke⁴.　彼は紙をずたずたに引き裂く.
 Er *riss* ihr das Buch aus der Hand.　彼は彼女の手から本をひったくった.
 Das Seil ist *gerissen*.　綱が切れた.
reiten* ['raɪtən] 自 《s, h》 他　(馬などに) 乗って行く
 Er *ritt* durch den Wald.　彼は馬で森を通った.
 Er *reitet* einen (auf einem) Esel.　彼はロバに乗って行く.
reizen ['raɪtsən] 他 ① 刺激する; 怒らせる ② 魅 [惑] する
 Sie *reizte* ihn [zum Zorn].　彼女は彼を怒らせた.
 Das Leben auf dem Lande *reizt* mich sehr.　私はいなかの生活にとてもひかれる.
die **Religion** [religi'oːn] -/-en　宗教
 Er hat keine *Religion*.　彼は無宗教だ.
rennen* ['rɛnən] 自 《s, h》　駆ける, 疾走する

Er *rannte* am schnellsten. 彼がいちばん速く走った.
die **Republik** [repu'bli:k] -/-en 共和国
der **Rest** [rɛst] -es/-e 残り, 余り
  Der *Rest* des Tages verging schnell. その日の残りの時間はすみやかに過ぎ去った.
das **Restaurant** [rɛsto'rā:] -s/-s 料理店, レストラン
  Im *Restaurant* warte ich auf Sie. レストランでお待ちしています.
retten ['rɛtən] 1 他 救う 2 再《sich⁴》助かる
  Er *rettete* ihr das Leben. 彼は彼女の命を救った.
  Er *rettete sich⁴* aus der Gefahr. 彼は危難をまぬがれた.
richten ['rɪçtən] 1 他 ① 向ける ② 正す, 整える 2 自〈über jn·et⁴ を〉さばく
  Er *richtete* den Blick auf sie. 彼は彼女のほうを見た.
  Er *richtet* die Uhr. 彼は時計を合わせる.
  Sie *richtet* das Essen. 彼女は食事をととのえる.
  Sie *richteten über* ihn. 彼らは彼をさばいた.
der **Richter** ['rɪçtər] -s/- 裁判官
  Sie erschienen vor dem *Richter*. 彼らは裁判官の前に出頭した.
richtig ['rɪçtɪç] 形 正しい
  Das ist *richtig*! そのとおり!
  Die Uhr geht *richtig*. 時計が合っている.
die **Richtung** ['rɪçtʊŋ] -/-en 方向
  Aus welcher *Richtung* bläst der Wind? 風はどの方角から吹いてくるのか?
riechen* ['ri:çən] 1 自 ① 匂う ② 〈an et³ の匂いを〉嗅ぐ 2 他 嗅ぐ
  Die Rose *riecht* gut. バラはかおりがよい.
  Es *riecht nach* Rosen. バラの匂いがする.〈非人称的〉
  Er *roch an* der Rose. 彼はバラの匂いを嗅いだ.
der **Riese** ['ri:zə] -n/-n 巨人
der **Ring** [rɪŋ] -[e]s/-e 輪; 指輪
  Sie trägt einen *Ring* am Finger. 彼女は指に指輪をはめている.
der **Ritter** ['rɪtər] -s/- (中世の)騎士
der **Rock** [rɔk] -[e]s/⸚e ① (男の)上着 ② (婦人の)スカート
  Er zieht den *Rock* an (aus). 彼は上着を着る(脱ぐ).
  Der *Rock* steht ihr gut. そのスカートは彼女によく似合う.
roh [ro:] 形 なまの; 粗野な
  Ich mag kein *rohes* Ei. 私はなま卵は好きでない.
  Er ist ein *roher* Mensch. 彼は粗野な人間だ.
die **Rolle** ['rɔlə] -/-n 役割
  Er spielte eine große *Rolle*. 彼は大役を演じた.
rollen ['rɔlən] 1 他 ころがす; 巻く 2 自 (s, h) ころがる
  Er *rollt* den Teppich. 彼はじゅうたんを巻く.
  Das Rad *rollt*. 車輪がころがる.
der **Roman** [ro'ma:n] -s/-e 長編小説
  Er liest einen (in einem) *Roman*. 彼は長編小説を読む.
die **Rose** ['ro:zə] -/-n バラ

Er schenkt ihr rote *Rosen*. 彼は彼女に赤いバラを贈る.
rot [ro:t] 形 赤い
 Sie wurde *rot* vor Scham³. 彼女は恥ずかしがって赤くなった.
rücken ['rʏkən] 他 押す, 動かす, ずらす
 Er *rückt* den Tisch zur Seite. 彼はテーブルをわきへずらす.
der **Rücken** ['rʏkən] -s/- 背中
 Ich legte mich auf den *Rücken*. 私はあおむけに寝た.
die **Rücksicht** ['rʏkzɪçt] -/-en 顧慮, 斟酌(しんしゃく)
 Er *nimmt* keine *Rücksicht auf* andere. 彼は他人のことを顧みない.
rückwärts ['rʏkvɛrts] 副 後ろへ(に)
 Das Auto fährt *rückwärts*. 自動車がバックする.
rudern ['ru:dərn] 他自 (s, h) こぐ
 Ich habe das Boot *gerudert*. 私はボートをこいだ.
der **Ruf** [ru:f] -[e]s/-e ① 叫び(呼び)声 ② 〈複 なし〉評判, 名声 ③ 電話番号
 Hörtest du den *Ruf*? 叫び声を聞いたか?
 Er hat einen guten *Ruf*. 彼は評判がよい.
rufen* ['ru:fən] 自他 叫ぶ, 呼ぶ
 Sie *rief* nach der Mutter. 彼女は母親を呼んだ.
 Er *ließ* den Arzt *rufen*. 彼は医者を呼んでもらった.
die **Ruhe** ['ru:ə] -/ 休息, 静止；落ち着き
 Er bedarf der *Ruhe²*. 彼には休息が必要だ.
 Lassen Sie mich in *Ruhe³*! 私をそっとしておいてください!
ruhen ['ru:ən] 自 休息する, 静止する, 眠る
 Wir *ruhen* von unserer Arbeit. 私たちは仕事を休む.
ruhig ['ru:ɪç] 形 静かな, 落ち着いた
 Die See wird *ruhig*. 海が凪(な)ぐ.
 Das Kind schläft *ruhig*. 子供は安らかに眠っている.
 unruhig ['ʊnru:ɪç] 形 不安な, 騒々しい
der **Ruhm** [ru:m] -[e]s/ 名声, 評判
 Er hat den Gipfel seines *Ruhmes* erreicht. 彼は名声の絶頂に達した.
rühren ['ry:rən] 1 他 動かす；感動させる 2 自 〈an et⁴ に〉触れる ③ 再 (sich⁴) 動く
 Deine Worte *rühren* mich sehr. 君の言葉は私を深く感動させる.
 Rühre nicht *an* diese Wunde! この傷に触れないでくれ!
 Rühren Sie *sich⁴* nicht! 動かないでください!
rund [rʊnt] 1 形 丸い 2 副 回りを(回って)
 Die Erde ist *rund*. 地球は丸い.
 Wir sind *rund* um den See gegangen. 私たちは湖水を一周した.
der **Russe** ['rʊsə] -n/-n ロシア人
 russisch ['rʊsɪʃ] 形 ロシア[人・語]の
 (das) **Rußland** ['rʊslant] ロシア

S

der **Saal** [zaːl] -[e]s/Säle [ˈzɛːlə]　広間，ホール
　Im *Saal* waren eine Menge Menschen.　ホールには大ぜいの人がいた．
die **Sache** [ˈzaxə] -/-n　事柄，事件，事物
　Das ist meine *Sache*.　それは私に関することだ(君の知ったことではない)．
　Es ist eine andere *Sache*.　それは別問題だ．
der **Sack** [zak] -[e]s/⸚e　袋
　Der *Sack* ist voll.　袋はいっぱいだ．
die **Sage** [ˈzaːgə] -/-n　伝説
sagen [ˈzaːgən] 自他　言う
　Er *sagte* mir guten Tag.　彼は私に「こんにちは」と言った．
　Man *sagt*, er sei krank.　彼は病気だということだ．
das **Salz** [zalts] -[e]s/-e　塩
　Sie tut *Salz* an die Speisen.　彼女は食物に塩をかける．
sammeln [ˈzaməln]　1 他　集める　2 冊 《sich⁴》① 集まる ② (精神・心を)集中する，落ち着く
　Er *sammelt* Bücher (Schmetterlinge).　彼は書籍を収集(蝶を採集)する．
　Sie *sammelten sich*⁴ auf dem Platz.　彼らは広場に集まった．
　Ich muss *mich sammeln*.　私は精神を集中しなければならない．
　gesammelte Werke　全集
der **Samstag** [ˈzamstaːk] -[e]s/-e　(南ドイツで)土曜日
der **Sand** [zant] -[e]s/-e　砂
　Die Kinder spielen im *Sand*.　子供たちが砂の中で遊んでいる．
sanft [zanft] 形　柔らかい，穏やかな
　Sie hat eine *sanfte* Stimme.　彼女は優しい声をしている．
der **Sänger** [ˈzɛŋər] -s/-　歌手
satt [zat] 形　① 満足(満腹)した　② 〈js, et² に〉あきた〈sich⁴ と〉
　Ich habe mich *satt* gegessen.　私は腹いっぱい食べた．
　Ich bin seiner *satt*.　私は彼にあきあきした．
der **Satz** [zats] -es/⸚e　文章
　Er bildet einen *Satz*.　彼は文章をつくる．
sauber [ˈzaubər] 形　清潔な
　Er hält *sich*⁴ in der Kleidung *sauber*.　彼はこざっぱりした身なりをしている．
　Sie machte das Zimmer *sauber*.　彼女は部屋をそうじした．
sauer [ˈzauər] 形　すっぱい；つらい
　Die Milch ist *sauer* geworden.　牛乳がすっぱくなった．
　Diese Arbeit wird mir *sauer*.　この仕事は私にはつらい．
saugen⁽*⁾ [ˈzaugən] 他自　吸う
　Das Kind *saugt* an der Brust der Mutter.　子供が母親の乳を吸う．

schade [ˈʃaːdə] 形 〈述語的にのみ〉残念な, 気の毒な
 [Es ist] *schade*, dass Sie nicht kommen. あなたがおいでにならないのは残念です.
 Es ist *schade* um ihn. 彼は気の毒だ, 彼を失ったのは惜しい.
schaden [ˈʃaːdən] 自 〈jm, et³ を〉害する, そこなう
 Das Trinken *schadet* Ihrer Gesundheit. 飲酒はあなたの健康によくない.
 Das *schadet* nichts. それはさしつかえない.
der **Schaden** [ˈʃaːdən] -s/⸚ [損]害, 被害
 Es ist ein großer *Schaden* entstanden. 大きな損失(被害)が生じた.
das **Schaf** [ʃaːf] -[e]s/-e 羊
schaffen*¹ [ˈʃafən] 他 創造する
 Gott *schuf* Himmel und Erde. 神が天と地を創りたもうた.
schaffen² [ˈʃafən] 他自 働く；供給する；運ぶ
 Er hat heute wenig *geschafft*. 彼はきょう少ししか仕事をしなかった.
 Schaffen Sie mir Geld! 金を都合してください！
 Ich habe die Möbel in die Wohnung *geschafft*. 私は家具を家に運び入れた.
die **Scham** [ʃaːm] -/ 恥ずかしさ
 Sie wurde rot vor *Scham*³. 彼女は恥ずかしくて赤くなった.
schämen [ˈʃɛːmən] 再《sich⁴》〈js, et² (über et⁴) を〉恥じる
 Ich *schäme mich* seiner. 私は彼のことが恥ずかしい.
 Sie *schämt sich*⁴, es zu gestehen. 彼女はそれを告白することを恥じている.
scharf [ʃarf] schärfer, schärfst 形 鋭い
 Er macht das Messer *scharf*. 彼はナイフを研(と)ぐ.
der **Schatten** [ˈʃatən] -s/- 影, 陰
 Er liegt im *Schatten* eines Baumes. 彼は木陰に横になっている.
der **Schatz** [ʃats] -[e]s/⸚e 宝物, 財貨
schätzen [ˈʃɛtsən] 他 ① 評価する ② 尊重する
 Er *schätzte* den Schaden auf 1000 DM (Deutsche Mark). 彼は損害を 1000 マルクと見積もった.
 Er *schätzt* dich hoch. 彼は君を高く買っている.
schauen [ˈʃauən] 他自 見る, 注視する
 Sie *schaute* nach oben. 彼女は上を見上げた.
das **Schauspiel** [ˈʃauʃpiːl] -[e]s/-e ① 演劇 ② 光景
 Wir gehen heute Abend ins *Schauspiel*. 私たちは今晩芝居を見に行く.
die **Scheibe** [ˈʃaɪbə] -/-n 円盤, 片, 窓ガラス
 Sie schneidet das Brot in *Scheiben*⁴. 彼女はパンを薄切れに切る.
 Die *Scheibe* ist zerbrochen. 窓ガラスが割れた.
scheiden* [ˈʃaɪdən] 1 他 分ける, 離す 2 自《s》別れる, 去る
 Zwei Zimmer sind durch eine dünne Wand *geschieden*. 2つの部屋は薄い壁で隔てられている.
 Wir müssen leider *scheiden*. 残念ながら私たちは別れなくてはならない.
der **Schein** [ʃaɪn] -[e]s/-e ① 光 ② 外見 ③ 証明書, 紙幣

Er saß beim *Schein* der Lampe. 彼はランプの明りのもとにすわっていた.
Sein Erfolg ist nur *Schein*. 彼の成功はうわべだけのことだ.
Er hat falsche *Scheine* gemacht. 彼はにせ札をつくった.

scheinen* ['ʃaɪnən] 自 ① 光る, 輝く ② …のように見える
Der Mond *scheint* am Himmel. 月が空に輝く.
Er *scheint* krank [zu sein]. 彼は病気のように見える.

schelten* ['ʃɛltən] 他 しかる; ⟨jn を et⁴ と⟩ののしる
Er hat mich *gescholten*. 彼は私をしかった.
Er *schalt* mich einen Narren. 彼は私をばかとののしった.

schenken ['ʃɛŋkən] 他 ① 贈る ② 注ぐ
Er hat mir ein Buch *geschenkt*. 彼は私に本を贈ってくれた.
Er *schenkte* Bier in Gläser. 彼はビールをコップに注いだ.

die **Schere** ['ʃeːrə] -/-n はさみ
Er schnitt es mit der *Schere*. 彼はそれをはさみで切った.

der **Scherz** [ʃɛrts] -[e]s/-e 冗談, しゃれ
Er hat es aus (im, zum) *Scherz* gesagt. 彼は冗談にそう言った.

scheu [ʃɔy] 形 憶病な, 内気な
Sie blickte *scheu* um sich⁴. 彼女はおずおずとあたりを見回した.

schicken ['ʃɪkən] 他 送る, (人を)行かせる
Ich habe ihm einen Brief *geschickt*. 私は彼に手紙を出した.
Sie *schickte* nach dem (zum) Arzt. 彼女は医者を呼びにやった.

das **Schicksal** ['ʃɪkzaːl] -[e]s/-e 運命
Sie hat sein *Schicksal* geteilt. 彼女は彼と運命をともにした.

schieben* ['ʃiːbən] 他 押す
Er hat sich³ das Brot in den Mund *geschoben*. 彼はパンを口に押しこんだ.

schießen* ['ʃiːsən] Ⅰ 他自 射る, 射撃する 2 自 ⟨s⟩ 突進する
Er *schoss* auf den Vogel. 彼は鳥をねらって撃った.
Er hat den Feind tot *geschossen*. 彼は敵を撃ち殺した.
Die Vögel *schießen* durch die Luft. 鳥が空中を矢のように飛びすぎる.

das **Schiff** [ʃɪf] -[e]s/-e 船
Das *Schiff* liegt im Hafen. 船は停泊中である.

schildern ['ʃɪldərn] 他 描写する
Er *schilderte* seine Erfahrungen genau. 彼はその経験をくわしく描写した.

schimpfen ['ʃɪmpfən] 他自 ののしる, 非難する
Sie *schimpfte* [auf, über] ihn mächtig. 彼女は彼をこっぴどくののしった.
Er wurde ein Narr *geschimpft*. 彼はばかとののしられた.

der **Schirm** [ʃɪrm] -[e]s/-e かさ

der **Schlaf** [ʃlaːf] -[e]s/ 眠り
Er liegt in tiefem *Schlaf*. 彼は熟睡している.

schlafen* ['ʃlaːfən] 自 眠る
Sie *schläft* fest. 彼女はぐっすり眠っている.

Ich möchte schon *schlafen gehen*. 私はもう就寝したい.
schlagen* [ˈʃlaːgən] 他自 打つ
 Er *schlug* mich ins Gesicht. 彼は私の顔を打った.
 Ich *schlage* einen Nagel in die Wand. 私は釘を壁に打ちこむ.
 Es *schlägt* drei. 3時が鳴る.〈非人称的〉
 Der Regen *schlägt* an die Fenster. 雨が窓を打つ.
die **Schlange** [ˈʃlaŋə] -/-n へび
 Die Männer stehen *Schlange*. 男たちが長蛇の列をつくっている.
schlank [ʃlaŋk] 形 すらりとした, ほっそりした
 Sie hat einen *schlanken* Hals. 彼女の首筋はほっそりしている.
schlau [ʃlaʊ] 形 ずるい
 Er ist sehr *schlau*. 彼は非常にずるい.
schlecht [ʃlɛçt] 形 悪い, 不良の
 Es ist *schlechtes* Wetter. 天気が悪い.
 Das ist *schlechtes* Deutsch. それは正しいドイツ語ではない.
 Ich habe *schlecht* geschlafen. 私はよく眠れなかった.
der **Schleier** [ˈʃlaɪər] -s/- ヴェール
 Sie trägt einen weißen *Schleier*. 彼女は白いヴェールをかぶっている.
schlicht [ʃlɪçt] 形 質素な, じみな
 Er hat ein *schlichtes* Wesen. 彼はじみな人柄だ.
schließen* [ˈʃliːsən] Ⅰ 他 閉じる, 終える, 推論する Ⅱ 自 しまる, 終わる
 Sie *schloss* das Buch. 彼女は本を閉じた.
 Das Geschäft wird um sechs Uhr *geschlossen*. 店は6時にしまる.
 Was *schließen* Sie aus der Tatsache? あなたはその事実から何を推論されますか？
 Die Tür *schließt* dicht. このドアがぴったりしまる.
 Damit *schließt* dieser Film. この映画はそれでおしまいだ.
schließlich [ˈʃliːslɪç] 副 最後に, 結局
 Schließlich sind wir zusammen ausgegangen. 結局, 私たちはいっしょに出かけた.
schlimm [ʃlɪm] 形 悪い, 困った, 不快な
 Es ist nicht so *schlimm*. それほどひどくはない.
 Er ist in einer *schlimmen* Lage. 彼は苦境にある.
das **Schloss** [ʃlɔs] -es/-̈er ① 錠 ② 城, やかた
 Die Tür fiel ins *Schloss*. 戸に錠がおりた.
 Er wohnt auf dem *Schloss*. 彼は城に住んでいる.
der **Schlüssel** [ˈʃlʏsəl] -s/- 鍵
 Er steckt den *Schlüssel* ins Schloss. 彼は鍵を錠にさしこむ.
schmal [ʃmaːl] schmäler, schmälst 形 狭い, 細長い
 Sie hat ein *schmales* Gesicht. 彼女は細おもてである.
schmecken [ˈʃmɛkən] Ⅰ 自 おいしい；…の味がする Ⅱ 他自 味わう
 Das *schmeckt* gut (schlecht). それはおいしい(まずい).
 Das Essen *schmeckt* mir nicht. この食事はおいしくない.
 Schmecken Sie diesen Wein! このぶどう酒の味をみてください！

der **Schmerz** [ʃmɛrts] -es/-en 痛み, 苦痛
  Ich habe einen heftigen *Schmerz* am Fuße. 私は足が激しく痛む.
der **Schmetterling** [ˈʃmɛtərlɪŋ] -s/-e 蝶
schmücken [ˈʃmʏkən] 他 飾る
  Der Tisch war mit Blumen *geschmückt*. テーブルは花で飾られていた.
schmutzig [ˈʃmʊtsɪç] 形 きたない
  Sie hat sich³ das Kleid *schmutzig* gemacht. 彼女は服をよごした.
der **Schnee** [ʃne:] -s/ 雪
  Die Straßen sind von *Schnee* bedeckt. 街路は雪にうもれている.
  Es fällt *Schnee*. 雪が降る.
schneiden* [ˈʃnaɪdən] 他 切る
  Sie *schneidet* Brot in Stücke⁴. 彼女はパンを薄く切り分ける.
  Er hat sich⁴ in die Hand *geschnitten*. 彼は自分の手を切った.
schneien [ˈʃnaɪən] 自非 雪が降る
  Es *schneit* im Winter. 冬には雪が降る.
schnell [ʃnɛl] 形 速い
  Machen Sie sich⁴ *schnell* fertig! はやくしたくをしなさい!
  Nicht so *schnell*! そんなに急ぎなさんな!
schon [ʃo:n] 副 ① すでに, もう ② 確かに, きっと
  Er ist *schon* angekommen. 彼はもう到着した.
  Sind Sie *schon* in Deutschland gewesen? あなたはかつてドイツに行ったことがありますか?
  Er wird ja *schon* kommen. 彼はきっと来るでしょうよ.
schön [ʃø:n] 1 形 美しい; けっこうな 2 副 じゅうぶんに, 非常に
  Sie ist *schön* [von Gestalt]. 彼女は[姿が]美しい.
  Es ist heute *schönes* Wetter. きょうはよい天気だ.
  Das ist *schön* von Ihnen. どうもご親切に.
  Danke *schön*! どうもありがとう!
  Bitte *schön*! どういたしまして!
die **Schönheit** [ˈʃø:nhaɪt] -/-en 美
  Das Gedicht ist von großer *Schönheit*. その詩はとても美しい.
der **Schrank** [ʃraŋk] -[e]s/⸚e 戸棚, 本棚
  Im *Schrank* stehen viele Bücher. 本棚にはたくさんの本がある.
schrecklich [ˈʃrɛklɪç] 形 恐ろしい, ものすごい
  Es ist *schrecklich* heiß (kalt). ひどく暑い(寒い).
der **Schrei** [ʃraɪ] -[e]s/-e 叫び[声]
  Sie tat einen *Schrei* der Freude. 彼女は喜びの叫び声をあげた.
schreiben* [ˈʃraɪbən] 他自 ① 書く ② ⟨jm, an jn に⟩ 手紙を書く
  Er *schreibt* Deutsch richtig (falsch). 彼はドイツ語を正しく(あやまって)

Sie *schreibt* in ein Heft. 彼女はノートに書く.
Er hat seiner Mutter (*an* seine Mutter) *geschrieben*. 彼は母に手紙を書いた.

schreien* [ˈʃraɪən] 自他 叫ぶ, わめく
Sie *schrie* vor Furcht³. 彼女は恐怖のあまり叫び声をあげした.
Er *schrie* um Hilfe. 彼は大声で助けを求めた.

schreiten* [ˈʃraɪtən] 自 ((s)) 歩く
Er *schreitet* im Zimmer auf und ab. 彼は部屋の中を行ったり来たりする.

die **Schrift** [ʃrɪft] -/-en 文字, 筆跡, 文書
Sie hat eine schöne (schlechte) *Schrift*. 彼女は字がうまい(へただ).
die Heilige *Schrift* 聖書

der **Schritt** [ʃrɪt] -[e]s/-e 歩み, 歩調
Er folgte in (mit) langsamem *Schritt*. 彼はゆっくりした足どりでついて行った.

schüchtern [ˈʃʏçtərn] 形 内気の, 憶病な
Sie klopfte *schüchtern* an die Tür. 彼女はおずおずと戸をたたいた.

der **Schuh** [ʃuː] -[e]s/-e 靴
ein Paar *Schuhe* 1足の靴
Er zieht *Schuhe* an (aus). 彼は靴をはく(脱ぐ).

die **Schuld** [ʃʊlt] -/-en ① 借金 ② 罪, 責任
Er hat seine *Schulden* bezahlt. 彼は借金を返済した.
Die *Schuld* liegt an dir. それは君の責任(罪)だ.
Sie sind *schuld* an dem Unfall. あなたは事故に責任がある 〈小文字で〉.

schuldig [ˈʃʊldɪç] 形 借りのある, 義務(責任・罪)のある
Ich bin ihm zehn Mark *schuldig*. 私は彼に10マルク借りがある.
Er ist an allem *schuldig*. みんな彼の責任だ.

die **Schule** [ˈʃuːlə] -/-n 学校
Heute ist keine *Schule*. きょうは学校が休みだ.
Die *Schule* ist aus. 授業が済んだ.
Wir gehen *in* die (*zur*) *Schule*. 私たちは学校へ行く.
Wir besuchen die *Schule*. 私たちは通学する.

der **Schüler** [ˈʃyːlər] -s/- 生徒
die **Schülerin** [ˈʃyːlərɪn] -/-nen 女生徒

die **Schulter** [ˈʃʊltər] -/-n 肩
Ich lud mir den Sack auf die *Schulter*. 私は袋を肩にかついだ.

schütteln [ˈʃʏtəln] 他 振る, ゆすぶる
Er *schüttelte* den Kopf. 彼はかぶりを振った.
Er *schüttelt* ihr die Hand. 彼は彼女と握手する.

schützen [ˈʃʏtsən] 他 〈vor et³, gegen et⁴ から〉守る, 防ぐ
Er *schützte* mich *vor* Gefahr³. 彼は私を危険から守ってくれた.

schwach [ʃvax] schwächer, schwächst 形 弱い
Er ist von der Krankheit noch *schwach*. 彼は病気のためにまだ体が弱っている.

Ich bin *schwach* im Rechnen. 私は計算が苦手だ．
die **Schwalbe** [ˈʃvalbə] -/-n　つばめ
schwarz [ʃvarts] 形　黒い
　Sie ist *schwarz* gekleidet. 彼女は黒い服(喪服)を着ている．
schweben [ˈʃveːbən] 自《h, s》漂う，浮かぶ
　Der Nebel *schwebt* über dem Wasser. 霧が水面に漂っている．
　Ihr Bild *schwebt* mir noch vor den Augen. 彼女の姿がいまも目先にちらついている．
schweigen* [ˈʃvaɪɡən] 自　沈黙する
　Gegen mich *schwieg* er davon. 私に対しては，彼はそのことについして何も言わなかった．
das **Schwein** [ʃvaɪn] -[e]s/-e　豚
der **Schweiß** [ʃvaɪs] -es/-e　汗
　Der *Schweiß* steht ihr auf der Stirn. 彼女は額に汗をかいている．
die **Schweiz** [ʃvaɪts] -/　スイス
　Er reist in *die Schweiz*. 彼はスイスへ旅行する．
der **Schweizer** [ˈʃvaɪtsər] -s/-　スイス人
schwer [ʃveːr] 形　重い；むずかしい
　Die Kleider sind *schwer* vom Regen. 衣服が雨にぬれて重くなった．
　Das ist *schwer* zu sagen. それを言うのはむずかしい．
　Sie ist *schwer* krank. 彼女は病気が重い．
die **Schwester** [ˈʃvɛstər] -/-n　姉妹
　Sie ist meine jüngste *Schwester*. 彼女は私の末の妹だ．
schwierig [ˈʃviːrɪç] 形　めんどうな，むずかしい
　Das ist eine *schwierige* Frage. それは難問だ．
　Er ist ein *schwieriger* Mensch. 彼は扱いにくい人間だ．
schwimmen* [ˈʃvɪmən] 自《s, h》泳ぐ
　Er ist über den Fluss *geschwommen*. 彼は川を泳ぎ渡った．
　Er hat heute im Fluss *geschwommen*. 彼はきょう川で水泳をした．
sechs [zɛks] 数　6
der **See**¹ [zeː] -s/-n [ˈzeːən]　湖
　Der Fluss fließt in den *See*. その川は湖水に注ぐ．
die **See**² [zeː] -/-n [ˈzeːən]　海
　Wir gehen an die *See*. 私たちは海へ(海水浴に)行く．
die **Seele** [ˈzeːlə] -/-n　魂
　Ihrem Gesang fehlt die *Seele*. 彼女の歌には魂がこもっていない．
das **Segel** [ˈzeːɡəl] -s/-　帆
　Das Boot fuhr mit vollen *Segeln*. 舟は帆に風をいっぱいに受けて走った．
sehen* [ˈzeːən] 1 他 ① 見る　②〈jn に〉会う　2 自　見る，見える
　Ich *sah* ihn kommen. 私は彼が来るのを見た．〈不定詞〉
　Ich freue mich, Sie zu *sehen*. あなたにお会いできてうれしい．〈と〉
　Wir haben *uns*⁴ lange nicht *gesehen*. お久しぶりです．〈再帰的〉

sehnen

Ich *sah* auf meine Uhr. 私は時計を見た.
Er *sieht* gut (schlecht). 彼は目がよい(よくない).

sehnen ['ze:nən] 再 ((sich⁴)) 〈nach jm・et³ に〉 あこがれる
Ich *sehne* mich nach dem Gebirge. 私は山にあこがれる.

die **Sehnsucht** ['ze:nzʊxt] -/⁼e あこがれ
Er fühlte *Sehnsucht* nach der Heimat. 彼は郷愁を感じた.

sehr [ze:r] 副 非常に
Er weiß es *sehr* gut. 彼はそれをたいそうよく知っている.
Danke *sehr*! どうもありがとう!
Bitte *sehr*! どういたしまして!

die **Seide** ['zaɪdə] -/-n 絹
Das Kleid ist aus *Seide*. その服は絹でできている.

die **Seife** ['zaɪfə] -/-n 石鹸
Wasch dir die Hände mit *Seife*! 手を石鹸で洗いなさい!

das **Seil** [zaɪl] -[e]s/-e 綱
Das *Seil* ist gerissen. 綱が切れた.

sein[1]* [zaɪn] Ⅰ 自 (s) ① …である ② (…が)ある, いる ③ 〈zu 不定詞と〉 …されうる, …されるべきだ Ⅱ 助 〈完了および受動の助動詞〉
Er *ist* [ein] Japaner. 彼は日本人である.
Es *ist* Sommer. いまは夏である.
Er ist in Deutschland *gewesen*. 彼はドイツにいた.
Diese Ware *ist zu* verkaufen. この品は売り物である.
Der Schüler *ist zu* loben. この生徒はほめられるべきである.
Er *ist* gestern abgereist. 彼は昨日旅立った.
Die Tür *ist* den ganzen Tag geschlossen. 戸は一日じゅうしまっている.

sein, seine, sein[2] [zaɪn, 'zaɪnə, zaɪn] 代 ((所有)) 彼の, それの
Er gab mir *sein* Buch. 彼は私に自分の本をくれた.
Das Kind liebt *seine* Eltern. 子供はその両親を愛する.

seit [zaɪt] 前 (3格) …以来
Ich wohne schon *seit* sechs Jahren in dieser Stadt. 私はもう6年前からこの町に住んでいる.

seitdem [zaɪt'de:m] Ⅰ 副 それ以来 Ⅱ 接 ((従)) …して以来
Es sind *seitdem* 20 Jahre vergangen. あれから20年たった.
Seitdem er seine Heimat verlassen hat, arbeitet er in dieser Stadt. 彼は故郷を出て以来, この町で働いている.

die **Seite** ['zaɪtə] -/-n ① 側, 側面 ② ページ
Das ist seine schwächste *Seite*. それが彼のいちばんの欠点だ.
Sein Haus steht auf der anderen *Seite* der Straße. 彼の家は通りの向こう側にある.
Das Buch hat 300 *Seiten*. その本は300ページある.

die **Sekunde** [ze'kʊndə] -/-n 秒
In einer *Sekunde* bin ich wieder da. 私は即刻もどって来ます.

selber ['zɛlbər] 副 自ら, 自分で
Ich will es *selber* tun. 私はそれを自分でしよう.

selbst [ˈzɛlpst] 副 ① 自ら，自分で ② …さえ
 Er denkt nur an sich⁴ *selbst*. 彼は自分のことしか考えない．
 Selbst die Bitte der Mutter bewegte ihn nicht. 母親の願いさえも，彼を動かさなかった．
 Die Tür öffnete sich⁴ *von selbst*. ドアがひとりでにあいた．

selten [ˈzɛltən] 形 まれな，めったにない
 Er kommt nur *selten* zu uns³. 彼はめったに私たちのところへ来ない．

seltsam [ˈzɛltzaːm] 形 奇妙な，めずらしい
 Das ist eine *seltsame* Geschichte. それは妙な話だ．

senden⁽*⁾ [ˈzɛndən] 他 送る
 Er hat mir ein Buch *gesandt*. 彼は私に本を送ってよこした．

senken [ˈzɛŋkən] 他 沈める，下げる
 Sie *senkte* die Stimme (den Blick). 彼女は声を低めた(目を伏せた)．

der **September** [zɛpˈtɛmbər] -[s]/- 9月

setzen [ˈzɛtsən] 1 他 置く 2 再《sich⁴》すわる
 Er *setzte* den Stuhl ans Fenster. 彼はいすを窓ぎわに置いた．
 Ich *setze* meine Hoffnung auf ihn. 私は彼に希望をかけている．
 Ich *setze* mich auf die Bank. 私はベンチにすわる．

sich [zɪç] 代《再帰》① 自分に(を) ② 互いに〈相互代名詞として〉
 Es versteht *sich*⁴ von selbst. それはおのずから明らかである．
 Er hat Geld bei *sich*³. 彼は金を(身につけて)持っている．
 Sie schlagen *sich*⁴ [einander]. 彼らはなぐり合う．

sicher [ˈzɪçər] 形 安全な；確実な
 Hier sind wir vor dem Regen *sicher*. ここにいれば雨にぬれる心配がない．
 Es ist *sicher*, dass er kommt. 彼が来ることは確実だ．
 Ich bin nicht *sicher*, ob er kommt. 私は彼が来るかどうか，確信が持てない．

sichtbar [ˈzɪçtbaːr] 形 目に見える，明白な
 Das Schiff wurde mir *sichtbar*. 船が私の目に見えて来た．

sie [ziː] 代 彼女；彼ら
 Sie ist meine Schwester. 彼女は私の姉(妹)だ．
 Sie lieben einander sehr. 彼らは深く愛し合っている．

Sie [ziː] 代 あなた[がた]
 Bitte, setzen *Sie* sich⁴! どうぞおかけください！
 Darf ich *Sie* heute Abend besuchen? 今晩あなた[がた]をおたずねしてよろしいでしょうか？

sieben [ˈziːbən] 数 7

der **Sieg** [ziːk] -[e]s/-e 勝利
 Er gewann den *Sieg* über den Feind. 彼は敵に打ち勝った．

siegen [ˈziːgən] 自〈über jn に〉勝つ
 Du musst *über* dich selbst *siegen*. 君は君自身に勝たねばならぬ．

das **Silber** [ˈzɪlbər] -s/ 銀
 Der Löffel ist aus *Silber*. そのスプーンは銀でできている．

singen* [ˈzɪŋən] 他自 歌う
 Sie *sang* ein Lied zum Klavier. 彼女はピアノの伴奏で歌を歌った．

sinken* [ˈzɪŋkən] 自 《s》 沈む
  Das Schiff (die Sonne) *sinkt*. 船(太陽)が沈む.
  Sie *sank* in einen tiefen Schlaf. 彼女は深い眠りに落ちた.

der **Sinn** [zɪn] -[e]s/-e ① 感覚 ② 心 ③ 意味
  Die Tiere haben schärfere *Sinne* als der Mensch. 動物は人間よりも鋭い感覚をもっている.
  Der *Sinn* für das Schöne fehlt ihm völlig. 彼には美的感覚がまったく欠けている.
  Er hat Böses im *Sinne*. 彼はよからぬことを企てている.
  Das ist nach meinem *Sinn*. それは私の考えどおりだ(趣味に合う).
  Der *Sinn* des Wortes ist mir klar. この言葉の意味は私には明らかだ.

die **Sitte** [ˈzɪtə] -/-n 風俗, 習慣
  Jedes Volk hat seine *Sitten*. どの民族にもそれぞれの風習がある.

sitzen* [ˈzɪtsən] 自 すわっている
  Ich habe lange *gesessen*. 私は長いことすわっていた.
  Der Vogel *sitzt* auf dem Baum. 鳥が木にとまっている.

der **Ski** [ʃiː] -s/-er スキー
  Wir gehen *Ski*⁴ fahren (*laufen*). 私たちはスキーをしに行く.

so [zoː, zo] 副 ① そう, そのように ② 非常に, 大いに ③ そうすれば
  So geht es in der Welt. 世の中とはそんなものだ.
  Er ist nicht *so* klug. 彼はそんなに賢くない.
  So etwas habe ich noch nie gehört. そんなことはまだ聞いたことがない.
  Ich bin *so* glücklich. 私はたいそう幸福だ.
  Sie ist *so* alt *wie* du. 彼女は君と同じ年だ.
  Es regnete *so* stark, *dass* ich ganz nass wurde. 雨がひどく降ったので, 私はずぶぬれになった.
  Wenn er kommt, *so* bleibe ich zu Hause. もし彼が来るなら, (そのときは)家にいる.

sobald [zoˈbalt] 接《従》 …するやいなや
  Sobald er angekommen war, suchte er einen Arzt auf. 彼は到着するとすぐに医者を捜した.

soeben [zoˈeːbən] 副 たったいま
  Er ist *soeben* ausgegangen. 彼はいましがた出かけたところだ.

sofort [zoˈfɔrt] 副 ただちに
  Ich will *sofort* bei dir sein. 私はすぐ君のところへ行く.

sogar [zoˈgaːr] 副 …さえも
  Sogar seine Freunde helfen ihm nicht. 友人たちでさえ彼を助けない.

sogleich [zoˈglaɪç] 副 ただちに
  Ich komme *sogleich*. 私はすぐ行く(帰ってくる).

der **Sohn** [zoːn] -[e]s/-er 息子
  Sie haben einen *Sohn*. 彼らには1人の息子がいる.

solange [zoˈlaŋə] 接《従》 …するあいだは, …するかぎりは

Du musst arbeiten, *solange* du lebst.　おまえは生きているかぎり, 働かねばならぬ.

solch [zɔlç] 〈-er, -e, -es〉 代《指示》① そのような　② 非常な
　Solch schöne (*solch* eine schöne, eine *solch*[e] schöne) Blume habe ich nie gesehen.　こんなに美しい花は見たことがない.

der **Soldat** [zɔl'daːt] -en/-en 兵士
　Im Krieg sind viele *Soldaten* gefallen.　戦争で多くの兵隊が戦死した.

sollen* ['zɔlən] 助　① …すべきである　②〈主語に対する他者の要求〉…を要求されている　③ …するはずだ　④ …といううわさで
　Du *sollst* deinen Vater ehren.　君は父親を敬うべきだ.
　Was *soll* ich tun?　私はどうすればよいのか?
　Sagen Sie ihm, er *soll* zu mir kommen.　彼に私のところへ来るように言ってください.
　Es *soll* bald geschehen.　それはやがて起こるはずである.
　Er *soll* krank sein.　彼は病気だといううわさだ.

der **Sommer** ['zɔmər] -s/- 夏
　In diesem Jahr ist es spät *Sommer* geworden.　今年は夏がおそかった.

sondern ['zɔndərn] 接《並》(…ではなく)て
　Das ist *nicht* schwarz, *sondern* blau.　それは黒くはなくて青い.
　Ich habe *nicht nur* mit ihm, *sondern* [*auch*] mit seinem Vater gesprochen.　私は彼とだけではなく, 彼の父とも話した.

der **Sonnabend** ['zɔn-aːbənt] -s/-e 土曜日

die **Sonne** ['zɔnə] -/-n 太陽, 日光
　Die *Sonne* geht auf (unter).　日がのぼる(沈む).
　Die Kinder liegen in der *Sonne*.　子供たちがひなたぼっこをしている.

der **Sonntag** ['zɔntaːk] -[e]s/-e 日曜日
　Wir haben am *Sonntag* einen Ausflug gemacht.　私たちは日曜日に遠足に行った.

sonntags ['zɔntaːks] 副　日曜日ごとに

sonst [zɔnst] 副　① さもなければ　② そのほかに　③ いつもは, 以前は
　Sei still, *sonst* bekommst du Strafe.　静かにしなさい, でないと罰を受けますよ.
　Sonst habe ich Ihnen nichts mitzuteilen.　そのほかにはお知らせすることはありません.
　Alles war ganz wie *sonst*.　万事いつもと少しも変わりがなかった.

die **Sorge** ['zɔrgə] -/-n ① 心配　② 配慮, 世話
　Die Eltern haben *Sorge* um ihr Kind.　両親は子供のことを心配している.
　Sie trägt *Sorge* für mich.　彼女は私の世話をやく.

sorgen ['zɔrgən] I 自　① 心配する　②〈für jn の〉世話をする,

sorgfältig 106

配慮をする 2 再 ((sich⁴)) 〈um jn・et⁴ のことを〉気づかう
Der Vater *sorgt für* die Familie. 父は家族のために配慮する.
Ich *sorge mich um* ihn (sein Leben). 私は彼のこと(彼の生命)を気づかって)見守っている.
sorgfältig [ˈzɔrkfɛltɪç] 形 念入りな, 細心の
Er ist *sorgfältig* gekleidet. 彼は念入りな服装をしている.
spannen [ˈʃpanən] 他 ① 張る, 結びつける ② 緊張させる
Er *spannte* das Pferd an den Wagen. 彼は馬を車につけた.
Ich bin *auf* das Ergebnis *gespannt*. 私は結果を注意して(興味をもって)見守っている.
sparen [ˈʃpaːrən] 他 節約する, たくわえる
Er hat viel Geld *gespart*. 彼は大金をたくわえた.
der **Spaß** [ʃpaːs] -es/¨-e 冗談, 慰み
Er hat es zum *Spaß* gesagt. 彼はそれを冗談に言ったのだ.
Das macht mir *Spaß*. それは私にはおもしろい.
spät [ʃpɛːt] 形 おそい
Wie *spät* ist es? いま何時ですか?
Er kommt immer zu *spät* in die Schule. 彼はいつも学校に遅刻する.
spazieren [ʃpaˈtsiːrən], **spazieren gehen*** [ʃpaˈtsiːrənɡeːən] 自 ((s)) 散歩する
Ich *gehe* gern auf dem Lande *spazieren*. 私はいなかをぶらつくのが好きだ.
der **Spaziergang** [ʃpaˈtsiːrɡaŋ] -[e]s/..gänge 散歩
Hast du gestern einen *Spaziergang* gemacht? 君は昨日散歩に行ったか?
die **Speise** [ˈʃpaɪzə] -/-n 食物, 料理
Welche *Speisen* stehen auf der Karte? どんな料理がメニューに載っているのか?
der **Spiegel** [ˈʃpiːɡəl] -s/- 鏡
Sie betrachtete sich⁴ im *Spiegel*. 彼女は顔を鏡に写して見た.
das **Spiel** [ʃpiːl] -[e]s/-e 遊び, 競技, 演劇, 演奏
die Olympischen *Spiele* オリンピック競技
Man bewunderte das *Spiel* des Musikers. 人々はその音楽家の演奏に感嘆した.
spielen [ˈʃpiːlən] 他自 ① 遊ぶ ② 演ずる, 演奏する
Die Kinder *spielen* mit den Puppen. 子供たちは人形で遊ぶ.
Sie *spielt* Klavier gut. 彼女はピアノをじょうずにひく.
das **Spielzeug** [ˈʃpiːltsɔʏk] -[e]s/-e おもちゃ
die **Spitze** [ˈʃpɪtsə] -/-n 先端
Er steht an der *Spitze* des Zuges. 彼は行列の先頭に立っている.
der **Sport** [ʃpɔrt] -[e]s/-e スポーツ
Sie treibt allerlei *Sporte*. 彼女はいろいろなスポーツをやる.
spotten [ˈʃpɔtən] 自 〈über jn・et⁴ を〉あざける
Er *spottet über* sich⁴ selbst. 彼は自らをあざける.

die **Sprache** [ˈʃpraːxə] -/-n 言語, 言葉
  Er versteht fremde *Sprachen*. 彼は外国語がわかる.

sprechen* [ˈʃprɛçən] 自他 ① 話す ② 〈jn と〉面談する
  Er kann Deutsch *sprechen*. 彼はドイツ語を話すことができる.
  Ich möchte mit dir über ihn *sprechen*. 私は君と彼のことについて話をしたい.
  Kann ich Herrn Müller *sprechen*? ミュラーさんにお目にかかれますか?

springen* [ˈʃprɪŋən] 自 (s, h) ① とぶ, はねる ② 噴出する
  Er *sprang* auf die Seite. 彼はわきへとびのいた.
  Wasser *springt* aus der Erde. 水が地面から噴き出る.

die **Spur** [ʃpuːr] -/-en 足跡, 痕跡
  Die *Spur* führt in den Garten. 足跡は庭へ続いている.

der **Staat** [ʃtaːt] -[e]s/-en 国家

die **Stadt** [ˈʃtat] -/⸚e [ˈʃtɛːtə] 都市, 町
  Ich gehe heute in die *Stadt*. 私はきょう町へ行く.
  Er wohnt vor der *Stadt*. 彼は郊外に住んでいる.

der **Stahl** [ʃtaːl] -[e]s/-e, ⸚e 鋼鉄

der **Stamm** [ʃtam] -[e]s/⸚e 幹
  Der *Stamm* des Baumes ist hohl. その木の幹は中がうつろだ.

stammen [ˈʃtamən] 自 由来する, (…の)出である
  Er *stammt* aus einer reichen Familie. 彼はある裕福な家柄の出だ.

stark [ʃtark] stärker, stärkst 形 強い
  Er ist *stärker* als ich. 彼は私よりも強い.
  Es regnet *stark*. ひどく雨が降っている.

statt [ʃtat] 前 《2格》…のかわりに
  Statt seines Vaters kam sein Onkel. 彼の父のかわりにおじが来た.

statt|finden* [ˈʃtatfɪndən] 自 起こる, 行なわれる
  Das Fest *fand* gestern Abend *statt*. お祭りは昨晩催された.

der **Staub** [ʃtaʊp] -[e]s/ ちり, ほこり
  Mir ist *Staub* in die Augen geflogen. 私の目にほこりがはいった.

staunen [ˈʃtaʊnən] 自 〈über jn・et⁴ に〉驚く
  Ich *staune* über seinen Mut. 私は彼の勇気に驚く.

stechen* [ˈʃtɛçən] 他自 刺す
  Die Biene hat mich in die Hand *gestochen*. 蜂が私の手を刺した.

stecken⁽*⁾ [ˈʃtɛkən] 1 自 ささっている 2 他 〈弱変化〉さしこむ
  Der Stock *steckt* in der Erde. 棒は地面にささっている.
  Er *steckte* die Hand in die Tasche. 彼は手をポケットに突っこんだ.
  Er *steckte* den Ring ihr an den Finger. 彼は指輪を彼女の指にはめた.

stehen* [ˈʃteːən] 自 ① 立っている ② …の状態にある
  Er *steht*, während sie sitzt. 彼女はすわり, 彼は立っている.
  Die Hütte *steht* auf dem Berge. 小屋は山の上に立っている.

Das Fenster *steht* offen. 窓はあいている.
Es *steht* gut mit dem Kranken. 病人の容態はよい. 〈非人称的〉
stehlen* ['ʃte:lən] 他 〈jm から et⁴ を〉盗む
Er hat mir Geld *gestohlen*. 彼は私から金を盗んだ.
steigen* ['ʃtaɪgən] 自 《s》登る, 乗る
Er *steigt* auf den Berg. 彼は山に登る.
Steigen Sie in den Wagen! 車にお乗りください!
der **Stein** [ʃtaɪn] -[e]s/-e 石
Er warf einen *Stein* ins Wasser. 彼は水中に石を投げこんだ.
die **Stelle** ['ʃtɛlə] -/-n 場所, 位置, 立場
Hier ist die *Stelle*, wo ich ihn gesehen habe. ここが, 私が彼に会った場所だ.
Wenn ich an seiner *Stelle* wäre, täte ich das nicht. 私が彼の立場だったら, そうしないだろう.
stellen ['ʃtɛlən] 1 他 立てる, 置く 2 再 《sich⁴》立つ, 位置する
Sie *stellte* den Stuhl in die Ecke. 彼女はいすをすみに置いた.
Der Schüler *stellt* eine Frage an den Lehrer. 生徒は先生に質問する.
Stelle dich ans Fenster! 窓ぎわに立ちなさい!
sterben* ['ʃtɛrbən] 自 《s》死ぬ
Er *starb* vor Hunger³ (an einer Krankheit). 彼は餓死(病死)した.
der **Stern** [ʃtɛrn] -[e]s/-e 星
Die *Sterne* stehen am Himmel. 星が空に出ている.
stets [ʃte:ts] 副 つねに, たえず
Er klagt *stets* über Schmerzen⁴. 彼はたえず痛みを訴えている.
still [ʃtɪl] 形 静かな
Die Kinder waren ganz *still*. 子供たちはとても静かにしていた.
die **Stille** ['ʃtɪlə] -/-n 静けさ
Es herrschte tiefe *Stille*. ひっそりと静まりかえっていた.
die **Stimme** ['ʃtɪmə] -/-n 声
Sie erhebt (senkt) die *Stimme*. 彼女は声をはり上げる(落とす).
die **Stirn** [ʃtɪrn] -/-en 額
Der Schweiß steht ihm auf der *Stirn*. 汗が彼の額ににじんでいる.
der **Stock** [ʃtɔk] 1 -[e]s/⸚e 棒, つえ 2 〈男性・中性〉-[e]s/-[e], Stockwerke (家の)階
Der Großvater geht am *Stock*. 祖父はつえにすがって歩く.
Ich wohne im zweiten *Stock*. 私は3階に住んでいる.
der **Stoff** [ʃtɔf] -[e]s/-e 織物, 原料, 物質
Aus welchem *Stoff* ist dein neues Kleid? 君の新しい服はどんな生地でできているのか?
stolz [ʃtɔlts] 形 〈auf et⁴ を〉誇る, 誇らしい, 高慢な
Sie ist *stolz auf* ihren Sohn. 彼女は息子を自慢している.
Er ist durch seinen Reichtum *stolz* geworden. 彼は富によって高慢になった.

stören ['ʃtøːrən] 他 妨げる，じゃまする
Darf ich Sie [einen Augenblick] *stören*? [ちょっと]おじゃましてもよろしいですか？
Lassen Sie sich[4] nicht *stören*! どうぞおかまいなく！

stoßen* ['ʃtoːsən] 1 他 突く，押す 2 自 ((h, s)) ぶつかる
Er wurde an die Wand *gestoßen*. 彼は壁に押しつけられた．
Sie *stieß* gegen den Tisch. 彼女は机にぶつかった．

die **Strafe** ['ʃtraːfə] -/-n [刑]罰
Zur *Strafe* musst du zu Hause bleiben. 罰としておまえは家にいなくてはならない．

strafen ['ʃtraːfən] 他 罰する
Er wurde für ein Verbrechen *gestraft*. 彼はある犯罪のために罰せられた．

der **Strahl** [ʃtraːl] -[e]s/-en 光線
Ein *Strahl* fiel durchs Loch. 一筋の光が穴から射しこんだ．

der **Strand** [ʃtrant] -[e]s/-e 浜，海岸
Er liegt am *Strand* in der Sonne. 彼は浜べに寝そべって日光浴をしている．

die **Straße** ['ʃtraːsə] -/-n 通り；街路；町
Schöne Häuser stehen an der *Straße*. 通りには美しい家々が並んでいる．
Er wohnt in dieser *Straße*. 彼はこの町に住んでいる．

die **Straßenbahn** ['ʃtraːsənbaːn] -/-en 市街電車
Die *Straßenbahn* hält hier nicht. 電車はここにはとまらない．

streben ['ʃtreːbən] 自 〈nach et[3] を得ようと〉努める
Er *strebt* nach dem Ziele. 彼は目標を達成しようと努力する．

strecken ['ʃtrɛkən] 1 他 のばす 2 再 ((sich[4])) のびる
Er *streckte* die Hände in die Höhe. 彼は両手を高くさしのべた．
Er *streckte* sich[4] auf den Boden. 彼は床に寝そべった．

streichen* ['ʃtraɪçən] 他自 ① なでる ② 塗る
Er *streicht* sich[3] den Bart. 彼は自分のひげをなでる．
Sie *streicht* Butter auf das Brot. 彼女はパンにバターを塗る．

der **Streit** [ʃtraɪt] -[e]s/-e 争い，けんか
Ich hatte einen *Streit* mit ihm. 私は彼と争った．

streiten* ['ʃtraɪtən] 自再 ((sich[4])) 争う，けんかする
Sie haben lange über die Frage *gestritten*. 彼らは長いことその問題について論争した．
Die Kinder *stritten* [sich[4]] um das Spielzeug. 子供たちは玩具のとりっこをしてけんかした．

streng [ʃtrɛŋ] 形 きびしい；厳密な
Er ist *streng* gegen sich[4] selbst. 彼は自分に対して厳格である．
Streng verboten！ 厳禁！

das **Stroh** [ʃtroː] -[e]s/ わら
Sie deckten die Hütte mit *Stroh*. 彼らは小屋にわらで屋根をふいた．

der **Strom** [ʃtroːm] -[e]s/⁼e 流れ，大河
Er schwimmt gegen den *Strom*. 彼は流れに逆らって泳ぐ．
Es regnet in *Strömen*. 雨が滝のように降る．

strömen

der elektrische *Strom* 電流
strömen [ˈʃtrøːmən] 自 《s, h》 (とうとう)流れる
  Die kalte Luft *strömte* ins Zimmer. 冷たい空気が部屋に流れこんだ.
die **Stube** [ˈʃtuːbə] -/-n 部屋
das **Stück** [ʃtyk] -[e]s/-e ① 断片, かけら ② 1個, 1片 ③ 戯曲, 楽曲
  Der Teller ist in *Stücke*⁴ zerbrochen. 皿はこなごなに割れた.
  Wollen Sie noch ein *Stück* Brot? パンをもう1切れいかが?
  drei *Stück* Eier 卵3個〈単位として 複 不変化〉
  Welches *Stück* wird heute gegeben? きょうはどんな芝居が上演されるか?
der **Student** [ʃtuˈdɛnt] -en/-en 大学生
  Er ist *Student* auf der Universität München. 彼はミュンヒェン大学の学生である.
  die **Studentin** [ʃtuˈdɛntɪn] -/-nen 女子学生
studieren [ʃtuˈdiːrən] 他自 (大学で)学ぶ, 研究する
  Ich will Geschichte *studieren*. 私は歴史を学びたい.
die **Stufe** [ˈʃtuːfə] -/-n 段, 段階
  Er stieg langsam von *Stufe* zu *Stufe*. 彼は一段一段ゆっくりと登っていった.
der **Stuhl** [ʃtuːl] -[e]s/¨e いす
  Er setzte sich⁴ auf den *Stuhl*. 彼はいすに腰をおろした.
stumm [ʃtʊm] 形 無言の, 黙っている; 口のきけない
  Sie sitzt *stumm* da. 彼女は黙ってすわっている.
  Er ist *stumm* geboren. 彼は生まれながら口がきけない.
die **Stunde** [ˈʃtʊndə] -/-n ① 1時間 ② 時 ③ 授業
  Sie wartete eine halbe *Stunde*⁴ lang. 彼女は半時間(30分)待った.
  Ich bin zu jeder *Stunde* bereit. 私はいつでも用意ができている.
  Er *gibt* (*nimmt*) deutsche *Stunde*. 彼はドイツ語の授業をする(受ける).
der **Sturm** [ʃtʊrm] -[e]s/¨e 嵐
  Der *Sturm* heult. 嵐が咆哮(ほう)する.
stürzen [ˈʃtyrtsən] 1 自 《s》 墜落する; 突進する 2 他 突き落とす, 突き倒す 3 再 《sich⁴》 身を投げる
  Das Kind *stürzte* aus dem Fenster. 子供は窓から転落した.
  Er *stürzte* aus dem Haus. 彼は家からとび出して行った.
  Die Regierung wurde *gestürzt*. 政府が転覆された.
  Ich *stürzte* mich ins Wasser (auf ihn). 私は水中に身を投じた(彼にとびかかった).
stützen [ˈʃtytsən] 1 他 ささえる 2 再 《sich⁴》〈auf et⁴ に〉身をささえる, 寄りかかる
  All seine Freunde *stützen* ihn. 友人全部が彼を支持する.
  Der Alte *stützte* sich⁴ *auf* den Stock. 老人はつえによりかかった.
suchen [ˈzuːxən] 他自 ① 捜す, 求める ②〈zu 不定詞と〉試みる, 努める
  Ich *suche* ein Zimmer in der 私は町で貸間を捜す.

Stadt.
Sie *sucht* bei ihm Hilfe. 彼女は彼に助けを求める.
Er *suchte* sich[4] *zu* entschuldigen. 彼は弁明をしようとした.
der **Süd[en]** [zy:t('zy:dən)] ..d[e]s, ..dens/ 南
Das Zimmer geht nach *Süden*. 部屋は南向きだ.
die **Suppe** ['zʊpə] -/-n スープ
Man isst die *Suppe* mit dem Löffel. スープはスプーンで飲む.
süß [zy:s] 形 甘い; うまい
Der Honig schmeckt *süß*. 蜂蜜は甘い.
ein *süßer* Traum 甘美な夢

T

der **Tadel** ['ta:dəl] -s/- 非難, 叱責
Er hat einen *Tadel* bekommen. 彼は非難を受けた.
tadeln ['ta:dəln] 他 非難する, しかる
Sie *tadelte* ihn mild. 彼女は彼を優しくしかった.
die **Tafel** ['ta:fəl] -/-n 板, 黒板
eine *Tafel* Glas 1 枚のガラス板
Er schreibt an die *Tafel*. 彼は黒板に書く.
der **Tag** [ta:k] -[e]s/-e 日; 昼間
Der *Tag* hat 24 Stunden. 1 日は 24 時間ある.
Im Sommer sind die *Tage* lang. 夏は日が長い.
Ich habe *den ganzen Tag* nichts gegessen. 私は一日じゅう何も食べなかった.
Er kam *jeden Tag*. 彼は毎日やって来た.
Eines Tages traf er sie wieder. ある日彼は彼女に再び会った.
Guten *Tag*! こんにちは!
das **Tagebuch** ['ta:gəbu:x] -[e]s/..bücher 日記
Ich schreibe es ins *Tagebuch*. 私はそのことを日記につける.
täglich ['tɛ:klɪç] 形 毎日の, 日常の
Er muss noch *täglich* zum Arzt gehen. 彼はまだ毎日医者に通わなくてはならない.
das **Tal** [ta:l] -[e]s/-er 谷
Das Dorf liegt im *Tal*. その村は谷間にある.
die **Tanne** ['tanə] -/-n, *der* **Tannenbaum** ['tanənbaʊm] -[e]s/..bäume もみの木
die **Tante** ['tantə] -/-n おば(叔母・伯母)
Sie ist meine *Tante*. 彼女は私のおばだ.
tanzen ['tantsən] 自 ((h, s)) 踊る, ダンスをする
Sie *tanzt* gut. 彼女はダンスがじょうずだ.
tapfer ['tapfər] 形 勇敢な
Sie kämpften *tapfer*. 彼らは勇敢に戦った.
die **Tasche** ['taʃə] -/-n ① ポケット ② かばん
Er steckte die Hand in die *Tasche*. 彼は手をポケットへ入れた.

Tasse

    Ich habe keine *Tasche* bei mir. 私はかばんを持って来なかった.
  das **Taschentuch** [′taʃəntu:x] -[e]s/...tücher ハンカチ
die **Tasse** [′tasə] -/-n 茶わん, カップ
    Die Mutter stellt *Tassen* auf den Tisch. 母親が茶わんを食卓に並べる.
    Bringen Sie mir eine *Tasse* Kaffee! コーヒーを1杯ください!
die **Tat** [ta:t] -/-en 行為, 行動
    Er bewies es durch die *Tat*. 彼はそれを行動によって証明した.
die **Tatsache** [′ta:tzaxə] -/-n 事実
    Das ist eine *Tatsache*. それは事実だ.
taub [taʊp] 形 耳の聞こえない
    Er ist auf dem linken Ohr *taub*. 彼は左の耳が聞こえない.
tauchen [′taʊxən] 1 自 ((h, s)) 再 ((sich⁴)) 水中にもぐる 2 (水中に)沈める, ひたす
    Er *taucht* bis auf den Grund des Sees. 彼は湖の底までもぐる.
    Er *taucht* die Hand ins Wasser. 彼は手を水の中にひたす.
tauschen [′taʊʃən] 他自 交換する
    Er *tauschte* den Platz mit ihr. 彼は彼女と席を取り替えた.
täuschen [′tɔʏʃən] 1 他自 欺く 2 再 ((sich⁴)) 欺かれる; 思い違いをする
    Er hat den Vater *getäuscht*. 彼は父親を欺いた.
    Ich habe *mich* sehr *getäuscht*. 私はたいへん思い違いをしていた.
tausend [′taʊzənt] 数 1000
    Er lebte vor *tausend* Jahren. 彼は1000年前に生きた人だ.
die **Technik** [′tɛçnɪk] -/-en 工学; 技術
    Die *Technik* hat sich⁴ schnell entwickelt. 技術は急速な発展を遂げた.
der **Tee** [te:] -s/-s 茶
    Ich trinke eine Tasse *Tee*. 私は1杯のお茶を飲む.
der **Teich** [taɪç] -[e]s/-e 池
der (das) **Teil** [taɪl] -[e]s/-e 部分
    Ich teile es in drei *Teile*⁴. 私はそれを3つの部分に分ける.
    Ich habe das Buch *zum größten Teil* gelesen. 私はその本をあらかた読んでしまった.
teilen [′taɪlən] 他 分ける; わかち合う
    Ich *teile* das Zimmer mit ihm. 私は彼と同室だ.
teil|nehmen* [′taɪlne:mən] 自 ⟨an et³ に⟩ 参加(関与)する
    Ich *nahm an* dem Ausflug *teil*. 私は遠足に参加した.
das **Telefon, Telephon** [tele′fo:n] -s/-e 電話[器]
    Gibt es hier ein *Telefon* in der Nähe? この近くに電話がありますか?
telefonieren, telephonieren [telefo′ni:rən] 他自 電話をかける
    Sie *telefonierte* mit ihm. 彼女は彼と電話で話した.
das **Telegramm** [tele′gram] -s/-e 電報
    Ich möchte ein *Telegramm* aufgeben. 私は電報を打ちたいのです.

der **Teller** ['tɛlər] -s/-　皿
　Ich esse einen *Teller* Suppe.　私は１皿のスープを飲む.
der **Tempel** ['tɛmpəl] -s/-　神殿
der **Teppich** ['tɛpɪç] -s/-e　じゅうたん
　Auf dem Boden liegen *Teppiche*.　床にじゅうたんが敷いてある.
teuer ['tɔʏər] 形　① 値段が高い　② 愛する；たいせつな
　Dieses Hotel ist mir zu *teuer*.　このホテルは私には高すぎる.
　Mein *teurer* Freund !　親愛なる友よ！
der **Teufel** ['tɔʏfəl] -s/-　悪魔
das **Theater** [te'a:tər] -s/-　劇場
　Wir gehen ins *Theater*.　私たちは芝居を見に行く.
das **Thema** ['te:ma] -s/-ta(..men)　主題，テーマ
　Er behandelt das *Thema*.　彼はそのテーマを論ずる.
die **Theorie** [teo'ri:] -/-n [..'ri:ən]　理論
　Das ist nur eine *Theorie*.　それは理屈にすぎない.
tief [ti:f] 形　深い；低い
　Wie *tief* ist das Wasser?　水の深さはどのくらいですか？
　Es ist *tief* in der Nacht.　深夜である.
　Er flog sehr *tief*.　彼は非常に低空を飛行した.
die **Tiefe** ['ti:fə] -/-n　深さ；深いところ
　Es sank in die *Tiefe*.　それは深いところへ沈んだ.
das **Tier** [ti:r] -[e]s/-e　動物，獣
　Der Löwe ist der König der *Tiere*.　ライオンは百獣の王である.
die **Tinte** ['tɪntə] -/-n　インク
　Die *Tinte* ist noch feucht.　インクがまだかわいてない.
der **Tisch** [tɪʃ] -es/-e　① 机，テーブル　② 食卓，食事
　Ich sitze am *Tisch*.　私は机に向かってすわっている.
　Bei *Tisch* saß er neben mir.　食事中彼は私の隣にすわっていた.
der **Titel** ['ti:təl] -s/-　① 題名　② 称号，学位
　Der *Titel* des Buches fällt mir nicht ein.　本の題名が思い出せない.
　Er hat mehrere *Titel*.　彼はいくつかの称号を持っている.
die **Tochter** ['tɔxtər] -/-⸚　娘
　Er hat eine kleine *Tochter*.　彼には小さな娘がある.
der **Tod** [to:t] -[e]s/-e　死
　Er fürchtet den *Tod*.　彼は死を恐れている.
toll [tɔl] 形　気違いじみた，ばかげた
　Das ist eine *tolle* Geschichte.　それはばかげた話だ.
der **Ton** [to:n] -[e]s/⸚e　音[色]；調子
　Das Instrument hat einen schönen *Ton*.　その楽器は音色が美しい.
　Er sprach in ernstem *Ton*.　彼はまじめな口調で語った.
tönen ['tø:nən] 自　音をたてる，鳴る
　Die Glocke *tönte* dumpf.　鐘がさえない音をたてて鳴った.
der **Topf** [tɔpf] -[e]s/⸚e　深なべ，つぼ，鉢
　Sie setzte den *Topf* aufs Feuer.　彼女は深なべを火にかけた.

das Tor[1] [toːr] -[e]s/-e 門, (家の)出入口
 Das *Tor* stand offen. 門はあいていた.
der Tor[2] [toːr] -en/-en 愚かもの, ばか
 Du *Tor*! ばかものめ!
tot [toːt] 形 死んだ
 Er ist seit einem Jahr *tot*. 彼は1年前に死んだ.
 der (die) *Tote* 死者〈名詞的〉
töten [ˈtøːtən] 他 殺す
 Er *tötete* das Tier. 彼はその獣を殺した.
tragen* [ˈtraːgən] 他 ① 持ち運ぶ, になう ② 身につけている ③ 実を結ぶ
 Er *trug* den Koffer die Treppe[4] hinauf. 彼はトランクを階段の上へ運び上げた.
 Sie *trug* ein Kind auf dem Arm. 彼女は子供を抱いていた.
 Er *trägt* einen neuen Anzug. 彼は新しい服を着ている.
 Dieser Baum *trägt* Früchte. この木には実がなる.
die **Träne** [ˈtrɛːnə] -/-n 涙
 Sie hatte *Tränen* in den Augen. 彼女は目に涙を浮かべていた.
trauen [ˈtrauən] 自 《jm を》信用(信頼)する
 Ich *traue* ihm nicht. 私は彼を信用しない.
die **Trauer** [ˈtrauər] -/-n 悲しみ
 Er ist voll *Trauer* über das Unglück. 彼は不幸を深く悲しんでいる.
der **Traum** [traum] -[e]s/ːe 夢
 Er erwachte aus dem *Traum*. 彼は夢からさめた.
träumen [ˈtrɔʏmən] 自他 夢を見る, 夢に見る
 Ich habe von dir *geträumt*. 私は君の夢を見た.
 Mir *träumte* von ihm. 私は彼の夢を見た.〈非人称的〉
 Sie *träumte* einen schönen Traum. 彼女は美しい夢を見た.
traurig [ˈtraurɪç] 形 悲しい
 Er sieht *traurig* aus. 彼は悲しそうな顔をしている.
treffen* [ˈtrɛfən] Ⅰ 他 ① …に当てる, 当たる ② 出会う; 落ち合う ③ 行なう Ⅱ 自 ① 当てる, 当たる ② 《auf jn に》出会う
 Die Kugel hat das Tier *getroffen*. 弾丸は獣に当たった.
 Sie *traf* ihn auf der Straße. 彼女は通りで彼に出会った.
 Wir wollen uns[4] hier *treffen*. ここで落ち合おう.〈再帰的〉
 Er *traf* Vorbereitungen dazu. 彼はその準備をした.
 Ich *traf auf* sie. 私は彼女にばったり出会った.
treiben* [ˈtraɪbən] 他 ① 追い(駆り)たてる ② 動かす ③ 行なう, 営む
 Er *treibt* Kühe auf die Wiese. 彼は牛を牧場へ追いたてる.
 Das Wasser *treibt* das Rad. 水が水車を回す.
 Was *treibt* er den ganzen Tag? 彼は一日じゅう何をしているのか?
trennen [ˈtrɛnən] Ⅰ 他 分ける, 分離させる Ⅱ 再《sich[4]》分かれる; 別れる
 Der Fluss *trennt* zwei Länder. 川が二つの国を隔てている.

Wir *trennten uns*[4] erst am Abend. 私たちは夕方になってやっと別れした。
die **Treppe** [ˈtrɛpə] -/-n 階段
Er geht die *Treppe*[4] hinauf. 彼は階段を登る。
treten* [ˈtreːtən] ɪ 倒 ① (h) 踏む ② (s) 歩く, 行く, 来る 2 他
Er *trat* mir (mich) auf den Fuß. 彼は私の足を踏んだ。 踏む
Er *tritt* in das Zimmer. 彼はその部屋へはいって行く。
treu [trɔy] 形 誠実な, 忠実な
Er ist seiner Frau[3] *treu*. 彼は奥さんに対して誠実だ。
die **Treue** [ˈtrɔyə] -/ 誠(忠)実, 信義, 貞節
Du brachst ihm die *Treue*. 君は彼に対して信義を破った。
der **Trieb** [triːp] -[e]s/-e 衝動, 欲求
Er hat keinen *Trieb* zur Arbeit. 彼は仕事をする気がない。
trinken* [ˈtrɪŋkən] 他自 飲む
Ich möchte [ein Glas] Wasser *trinken*. 私は水を[1杯]飲みたい。
Er *trank* aus der Flasche. 彼はラッパ飲みをした。
der **Tritt** [trɪt] -[e]s/-e 歩み, 歩調
Er hat einen schweren *Tritt*. 彼は重い足どりで歩く。
trocken [ˈtrɔkən] 形 かわいた
Die Wege sind wieder *trocken*. 道は再びかわいた。
der **Tropfen** [ˈtrɔpfən] -s/- しずく
Es regnet in großen *Tropfen*. 大粒の雨が降る。
der **Trost** [troːst] -[e]s/ 慰め
Das ist mir ein *Trost*. それは私にとって慰めとなる。
trösten [ˈtrøːstən] 他 慰める
Seine Worte *trösteten* mich. 彼の言葉が私を慰めた。
trotz [trɔts] 前 《2格または3格》…にもかかわらず
Trotz des Regens ging er aus. 雨にもかかわらず彼は外出した。
trotzdem [ˈtrɔtsdeːm, ˈ—ˈ—] ɪ 副 それにもかかわらず 2 接 《従》…にもかかわらず
Trotzdem ist er mein Freund. それでも彼は私の友だ。
Er kam, *trotzdem* es stark regnete. ひどい降りなのに彼はやって来た。
trüb[e] [tryːp, (ˈtryːbə)] 形 曇った; 濁った; いんうつな
Der Spiegel (Das Wasser) ist *trübe*. 鏡が曇っている(水が濁っている)。
Er hatte *trübe* Gedanken. 彼は暗い物思いにふけっていた。
die **Truppe** [ˈtrʊpə] -/-n 部隊, 軍隊
das **Tuch** [tuːx] -[e]s/⁼er 〈種類をあらわすときは: -e〉 布
Sie band sich[3] ein *Tuch* um den Kopf. 彼女は頭に頭巾(ずきん)をかぶった。
tüchtig [ˈtʏçtɪç] 形 ① 役にたつ, 有能な ② したたかの, じゅうぶんな
Er ist *tüchtig* in seinem Beruf. 彼はその職務において有能だ。
Er hat *tüchtig* gearbeitet. 彼は大いに働いた。
die **Tugend** [ˈtuːɡənt] -/-en 徳[性]
Die Treue ist eine *Tugend*. 誠実さは一つの徳である。

die **Tulpe** [ˈtʊlpə] -/-n チューリップ
tun* [tuːn] **1** 他 ① する，行なう ② 置く，与える，入れる **2** 自 …のふりをする
  Ich habe alles selbst *getan*. 私は何もかも自分でやった．
  Der Hund *tut* dir nichts. 犬は君に何もしやしないよ．
  Ich *habe viel zu tun*. 私は忙がしい．
  Sie *tut* Salz in die Suppe. 彼女はスープに塩を加える．
  Er *tat*, als ob er schliefe. 彼は眠っているふりをした．
die **Tür** [tyːr] -/-en ドア，戸口
  Die *Tür* steht offen. 戸があいている．
der **Turm** [tʊrm] -[e]s/-̈e 塔
  Der *Turm* ist sehr hoch. その塔は非常に高い．

U

übel [ˈyːbəl] 形 悪い，不快な
  Er spricht *übel* von mir. 彼は私のことを悪く言う．
  Ich fühle mich *übel*. 私は気分が悪い．
üben [ˈyːbən] **1** 他 行なう **2** 再 《sich⁴》自 練習する
  Sie hat eine Tugend *geübt*. 彼女は徳を行なった．
  Er *übte* [*sich*⁴] im Schwimmen. 彼は水泳の練習をした．
über [ˈyːbər] 前 《3・4格》① …の上方に(へ) ② …を越えて，…の向こうに ③《4格》…について ④《4格》…にまさって
  Das Bild hängt *über* dem Tisch. 絵は机の上に掛かっている．
  Sein Haus liegt *über* dem Fluß. 彼の家は川の向こう側にある．
  Er springt *über* den Bach. 彼は小川をとび越える．
  Ich fuhr *über* Stuttgart nach Frankfurt. 私はシュツットガルト経由でフランクフルトへ行った．
  Was denken Sie *über* die Politik? 政治についてどうお考えですか？
  Sie liebt ihre Heimat *über* alles. 彼女は何よりも故郷を愛している．
überall [yːbərˈʔal] 副 いたるところに
  Das findet man *überall*. それはどこにでもある．
überhaupt [yːbərˈhaʊpt] 副 ① 一般に ②〈nicht と〉けっして…でない
  Überhaupt hat die Zeitung eine große Kraft. 一般に新聞というものは大きな力を持っている．
  Ich glaube ihm *überhaupt nicht*. 私は彼の言うことをけっして信じない．
überlassen* [yːbərˈlasən] 他 〈jm に et⁴ を〉まかせる
  Ich *überlasse* es ihm, den Brief zu schreiben. 私は手紙を書くのを彼にまかせる．
überlegen¹ [yːbərˈleːgən] 他 熟考する
  Ich werde *mir* die Frage *überlegen*. 私はこの問題をよく考えてみよう．
überlegen² [yːbərˈleːgən] 形 〈jm に an et³ で〉まさっている
  Er ist uns³ allen *an* Kraft³ weit *überlegen*. 彼はわれわれすべてに，力の点でははるかにまさっている．

übermorgen [ˈyːbərmɔrgən] 副 明後日
  Ich komme *übermorgen* um drei Uhr zu dir. 私はあさっての3時に君のところへ行く.
überraschen [yːbərˈraʃən] 他 驚かせる, 不意打ちする
  Er hat mich mit einem Geschenk *überrascht*. 彼は私を贈物で驚かせた.
  Ich wurde vom Regen *überrascht*. 私はにわか雨に襲われた.
übersetzen [yːbərˈzɛtsən] 他 翻訳する
  Ich *übersetze* das Buch aus dem Deutschen ins Japanische. 私はその本をドイツ語から日本語に訳す.
übertreffen* [yːbərˈtrɛfən] 他 〈jn に in (an) et³ で〉まさる
  Sie *übertreffen* uns⁴ *an* Zahl³. 彼らは数においてわれわれをしのぐ.
überzeugen [yːbərˈtsɔʏgən] 1 他 〈jn に von et³ を〉納得(確信)させる 2 再 《sich⁴》得心する
  Ich *überzeuge* ihn *von* seiner Schuld. 私は彼に罪のあることを納得させる.
  Ich habe *mich überzeugt*, dass er sein Bestes getan hat. 私は彼が最善を尽くしたことを確信した.
übrig [ˈyːbrɪç] 形 残りの, 余った
  Von den 20 Euro ist nichts mehr *übrig*. その20ユーロはもう少しも残っていない.
übrig bleiben* [ˈyːbrɪçblaɪbən] 自 《s》残って(余って)いる
  Es *blieb* nichts anderes *übrig* als diese Hütte. この小屋よりほかには何も残らなかった.
übrigens [ˈyːbrɪgəns] 副 その他の点で; いずれにせよ
  Übrigens habe ich es vergessen. いずれにせよ, 私はそれを忘れてしまった.
die **Übung** [ˈyːbʊŋ] -/-en 練習
  Sie spielt ein Stück zur *Übung*. 彼女はある曲を練習のためにひく.
das **Ufer** [ˈuːfər] -s/- 岸
  Die Stadt liegt am *Ufer* der Donau. その町はドナウ川の岸べにある.
die **Uhr** [uːr] -/-en ① 時計 ② [単] …時
  Die *Uhr* geht richtig (falsch). 時計が合って(狂って)いる.
  Wieviel *Uhr* ist es? いま何時ですか?
  Es ist 8 *Uhr* 13 [Minuten]. いま8時13分だ.
  Er kommt um (gegen) 3 *Uhr*. 彼は3時(3時ごろ)に来る.
um [ʊm] 前 《4格》① …の回りに(を) ② 〈およその時間〉…のころに; 〈正確な時刻〉正…時に ③ 〈程度〉…だけ ④ …について
  Die Familie sitzt *um* den Tisch. 家族はテーブルの回りにすわっている.
  Er geht *um* die Ecke. 彼は町かどを曲がる.
  Ich komme morgen *um* diese Zeit wieder. 明日のいまごろまた来ます.
  Der Unterricht beginnt *um* neun Uhr. 授業は9時に始まる.
  Wir kamen *um* eine Minute zu spät. 私たちは1分だけ遅れてきた.
  Ich weiß *um* die Sache. 私はそのことについて知っている.

um... zu... ...するために
Er hat die Uhr gekauft, *um* sie seiner Frau *zu* schenken. 彼は妻に贈るために時計を買った.

umgeben* [ʊmˈgeːbən] 他 囲む, 取り巻く
Die Stadt ist mit (von) Mauern *umgeben*. 町は城壁で囲まれている.

die **Umgebung** [ʊmˈgeːbʊŋ] -/-en 周囲, 環境
Die Stadt hat eine schöne *Umgebung*. この町の周囲は美しい.

umsonst [ʊmˈzɔnst] 副 ① ただで, 無料で ② むだに
Er hat es halb *umsonst* verkauft. 彼はそれをただ同然の値で売った.
Ich habe mich *umsonst* bemüht. 私は努力したが, むだだった.

der **Umstand** [ˈʊmʃtant] -[e]s/..stände ① 事情 ② 複 境遇 ③ 複 形式[ばること]
Wenn es die *Umstände* erlauben, kommen wir. 事情が許せば来ます.
Er lebt in guten *Umständen*. 彼は恵まれた境遇にある.
Machen Sie keine *Umstände*! どうぞおかまいなく, ご遠慮なく!

um|steigen* [ˈʊmʃtaɪɡən] 自 《s》 乗り換える
Wir müssen in Berlin *umsteigen*. 私たちはベルリンで乗り換えなくてはならない.

und [ʊnt] 接 《並》 そして, それから, …と
Er *und* ich gingen zuerst ins Kino *und* dann in den Park. 彼と私とはまず映画へ行き, それから公園へ行った.
Er fragte, *und* sie antwortete. 彼がたずね, そして彼女が答えた.
Zwei *und* zwei ist vier. 2+2=4

unendlich [ʊnˈʔɛntlɪç] 形 無限の
Die Ebene dehnt sich[4] ins *Unendliche*. 平野が果てしなく広がっている. 〈名詞的〉

der **Unfall** [ˈʊnfal] -[e]s/..fälle 災害, 事故
Bei diesem *Unfall* hat es einen Toten gegeben. この事故で1人の死者が出た.

ungefähr [ˈʊnɡəfɛːr] 副 およそ, 約
Im Garten stehen *ungefähr* hundert Bäume. 庭には約100本の木がある.

ungeheuer [ˈʊnɡəhɔʏər] 形 恐ろしい; 途方もない
Sie ist *ungeheuer* erregt. 彼女はひどく興奮している.

das **Unglück** [ˈʊnɡlʏk] -[e]s/ 不幸, 災難; 事故
Du musst das *Unglück* ertragen. おまえは不幸を耐え忍ばなくてはならない.

unglücklich [ˈʊnɡlʏklɪç] 形 不幸な, 不運な
Ich bin sehr *unglücklich*. 私はとても不幸だ.

die **Universität** [univɛrziˈtɛːt] -/-en [総合]大学
Die *Universität* [zu] Berlin ベルリン大学
Er ist auf der *Universität*. 彼は大学に在学している.

unmittelbar [ˈʊnmɪtəlbaːr] 形 直接の
Die Straße führt *unmittelbar* zum Bahnhof. この通りは直接駅に通じている.

unmöglich [ˈʊnmøːklɪç] 形 不可能な, ありえない
  Es ist mir *unmöglich*, mit dir zu gehen.　君と行くことは, 私には不可能だ.

unser, unsere, unser [ˈʊnzər, ˈʊnzərə, ˈʊnzər] 代《所有》われわれの
  Kennen Sie *unseren* Lehrer?　私たちの先生を知っていますか?

unten [ˈʊntən] 副 下に
  Wir wohnen *unten*.　私たちは階下(1階)に住んでいる.
  Das Kind sitzt *unten* am Boden.　子供は(下の)床にすわっている.

unter [ˈʊntər] 前 (3・4格) ① …の下に(へ) ② …のあいだに(へ), の中に(へ)
  Wir saßen zusammen *unter* einem Baum.　私たちはいっしょに木の下にすわっていた.
  Der Hund legte sich⁴ *unter* die Bank.　犬がベンチの下に寝そべった.
  Unter den Gästen befand sich⁴ ein Ausländer.　お客の中には1人の外国人がいた.

unterbrechen* [ʊntərˈbrɛçən] 他 中断する
  Der Verkehr ist durch einen Unfall *unterbrochen*.　交通は事故のために中断されている.

unter|gehen* [ˈʊntərgeːən] 自《s》沈む
  Die Sonne (Das Schiff) ist *untergegangen*.　日(船)が沈んだ.

unterhalten* [ʊntərˈhaltən] 1 再《sich⁴》談笑する 2 他 維持する; 楽しませる
  Ich habe *mich* mit ihm lange *unterhalten*.　私は彼と長いこと楽しく語り合った.
  Er muss seine Familie *unterhalten*.　彼は家族を養わねばならない.
  Die Musik *unterhält* uns⁴ gut.　音楽は私たちを大いに楽しませる.

unternehmen* [ʊntərˈneːmən] 他 企てる, 着手する
  Er *unternimmt* nichts ohne ihren Rat.　彼は彼女に相談せずには, 何ごとも企てない.
  Wir *unternahmen* einen Ausflug.　私たちは遠足をした.

der **Unterricht** [ˈʊntərrɪçt] -[e]s/-e 授業
  Der *Unterricht* beginnt um 9 Uhr.　授業は9時に始まる.
  Ich *nehme bei* ihm deutschen *Unterricht*.　私は彼についてドイツ語の教授を受ける.

unterscheiden* [ʊntərˈʃaɪdən] 1 他 区別する 2 再《sich⁴》〈von et³ と〉区別される, 相違する
  Man muss das eine *von* dem andern *unterscheiden*.　一方を他方と区別しなければならない.
  Er *unterscheidet sich⁴* in vielen Dingen *von* seinen Brüdern.　彼は多くの点で兄弟と違っている.

der **Unterschied** [ˈʊntərʃiːt] -[e]s/-e 相違, 区別
  Es ist ein großer *Unterschied* zwischen ihnen.　彼らのあいだには大きな相違がある.

untersuchen [ʊntərˈzuːxən] 他 調査する

Der Arzt *untersuchte* mich genau. 医者は私を綿密に診察した.
unterwegs [ʊntərˈveːks] 副 (道の)途中に(で)
Er ist schon *unterwegs*. 彼はもう出かけている.
der **Urlaub** [ˈuːrlaʊp] -[e]s/-e 休暇
Er verbringt seinen *Urlaub* an der 彼は休暇を海岸で過ごす.
See.
die **Ursache** [ˈuːrzaxə] -/-n 原因
Das ist die *Ursache*, dass ich nicht それが私の外出しない理由だ.
ausgehe.
das **Urteil** [ˈʊrtaɪl] -[e]s/-e 判断, 判決
Ich bilde mir ein *Urteil* über ihn. 私は彼について判断を下す.

V

der **Vater** [ˈfaːtər] -s/⸚ 父
Sie hat keinen *Vater* mehr. 彼女にはもう父親がいない.
das **Vaterland** [ˈfaːtərlant] -[e]s/..länder 祖国
Wir kämpfen für das *Vaterland*. 私たちは祖国のために戦う.
das **Veilchen** [ˈfaɪlçən] -s/- すみれ
verachten [fɛrˈʔaxtən] 他 軽蔑する
Sie *verachtet* ihn. 彼女は彼を軽蔑する.
verändern [fɛrˈʔɛndərn] 1 他 変える 2 再《sich⁴》変わる
Er ist ganz *verändert*. 彼はすっかり人が変わった.
Die Lage hat *sich⁴ verändert*. 状況が変わった.
verbergen* [fɛrˈbɛrgən] 1 他 隠す 2 再《sich⁴》隠れる
Du *verbirgst* mir etwas. 君は私に何か隠している.
Warum *verbirgst* du *dich*? なぜ君は隠れるのか?
verbessern [fɛrˈbɛsərn] 他 改善する
Der Lehrer *verbesserte* den Fehler. 先生は誤りを訂正した.
verbieten* [fɛrˈbiːtən] 他 禁ずる
Der Arzt *verbot* mir das Rauchen. 医者は私に喫煙を禁じた.
Rauchen *verboten*! 禁煙!
verbinden* [fɛrˈbɪndən] 1 他 結び合わせる 2 再《sich⁴》〈mit et³ と〉結びつく
Die Brücke *verbindet* die beiden その橋が2つの町を結ぶ.
Städte.
die **Verbindung** [fɛrˈbɪndʊŋ] -/-en 結合, 連絡, 関係
Die *Verbindung* wurde unterbro- 連絡がとぎれた.
chen.
das **Verbrechen** [fɛrˈbrɛçən] -s/- 犯罪
Das ist ein *Verbrechen* gegen die それは理性に対する犯罪である.
Vernunft.
verbreiten [fɛrˈbraɪtən] 1 他 広げる, 広める 2 再《sich⁴》広がる, 広まる
Er hat die Nachricht *verbreitet*. 彼がその知らせを流した.

Die Krankheit hat *sich*⁴ über ein großes Gebiet *verbreitet*. 病気は広い地域に蔓延(まん)した.

verbringen* [fɛr'brɪŋən] 他 (時を)過ごす
Ich *verbringe* meine Ferien am Meer. 私は休暇を海べで過ごす.

der **Verdacht** [fɛr'daxt] -[e]s/-e 嫌疑, 疑い
Er steht im *Verdacht*, gestohlen zu haben. 彼は盗みの疑いを受けている.

verdanken [fɛr'daŋkən] 他 〈jm に et⁴ を〉負っている
Ich *verdanke* ihm alles. すべて彼のおかげだ.

verderben⁽*⁾ [fɛr'dɛrbən] 1 自 ((s)) だめになる 2 他 だめにする
Diese Ware ist *verdorben*. この品物はいたんでいる.
Er wurde durch schlechte Gesellschaft *verdorben*. 彼は悪い仲間のために堕落した.

verdienen [fɛr'di:nən] 他 ① (働いて)得る ② (得るに)値する
Er hat viel Geld *verdient*. 彼は大金をもうけた.
Er *verdient* Lob. 彼は当然ほめられてよい.

das **Verdienst**¹ [fɛr'di:nst] -es/-e 功績
Seine *Verdienste* um die Wissenschaft sind groß. 彼の学問に対する功績は大きい.

der **Verdienst**² [fɛr'di:nst] -es/-e もうけ, 収入
Er hat guten *Verdienst*. 彼はよい収入を得ている.

verehren [fɛr-'e:rən] 他 尊敬する, 敬慕する
Sie *verehren* ihren Lehrer. 彼らは自分たちの先生を尊敬する.

verfolgen [fɛr'fɔlgən] 他 追跡する; 迫害する; 追求する
Er wurde vom Feind *verfolgt*. 彼は敵につけ回された.
Er *verfolgt* hohe Ziele. 彼は高遠な目的を追求する.

die **Vergangenheit** [fɛr'gaŋənhaɪt] -/-en 過去
Er hat eine dunkle *Vergangenheit*. 彼には暗い過去がある.

vergebens [fɛr'ge:bəns] 副 むだに, むなしく
Er bemühte sich⁴ *vergebens*. 彼はむだぼねをおった.

vergehen* [fɛr'ge:ən] 自 ((s)) (時が)過ぎ去る; 消滅する
Die Zeit *vergeht* rasch. 時のたつのははやい.

vergessen* [fɛr'gɛsən] 他 忘れる
Ich habe seinen Namen *vergessen*. 私は彼の名まえを忘れた.

vergleichen* [fɛr'glaɪçən] 他 〈mit et³ と〉比較する
Er *vergleicht* die Bilder *mit*einander. 彼はそれらの絵を比較する.

das **Vergnügen** [fɛr'gny:gən] -s/- 満足; 楽しみ; 娯楽
Das macht mir *Vergnügen*. それは私にとって喜びだ.

verhalten* [fɛr'haltən] 再 ((sich⁴)) ① …の態度をとる, ふるまう ② …の事情にある
Er *verhielt* sich⁴ tapfer. 彼は勇敢にふるまった.
Die Sache *verhält* sich⁴ anders. それは事情が違う.

das **Verhältnis** [fɛr'hɛltnɪs] ..nisses/..nisse ① 関係 ② 状態, 事情
In welchem *Verhältnis* stehst du 君は彼とどういう間柄か?

verkaufen

zu ihm?
Bei uns³ liegen die *Verhältnisse* anders. 私たちのところでは事情が違う.

verkaufen [fɛrˈkaʊfən] 他 〈jm (an jn) に et⁴ を〉売る
Er hat mir das Haus *verkauft*. 彼は私にその家を売った.

der **Verkehr** [fɛrˈkeːr] -[e]s/ 交通; 交際
Diese Straße hat viel *Verkehr*. この通りは往来が激しい.
Er hat mit ihnen *Verkehr*. 彼は彼らと交際している.

verlangen [fɛrˈlaŋən] 1 他 〈et⁴ を von jm に〉要求する 2 自 〈nach et³ を〉熱望する
Er *verlangte* von ihnen hundert Euro. 彼は彼らに100ユーロ請求した.
Der Kranke *verlangte nach* dem Arzt. 病人は医者にかかることをせつに望んだ.

verlassen* [fɛrˈlasən] 1 他 去る, 見捨てる 2 再 《sich⁴》〈auf jn・et⁴ を〉たよりにする
Ich *verließ* das Haus um acht Uhr. 私は8時に家を出た.
Ich bin von allen Freunden *verlassen*. 私はすべての友から見捨てられた.
Auf seine Worte kann ich *mich* nicht *verlassen*. 彼の言葉をあてにする訳にはゆかない.

verletzen [fɛrˈlɛtsən] 他 害する, 傷つける
Er wurde schwer *verletzt*. 彼は重傷を負った.

verlieren* [fɛrˈliːrən] 他 失う, 紛失する
Ich habe das Geld *verloren*. 私はその金を紛失した.
Er hat seine Frau *verloren*. 彼は妻に先だたれた.

der **Verlust** [fɛrˈlʊst] -es/-e 紛失, 喪失
Sein Tod ist ein großer *Verlust*. 彼の死は大きな損失だ.

vermeiden* [fɛrˈmaɪdən] 他 避ける
Ich habe die Gefahr *vermieden*. 私は危険を避けた.

vermögen* [fɛrˈmøːgən] 他 …できる, …する能力がある
Er *vermochte* nicht, sie zu überzeugen. 彼は彼女を納得させることができなかった.

das **Vermögen** [fɛrˈmøːgən] -s/- ① 能力 ② 資力, 財産
Das geht über mein *Vermögen*. それは私の能力の及ばぬことだ.
Er hat ein großes *Vermögen*. 彼は大きな資産がある.

vermuten [fɛrˈmuːtən] 他 推察する, 予想する
Ich *vermute*, dass er es weiß. 私は彼がそれを知っていると推察する.

die **Vernunft** [fɛrˈnʊnft] -/ 理性, 分別
Er hat ohne *Vernunft* gehandelt. 彼は無分別な行動をした.

verraten* [fɛrˈraːtən] 他 ① 裏切る ② (秘密を)もらす
Er *verriet* seinen Freund. 彼は友を裏切った.
Du darfst aber nichts *verraten*. だが何も人に言ってはいけない.

versammeln [fɛrˈzaməln] 1 他 集める 2 再 《sich⁴》集まる
Sie waren schon *versammelt*. 彼らはすでに集まっていた.
Wir *versammeln uns*⁴ vor der 私たちは学校の前に集まる.

Schule.
die Versammlung [fɛrˈzamlʊŋ] -/-en 集会, 会合
　Er ging zur *Versammlung*. 彼は会合に出かけた.
verschieden [fɛrˈʃiːdən] 形 異なった; さまざまの
　Wir haben *verschiedene* Interessen. 私たちは利害を異にする.
　Ich habe *Verschiedenes* zu tun. 私はいろいろなことをしなくてはならない.〈名詞的〉
verschwinden* [fɛrˈʃvɪndən] 自《s》消え[うせ]る, 見えなくなる
　Der Ring ist *verschwunden*. 指輪がなくなった.
versichern [fɛrˈzɪçərn] 他 〈jm に et⁴ を・jn に et² を〉断言する, 請け合う
　Das kann ich dir *versichern*. それは断言できる.
versprechen* [fɛrˈʃprɛçən] 他 〈jm に et⁴ を〉約束する
　Er hat mir Hilfe *versprochen*. 彼は私に援助を約束した.
der Verstand [fɛrˈʃtant] -[e]s/ 理解力, 知性, 分別
　Das geht über meinen *Verstand*. それは私には理解できない.
verstehen* [fɛrˈʃteːən] 他 理解する
　Haben Sie mich *verstanden*? 私の言ったことがおわかりですか?
　Er *versteht* Englisch. 彼は英語がわかる.
der Versuch [fɛrˈzuːx] -[e]s/-e 試み, 実験
　Er machte den *Versuch*. 彼はその試みをした.
versuchen [fɛrˈzuːxən] 他 ① 試みる ② 誘惑する, そそのかす
　Er *versuchte*, Gedichte zu schreiben. 彼は詩を書こうと試みた.
　Ich bin *versucht*, das zu glauben. 私はそれを信じたい気持になった.
der Vertrag [fɛrˈtraːk] -[e]s/ˈ-e 契約, 条約
　Sie schlossen einen *Vertrag*. 彼らはある契約を結んだ.
vertrauen [fɛrˈtraʊən] 自 〈jm を〉信頼する
　Er *vertraute* seinem Freund. 彼は友人を信頼した.
vertreten* [fɛrˈtreːtən] 他 …を代表する, …の代理をする
　Er *vertrat* die Regierung. 彼が政府の代表となった.
verwandeln [fɛrˈvandəln] 1 他 〈in et⁴ に〉変える 2 再《sich⁴》変わる, 変化する
　Er ist wie *verwandelt*. 彼はまるで人が変わったようだ.
　Das Eis *verwandelt sich⁴* in Wasser⁴. 氷が水に変わる.
verwandt [fɛrˈvant] 形 親類の; 同質の, 類似の
　Ich bin nahe mit ihm *verwandt*. 私は彼と近い親戚だ.
　der (die) Verwandte 親戚〈名詞的〉
verwenden⁽*⁾ [fɛrˈvɛndən] 他 使う, 役だてる
　Er *verwendete* viel Zeit auf die Arbeit. 彼はその仕事に多くの時間をかけた.
verzeihen* [fɛrˈtsaɪən] 他 〈jm の et⁴ を〉許す, 大目にみる
　Ich *verzeihe* dir den Fehler. 私はおまえの過失を許してあげる.
　Verzeihen Sie! ごめんなさい!, 失礼!
verzichten [fɛrˈtsɪçtən] 自 〈auf et⁴ を〉断念(放棄)する
　Wir *verzichten auf* die Reise. 私たちは旅行を断念する.

verzweifeln [fɛr'tsvaɪfəln] 自《h, s》〈an et³ (über et⁴) に〉絶望
Er *verzweifelt* am Leben.　　　　彼は人生に絶望している。　しする
der **Vetter** ['fɛtər] -s/-n　いとこ
Mein *Vetter* kommt zu uns³.　　　いとこが私たちの家へ来る。
das **Vieh** [fi:] -[e]s/　家畜
Er hütet das *Vieh*.　　　　　　　彼は家畜の番をする。
viel [fi:l] mehr, meist　**1** 形 多くの〈しばしば不変化〉　**2** 副 ① 大
いに　② 〈比較級と〉はるかに
Er trinkt *viel*[en] Wein.　　　　彼は大酒飲みだ。
Viele von diesen Büchern kenne　これらの本の多くを私はもう知って
　ich schon.　　　　　　　　　　　いる。
Er arbeitet *viel*.　　　　　　　　彼はよく働く。
Es ist *viel* besser.　　　　　　　そのほうがずっと良い。
vielleicht [fi'laɪçt] 副　たぶん, おそらく
Ich habe mich *vielleicht* geirrt.　たぶん私の思い違いかもしれない。
vielmehr [fil'me:r] 副　むしろ, それどころか
Er ist nicht arm, *vielmehr* hat er　彼は貧しくない, それどころか多く
　ein großes Vermögen.　　　　　　の資産がある。
vier [fi:r] 数　4
das **Viertel** ['fɪrtəl] -s/-　① 4分の1　② 15分
Es ist drei *Viertel* neun.　　　　8時45分だ。
der **Vogel** ['fo:gəl] -s/¨　鳥
Die *Vögel* sangen.　　　　　　　鳥が歌っていた。
das **Volk** [fɔlk] -[e]s/¨er　① 国民, 民族　② 人民, 民衆
das deutsche *Volk*　　　　　　　ドイツ国民(民族)
die *Völker* Europas　　　　　　　ヨーロッパの諸民族
Das *Volk* will den Frieden.　　　民衆は平和を望んでいる。
voll [fɔl] 形　① 満ちた, いっぱいの　② 〈*voll* et⁽²⁾, *voll* von et³, ま
た *voller* et〉…でいっぱいの
Wir arbeiten mit *voller* Kraft.　私たちは全力をあげて働く。
Ihre Augen sind *voll*[er] Tränen.　彼女の目は涙でいっぱいだ。
Der Saal ist *voll* von Menschen.　ホールは満員だ。
vollkommen [fɔl'kɔmən] 形　完全な, まったくの
Es herrscht *vollkommene* Stille.　あたりは静まりかえっている。
von [fɔn] 前《3格》① …から　② …の　③ …のうちの　④ …で
できた　⑤ …の性質の, …をもった　⑥ …について　⑦ …によって
Der Zug kommt *von* Köln.　　　その汽車はケルン発だ。
Wir haben *von* 9 bis 12 Uhr Un-　私たちは9時から12時まで授業が
　terricht.　　　　　　　　　　　ある。
Er ist ein Freund *von* mir.　　　彼は私の友だ。
Viele *von* meinen Freunden haben　私の友人の多くがそれを読んだ。
　es gelesen.
Diese Kette ist *von* Gold.　　　　この鎖は金でできている。
Sie ist *von* großer Schönheit.　　彼女はたいへん美しい。
Ich habe *von* Ihnen gehört.　　　私はあなたのことを聞いた。
Alles wurde *von* ihnen zerstört.　すべては彼らによって破壊された。

vor [foːr] 前 《3・4格》 ① …の前に(へ) ② …に対して《3格》 ③ …のあまり《3格》
 Er steht *vor* der Tür.   彼はドアの前に立っている.
 Sie trat *vor* den Spiegel.   彼女は鏡の前へ歩いて行った.
 Ich bin *vor* drei Jahren in England gewesen.   私は3年前にイギリスにいたことがある.
 Hüten Sie sich[4] *vor* ihm!   彼に用心しなさい!
 Er wurde rot *vor* Zorn[3].   彼は立腹のあまり赤くなった.

voraus [foˈraus] 副 さきだって
 Ich gehe schon *voraus*.   私はもう先に行きます.

vorbei [fɔrˈbaɪ, foːrˈbaɪ] 副 ① …のそばを通って ② 過ぎ去って
 Er ging *an* mir *vorbei*.   彼は私のそばを通り過ぎた.
 Als wir kamen, war schon alles *vorbei*.   私たちが来たときは、もうすべておしまいだった.

vor|bereiten [ˈfoːrbəraɪtən] 1 他 …の準備をする; ⟨jn に auf et[4]の⟩心がまえをさせる 2 再 ⟨⟨sich[4]⟩⟩ ⟨für (auf) et[4], zu et[3]の⟩ 準備(心がまえ)をする
 Er *bereitet* eine Reise *vor*.   彼は旅行の準備をする.
 Dar*auf* war ich nicht *vorbereitet*.   私はそれを覚悟していなかった.
 Ich muss *mich für* die Prüfung *vorbereiten*.   私は試験の準備をしなくてはならない.

die **Vorbereitung** [ˈfoːrbəraɪtʊŋ] -/-en 準備, 用意
 Er trifft *Vorbereitungen* zu einer Reise.   彼は旅行の準備をする.

vorder [ˈfɔrdər] 形 前[方]の
 die *vorderste* Reihe   最前列

vorgestern [ˈfoːrgɛstərn] 副 一昨日
 Ich bin *vorgestern* angekommen.   私は一昨日着いた.

der **Vorhang** [ˈfoːrhaŋ] -[e]s/..hänge カーテン, (舞台の)幕
 Sie schließt die *Vorhänge*.   彼女はカーテンをしめる.

vorher [foːrˈheːr, ′——] 副 以前に; 前もって
 Warum hast du es nicht *vorher* gesagt?   なぜ先にそれを言わなかったのだ?

vorig [ˈfoːrɪç] 形 以前の
 Er war *voriges Jahr*[4] hier.   彼は去年ここに来た.

vor|kommen* [ˈfoːrkɔmən] 自 ⟨⟨s⟩⟩ ① …と思われる, 見える ② 起こる, 生ずる
 Das *kommt* mir seltsam *vor*.   それは私には奇妙に思われる.
 Das *kommt* selten *vor*.   それはめったに起きることではない.

der **Vormittag** [ˈfoːrmɪtaːk] -[e]s/-e 午前
 Er kam am *Vormittag*.   彼は午前中に来た.
 morgen *Vormittag*   明日の午前に〈小文字で〉

vormittags [ˈfoːrmɪtaːks] 副 午前に

der **Vorschlag** [ˈfoːrʃlaːk] -[e]s/..schläge 申し出, 提案
 Auf seinen *Vorschlag* trafen wir uns[4] bei ihm.   彼の提案によって私たちは彼の家で落ち合った.

die **Vorsicht** ['fo:rzɪçt] -/-en 用心, 注意, 慎重
  Ich tat es mit *Vorsicht*. 私はそれを慎重に行なった.
vor|stellen ['fo:rʃtɛlən] I 他 紹介する 2 再 ⟨sich³⟩ 思い浮かべる
  Er *stellte* mir seinen Freund *vor*. 彼は私に友人を紹介した.
  Das kann ich *mir* gut *vorstellen*. それはじゅうぶんに想像がつく.
der **Vorteil** ['fɔrtaɪl] -[e]s/-e 利益; 優越, 長所
  Er sorgt für seinen *Vorteil*. 彼は自分の利益をはかる.
der **Vortrag** ['fo:rtra:k] -[e]s/..träge 講演, 講義, 朗読
  Er hielt einen *Vortrag*. 彼は講演を行なった.
vortrefflich [fo:r'trɛflɪç] 形 すぐれた, 卓越した
  Das ist eine *vortreffliche* Arbeit. これはすぐれた労作だ.
vorüber [fo'ry:bər] 副 通り過ぎて; 過ぎ去って
  Er ging *an* mir *vorüber*. 彼は私のそばを通り過ぎた.
  Der Sommer ist *vorüber*. 夏は終わった.
vorwärts ['fo:rvɛrts, 'fɔrvɛrts] 副 前[方]へ
  Er tat einen Schritt *vorwärts*. 彼は1歩前へ進んだ.
der **Vorwurf** ['fo:rvʊrf] -[e]s/..würfe 非難, 叱責
  Er machte mir *Vorwürfe*. 彼は私を非難した.
vor|ziehen* ['fo:rtsi:ən] 他 ⟨et³ よりも et⁴ を⟩ 選ぶ, 好む
  Ich *ziehe* Wein dem Bier *vor*. 私はビールよりぶどう酒のほうがよい.

W

wachen ['vaxən] 自 ① 目ざめている, 眠らずにいる ② ⟨auf (über) jn·et⁴ を⟩ 監視する
  Ich habe die ganze Nacht *gewacht*. 私は一晩じゅう起きていた.
  Ich muss *über* die Schüler *wachen*. 私は生徒たちを監督しなければならない.
wachsen* ['vaksən] 自 (s) 成長する, はえる
  Das Kind *wächst* schnell. この子供は発育がはやい.
  Er ließ sich³ den Bart *wachsen*. 彼はひげをはやした.
die **Waffe** ['vafə] -/-n 武器
wagen ['va:gən] 他 あえてする, ...する勇気がある
  Er *wagte* nicht, dies zu behaupten. 彼はあえてこれを主張しなかった.
der **Wagen** ['va:gən] -s/- 車
  Er fuhr mit dem *Wagen* in die Stadt. 彼は車で町へ行った.
die **Wahl** [va:l] -/-en 選択, 選挙
  Es gibt keine andere *Wahl*. 他に選択の余地がない.
  Die *Wahl* ist auf ihn gefallen. 彼が当選した.
wählen ['vɛ:lən] 他 選ぶ
  Er wurde zum Präsidenten *gewählt*. 彼は総裁(大統領)に選ばれた.
  Er *wählt* die Nummer. 彼はダイヤルを回す.
wahr [va:r] 形 真実の
  Das ist *wahr*. それはほんとうだ.

Du kommst doch mit, *nicht wahr*?　君もいっしょに来るだろうね？
während [ˈvɛːrənt]　1 前《2格》…のあいだに　2 接《従》…するあいだに；…であるのに
　Während des Krieges lebte ich auf dem Lande.　戦争中，私はいなかに住んでいた．
　Er kam, *während* wir beim Essen saßen.　私たちが食事をしているあいだに，彼が来た．
　Er spielte, *während* ich arbeitete.　私が働いているのに，彼は遊んでいた．
die **Wahrheit** [ˈvaːrhaɪt] -/-en　真実，真理
　Ich spreche die reine *Wahrheit*.　私はありのままの事実を言う．
wahrscheinlich [vaːrˈʃaɪnlɪç] 副　たぶん，おそらく
　Er wird heute *wahrscheinlich* nicht kommen.　彼はきょうたぶん来ないだろう．
der **Wald** [valt] -es/ーer　森
　Heute sind wir im *Wald* spazieren gegangen.　きょう私たちは森の中を散歩した．
die **Wand** [vant] -/ーe　壁
　Das Bild hängt an der *Wand*.　絵が壁に掛かっている．
wandern [ˈvandərn] 自《s, h》　歩き回る，旅する，さすらう
　Er *wanderte* durch den Wald.　彼は森の中をさまよった．
die **Wand[e]rung** [ˈvand(ə)rʊŋ] -/-en　歩くこと，旅，遍歴
die **Wange** [ˈvaŋə] -/-n　頬
　Er küsste ihr die *Wangen*.　彼は彼女の頬にキスした．
wann [van] 副《疑問》　いつ
　Wann sind Sie angekommen?　あなたはいつ到着されましたか？
　Seit *wann* lernst du Deutsch?　君はいつからドイツ語を学んでいるのか？
die **Ware** [ˈvaːrə] -/-n　品物，商品
　Diese *Ware* kann ich Ihnen empfehlen.　この品物ならおすすめできます．
warm [varm] wärmer, wärmst 形　暖かい
　Heute ist *warm*.　きょうは暖かい．
　Machen Sie das Essen *warm*!　食事を暖めてください！
die **Wärme** [ˈvɛrmə] -/-n　暖かさ，温度
　Wir haben heute 25 Grad *Wärme*.　きょうは気温が25度ある．
warnen [ˈvarnən] 他　〈jn に〉警告する，…しないように注意する
　Ich *warnte* ihn *vor* der Gefahr.　私は彼に危険に用心するように警告した．
　Ich habe ihn oft *gewarnt*, das zu tun.　私は彼にそれをしないように，しばしば注意した．
warten [ˈvartən]　1 自〈auf jn・et⁴ を〉待つ　2 他〈jn の〉世話をする
　Ich habe lange *auf* Sie *gewartet*.　私は長いことあなたを待っていた．
　Sie *wartet* das Kind.　彼女は子供の守りをする．
warum [vaˈrʊm] 副《疑問》　なぜ
　Warum eilen Sie so sehr?　なぜそんなに急ぐのですか？
was [vas] 代　①《疑問》何が(を)　②《関係》およそ…である物(こと)

waschen

③《不定》何か
Was ist das? — それは何ですか？
Was machen Sie heute Abend? — 今晩あなたは何をしますか？
Er schenkt ihr *alles, was* sie sich³ wünscht. — 彼は彼女のほしがるものは何でもプレゼントする.
Er will dir *was* sagen. — 彼は君に何かを言いたがっている.
was für [ein] どんな
Was für ein Buch liest du jetzt? — 君はいまどんな本を読んでいる？

waschen* ['vaʃən] 他 洗う
Er *wäscht* sich³ die Hände. — 彼は手を洗う.

das **Wasser** ['vasər] -s/ 水
Ich möchte ein Glas *Wasser* trinken. — 私は水を1杯飲みたい.
Er wäscht sich⁴ mit warmem *Wasser*. — 彼はお湯でからだを洗う.

wechseln ['vɛksəln] 他 取り替える，交換する
Er *wechselt* seine Wohnung sehr oft. — 彼は何回となく転居する.
Er hat mit ihr Briefe *gewechselt*. — 彼は彼女と手紙を取りかわした.

wecken ['vɛkən] 他 目をさまさせる，起こす
Wecken Sie mich bitte um sieben Uhr! — どうか7時に起こしてください！

weder...noch... ['ve:dər] 接《副》 ...でもなく...でもない
Er hat *weder* Zeit *noch* Geld. — 彼には暇もなければ金もない.

der **Weg** [ve:k] -[e]s/-e 道
Wohin führt der *Weg*? — この道はどこへ通じていますか？
Ich traf sie gestern auf dem *Weg* zur Schule. — 私は昨日学校へ行く途中で彼女に会った.

weg [vɛk] 副 離れて，去って
Das Haus liegt weit *weg* von der Straße. — 家は通りから遠く離れている.
Der Zug ist schon längst *weg*. — 汽車はもうとっくに出てしまった.

wegen ['ve:gən] 前《2格》 ...のために，...のせいで
Wegen des schlechten Wetters bleibe ich zu Hause. — 天気が悪いので，私は家にいる.

weh [ve:] 形 痛い，悲しい
Wo tut es Ihnen *weh*? — どこが痛いのですか？〈非人称的〉

wehen ['ve:ən] 自 (風が)吹く，ひるがえる
Es *weht* ein starker Wind. — 強い風が吹いている.

weich [vaɪç] 形 柔らかい，優しい
Die Butter ist ganz *weich* geworden. — バターがすっかり柔らかくなってしまった.
Sie hat ein *weiches* Herz. — 彼女は優しい心の持ち主だ.

[die] Weihnachten ['vaɪnaxtən] 複 クリスマス
Fröhliche *Weihnachten*! — クリスマスおめでとう！
Ich schenke ihm zu *Weihnachten* — 私はクリスマスに彼に本をプレゼン

ein Buch. トする.

weil [vaɪl] 接《従》…なので
Er lernt Deutsch, *weil* er in Deutschland studieren will. 彼はドイツに留学するつもりなので, ドイツ語を学んでいる.

die **Weile** ['vaɪlə] -/ (一定の)時間, 暇
Nach einer *Weile* öffnete sich⁴ die Tür. しばらくしてドアが開いた.

der **Wein** [vaɪn] -[e]s/-e ぶどう酒
Er trank eine Flasche *Wein.* 彼はぶどう酒を1びん飲んだ.

weinen ['vaɪnən] 自 泣く
Er *weinte* über den Verlust. 彼は損失を悲しんで泣いた.
Sie *weinte* um den Toten. 彼女は死者をいたんで泣いた.

weise ['vaɪzə] 形 賢い
Sie hat *weise* gehandelt. 彼女は賢くふるまった.

die **Weise** [vaɪzə] -/-n 方法, やり方
Er versuchte es *auf* jede (*in* jeder) *Weise.* 彼はあらゆるやり方でそれを試みた.

weisen* ['vaɪzən] 1 他 示す 2 自〈*auf* jn・et⁴ を〉さし示す
Ich *wies* ihm den rechten Weg. 私は彼に正しい道を教えた.
Er *weist* mit dem Finger *auf* dich. 彼がおまえを指さしている.

weiß [vaɪs] 形 白い
Er hat schon *weißes* Haar. 彼はもう白髪になっている.

weit [vaɪt] 1 形 ① 広い ② 遠い 2 副 はるかに
Zu unseren Füßen dehnte sich⁴ eine *weite* Ebene. 私たちの足もとには広い平野が開けていた.
Wie *weit* ist es von hier bis zum Dorf? ここから村まではどのくらいありますか?
Das ist *weit* besser. そのほうがずっとよい.

weiter ['vaɪtər] 副〈*weit* の比較級〉さらに遠く, 先へ
Lesen Sie *weiter*! その先を読んでください!
und so *weiter* (略: usw.) など, 等々

welcher, welche, welches ['vɛlçɐr, 'vɛlçə, 'vɛlçəs] 代 ①《疑問》どの, どのような ②《関係》…するところの
Welchen Schüler meinen Sie? あなたはどの生徒のことを言っているのか?
Welch [ein] großer Künstler ist er! 彼はなんと偉大な芸術家であることか!
Das ist die Feder, *welche* ich zum Schreiben benutze. これは私が書きものに使うペンです.

die **Welle** ['vɛlə] -/-n 波
Die *Wellen* schlugen ans Ufer. 波が岸に打ち寄せた.

die **Welt** [vɛlt] -/-en 世界, 世間, この世
Er unternimmt eine Reise um die *Welt.* 彼は世界一周旅行を企てる.
Das weiß alle *Welt.* それを知らぬ者はない.

wenden⁽*⁾ ['vɛndən] 1 他 向ける 2 再《sich⁴》向きが変わる

Er *wandte* mir den Rücken. 彼は私に背を向けた.
Der Wind hat *sich*⁴ *gewendet*. 風向きが変わった.

wenig ['ve:nɪç] weniger (minder), wenigst (mindest) 数《不定》① わずかの, 少ししか…ない ②〈ein wenig〉少しの
Er trinkt *wenig* Wein. 彼は少ししか酒を飲まない.
Ich habe *ein wenig* Geld bei mir. 私は少し金を持ち合わせている.
Ich freute mich *nicht wenig*. 私は少なからず喜んだ.

wenigstens ['ve:nɪçstəns] 副 少なくとも
Ich besuchte ihn *wenigstens* dreimal. 私は彼を少なくとも3度訪問した.

wenn [vɛn] 接《従》①…するとき, もし…ならば ②〈過去の反復〉…したときはいつも ③〈認容〉たとえ…であろうとも
Wenn das Wetter schlecht ist, kann ich nicht ausgehen. もし天気が悪ければ, 私は外出できない.
Wenn er doch käme! 彼が来てくれたらなあ!
Wenn ich sie besuchte, freute sie *sich*⁴ immer sehr. 私が彼女をたずねると, いつも彼女はたいそう喜んだ.
Wenn die Aufgabe *auch* schwer ist, er wird sie lösen. たとえ問題がむずかしくても, 彼はそれを解くだろう.
Ich komme, *auch wenn* es regnet. たとえ雨が降っても, 私は来ます.

wer [ve:r] 代 ①《疑問》だれ ②《関係》およそ…する人
Wer ist der Mann dort? あそこにいる男はだれか?
Wer reich ist, [der] ist nicht immer glücklich. 富める者が, 必ずしも幸福とは限らない.

werden* ['ve:rdən] Ⅰ 自《s》…になる Ⅱ 助《s》①〈未来〉…だろう ②〈受動〉…される
Es *wird* warm (Nacht). 暖かく(夜に)なる.
Er *wurde* Arzt. 彼は医者になった.
Der Junge *wird zum* Mann. 少年が一人前の男になる.
Er *wird* bald gehen. 彼はもうじき行くだろう.
Er *wurde* vom Lehrer gelobt. 彼は先生にほめられた.

werfen* ['vɛrfən] 他 投げる
Er *warf* mir einen Stein an den Kopf. 彼は私の頭に石を投げつけた.

das **Werk** [vɛrk] -[e]s/-e 仕事, 作品, 事業
Es war ein schwieriges *Werk*. それは困難な仕事だった.
„Faust" gehört zu den größten *Werken* Goethes. 「ファウスト」はゲーテの最も偉大な作品の1つである.

wert [ve:rt] 形 ①〈et²·et⁴ の〉値うちがある, …に値する ② 貴重
Das ist nicht der Mühe² *wert*. それはほねおりがいがない.
Mein *werter* Freund! わが親愛なる友よ!

der **Wert** [ve:rt] -[e]s/-e 価値
Ich lege keinen *Wert* auf ihn. 私は彼を尊重しない.

das **Wesen** ['ve:zən] -s/- 本質, 存在, 性質
Wir forschen nach dem *Wesen* der Dinge. 私たちは事物の本質を探究する.

ein lebendes *Wesen* / 生き物
Sein *Wesen* gefällt mir. / 彼の人柄は好ましい.
weshalb [vɛsˈhalp, ʹ--] 副《疑問》 なぜ
Weshalb schriebst du nicht an mich? / なぜ君は私に手紙をくれなかったのか?
der **West[en]** [ʹvɛst(ən)] ..t[e]s, ..tens/ 西
Die Sonne geht im *Westen* unter. / 太陽が西に沈む.
das **Wetter** [ʹvɛtər] -s/- 天候
Es ist schönes (schlechtes) *Wetter*. / 天気がよい(悪い).
wichtig [ʹvɪçtɪç] 形 重要な
Das ist mir (für mich) sehr *wichtig*. / それは私にとって非常に重要である.
wider [ʹviːdər] 前《4格》 …に反して, 逆らって
Er hat das *wider* meine Erwartung getan. / 彼は私の期待に反してそれをした.
wie [viː] 1 副《疑問》いかに 2 接《従》…のように
Wie heißen Sie? / お名まえは何といいますか?
Wie alt sind Sie? / お年はいくつですか?
Wie schön ist der Abend! / 今晩はなんて美しいんだろう!
Er ist *so* alt *wie* mein Bruder. / 彼は私の兄弟と同じ年だ.
Er gab mir das Buch, *wie* er mir versprochen hatte. / 彼は約束したとおり, 私に本をくれた.
wieder [ʹviːdər] 副 再び
Ich bin gleich *wieder* da. / 私はすぐにもどって来る.
Immer wieder ruft er an. / 再三再四彼は電話をかける.
wiederholen [viːdərʹhoːlən] 他 繰り返す
Sie *wiederholte* ihre Frage. / 彼女は問いを繰り返した.
wieder|sehen* [ʹviːdərzeːən] 他 〈jn に〉再会する
Wann *sehen* wir uns[4] *wieder*? / いつまたお会いできるでしょうか?
Auf *Wiederseh[e]n*[4]! / さようなら!〈名詞的〉
wiegen[1] [ʹviːgən] 他 揺する
Sie *wiegte* das Kind auf den Armen. / 彼女は子供を腕に抱いて揺すった.
wiegen[2]* [ʹviːgən] 1 他 (…の)目方をはかる 2 自 ある重さがある
Der Kaufmann *wog* die Ware. / 商人は品物の目方をはかった.
Das Fleisch *wiegt* 2 Pfund. / その肉は重さが 2 ポンドある.
die **Wiese** [ʹviːzə] -/-n 草地, 牧場
Wir gingen auf die *Wiese*. / 私たちは牧場へ出かけて行った.
wie viel [vi fiːl] 形 いくつ, いくら
Wie viel Uhr ist es? / いま何時ですか?
Wie viel Zimmer hat das Haus? / その家には幾部屋あるか?
wievielt [viˈfiːlt] 形 何番めの
Den *wievielten* haben wir heute? / きょうは何日ですか?
wild [vɪlt] 形 野生の, 荒々しい
wilde Tiere / 野獣
Er schlug *wild* um sich[4]. / 彼は荒々しく打ちまくった.

der **Wille** [ˈvɪlə] -ns/-n 意志
  Das ist gegen meinen *Willen* geschehen. それは私の意に反して行なわれた.

willkommen [vɪlˈkɔmən] 形 歓迎される, 好ましい
  Seien Sie mir *willkommen*! よくいらっしゃいました!

der **Wind** [vɪnt] -[e]s/-e 風
  Der *Wind* weht (legt sich⁴). 風が吹く(やむ).
  Der *Wind* kommt von Osten. 風は東から吹いてくる.

der **Winkel** [ˈvɪŋkəl] -s/- かど, すみ
  Sie sitzt im *Winkel* des Zimmers. 彼女は部屋のすみにすわっている.

winken [ˈvɪŋkən] 自 合図をする
  Er *winkte* mir, ihm zu folgen. 彼は私に、ついて来るように合図をした.

der **Winter** [ˈvɪntər] -s/- 冬
  Ich bleibe den ganzen *Winter* da. 私は冬じゅうそこにいる.

wir [viːr] 代 われわれ
  Wir wollen hier bleiben. 私たちはここにとどまろう.

wirken [ˈvɪrkən] 1 自 ① 活動する ② ⟨auf jn・et⁴ に⟩ 作用(影響)する 2 他 行なう, 果たす
  Er *wirkt* als Lehrer an einer Schule. 彼は学校で教師として働いている.
  Das Wetter hat *auf* meine Gesundheit günstig *gewirkt*. 天候が私の健康によい影響を及ぼした.
  Sein Beispiel *wirkte* viel Gutes. 彼の先例が多くの好結果を産んだ.

wirklich [ˈvɪrklɪç] 1 形 現実の, 実際の 2 副 実際に, ほんとうに
  Die *wirklichen* Verhältnisse sind anders. 実状は異なっている.
  Kommt er *wirklich*? 彼はほんとうに来るのか?

die **Wirkung** [ˈvɪrkʊŋ] -/-en 作用, 影響, 結果
  Seine Rede hatte keine *Wirkung*. 彼の演説は効果がなかった.

der **Wirt** [vɪrt] -[e]s/-e 主人, 亭主
  Herr *Wirt*, zahlen! 亭主, お勘定だ!

die **Wirtschaft** [ˈvɪrt-ʃaft] -/-en 経済

wissen* [ˈvɪsən] 他 ① 知っている ② ⟨zu 不定詞と⟩ できる, 心得ている
  Er *wusste* nicht, dass sie lügte. 彼は彼女が嘘をついているとは知らなかった.
  Das *weiß* ich schon. そのことなら私はもう知っている.
  Er *weiß* sich³ *zu* helfen. 彼は自分で何とかやってゆける.

die **Wissenschaft** [ˈvɪsənʃaft] -/-en 学問, 科学
  die Natur*wissenschaft* 自然科学
  die Geistes*wissenschaft* 精神科学

wo [voː] 副 ①《疑問》どこに ②《関係》...する所(時)に
  Wo warst du gestern? 君は昨日どこにいたか?
  Hier ist das Hotel, *wo* ich eine Woche gewohnt habe. これが, 私が1週間泊まっていたホテルです.

die **Woche** [ˈvɔxə] -/-n 週
  Er kommt noch in dieser *Woche*. 彼は今週中に来る.

nächste (vorige) *Woche*　　　　来(先)週
woher [voːˈheːr] 副《疑問》どこから
　Woher kommen Sie?　　　　あなたはどこから来ましたか？
wohin [voːˈhɪn] 副《疑問》どこへ
　Wohin fahren Sie am Sonntag?　日曜日にはどこへ行かれますか？
wohl [voːl] besser, best **1** 形 よい，快い，健康な　**2** 副 ① よく　② たぶん
　Ich bin ganz *wohl*.　　　　私はしごく健康です．
　Mir ist nicht *wohl*.　　　　私は気分がすぐれない．〈非人称的〉
　Leben Sie *wohl*!　　　　ごきげんよう！
　Bis morgen wird er *wohl* zurückkommen.　明日までには，彼はたぶんもどって来るだろう．
wohnen [ˈvoːnən] 自 住む
　Ich *wohne* jetzt bei meinem Onkel.　私はいまおじのところに住んでいる．
die **Wohnung** [ˈvoːnʊŋ] -/-en 住い
　Unsere *Wohnung* ist in der Schillerstraße.　私たちの住いはシラー街にある．
der **Wolf** [vɔlf] -[e]s/⸚e　おおかみ
die **Wolke** [ˈvɔlkə] -/-n　雲
　Der Himmel ist mit *Wolken* bedeckt.　空は雲におおわれている．
wollen* [ˈvɔlən] 助　① …したい，…するつもりである　② まさに…しようとする　③ …と主張する
　Ich *will* mit ihm sprechen.　私は彼と話したい．
　Das Kind hat nicht schlafen *wollen*.　子供は眠りたがらなかった．
　Es *will* regnen.　　　　雨が降りそうだ．
　Er *will* es nicht getan haben.　彼はそれをしなかったと主張する．
das **Wort** [vɔrt] ① -[e]s/⸚er 単語　② -[e]s/-e 言葉，語句
　Ich habe diese *Wörter* noch nicht gelernt.　私はこれらの単語をまだ習っていない．
　Sie wechselten nur ein paar *Worte*.　彼らは二言三言言葉をかわしただけだった．
　das *Wörter*buch　　　　辞書
die **Wunde** [ˈvʊndə] -/-n　傷
　Ich habe eine *Wunde* an der Hand.　私は手にけがをしている．
das **Wunder** [ˈvʊndər] -s/-　奇跡，驚異，不思議
　Das ist kein *Wunder*.　　それは別に不思議なことではない．
wunderbar [ˈvʊndərbaːr] 形　驚くべき，不思議な，すばらしい
　Welch ein *wunderbares* Wetter!　何というすばらしい天気だろう！
wundern [ˈvʊndərn] **1** 他 驚かす　**2** 再《sich^4》〈über et^4 に〉驚く，不思議に思う
　Es *wundert* mich, dich hier zu finden.　君がここにいるとは驚いた．
　Ich *wunderte* mich über seine Kenntnisse.　私は彼の知識に驚いた．

der **Wunsch** [vʊnʃ] -es/-̈e 願望
  Haben Sie noch einen *Wunsch*? ほかにご用がおありですか?
wünschen [ˈvʏnʃən] 他自 願う, 望む
  Was *wünschen* Sie? 何のご用ですか?
  Ich *wünsche* mir ein kleines Haus. 私は小さな家が1軒ほしい.
  Ich *wünsche* Ihnen ein glückliches Neujahr! 新年おめでとう!
die **Wurzel** [ˈvʊrtsəl] -/-n 根
  Der Baum schlägt *Wurzel*. 木が根を張る.

Z

die **Zahl** [tsaːl] -/-en 数, 数字
  13 gilt als eine unglückliche *Zahl*. 13は不吉な数とされている.
zahlen [ˈtsaːlən] 他自 支払う
  Kellner, [ich möchte] *zahlen*! ボーイさん, お勘定!
  Ich werde für das Essen *zahlen*. 私が食事の代金を払おう.
zählen [ˈtsɛːlən] 他 数える
  Er *zählt* sein Geld. 彼は金を勘定する.
der **Zahn** [tsaːn] -[e]s/-̈e 歯
  Der *Zahn* tut mir weh. 私は歯が痛む.
zart [tsaːrt] 形 繊細な, きゃしゃな, 優しい
  Sie hat *zarte* Hände. 彼女はきゃしゃな手をしている.
  Sie behandelte das Kind sehr *zart*. 彼女はその子にとても優しくした.
der **Zauber** [ˈtsaʊbər] -s/- 魔力, 魔法
zehn [tseːn] 数 10
das **Zeichen** [ˈtsaɪçən] -s/- 印, 記号; 兆候; 合図
  Es ist kein gutes *Zeichen*. それはよい兆候ではない.
  Sie gab ihm ein *Zeichen*. 彼女は彼に合図した.
zeichnen [ˈtsaɪçnən] 他自 ①(鉛筆などで)描く ②⟨et⁴ に⟩印をつける
  Er *zeichnet* die Landschaft. 彼は風景画を(線画で)描く.
  Die Waren sind mit A *gezeichnet*. 商品にはAという印がついている.
zeigen [ˈtsaɪgən] 1 他 ⟨jm に et⁴ を⟩ 見せる, 示す 2 再 ⟪sich⁴⟫ 現われる 3 自 さし示す
  Er *zeigte* ihr den Weg. 彼は彼女に道を教えた.
  Ich *zeigte* ihm den Brief. 私は彼に手紙を見せた.
  Sie *zeigte sich*⁴ am Fenster. 彼女は窓べに姿を見せた.
  Die Uhr *zeigt* auf zwölf. 時計が12時をさす.
die **Zeit** [tsaɪt] -/-en 時, 時間, 時刻; 時代
  Seit kurzer *Zeit* ist er wieder hier. しばらく前から彼はもどって来ている.
  Es ist *Zeit* zu arbeiten. 仕事をする時間だ.
  Ich habe keine *Zeit*. 私は暇がない.
  Es ist jetzt eine schlimme *Zeit*. 今は不景気な時代だ.
die **Zeitschrift** [ˈtsaɪtʃrɪft] -/-en 雑誌

Dies sind die neuesten *Zeitschrif-* これが最近号の雑誌だ.
ten.
die **Zeitung** ['tsaɪtʊŋ] -/-en　新聞
　　Was steht in der *Zeitung*? 新聞には何が出ていますか?
zerbrechen* [tsɛr'brɛçən]　1 他 こわす，くだく　2 自 《s》こわれる，くだける
　　Ich habe den Teller *zerbrochen*. 私は皿を割ってしまった.
　　Das Glas ist in tausend Stücke⁴ コップはこなごなに割れてしまった.
zerbrochen.
zerstören [tsɛr'ʃtøːrən] 他　破壊する
　　Die Stadt ist im Krieg *zerstört* 町は戦争のときに破壊された.
worden.
das **Zeug** [tsɔʏk] -[e]s/-e　道具, 器具
der **Zeuge** ['tsɔʏɡə] -n/-n　証人, 目撃者
　　Es waren keine *Zeugen* da. 目撃者はだれもいなかった.
ziehen* ['tsiːən]　1 他 ① 引く　② (線を引いて)描く　2 自《s》進む, 移動する
　　Das Pferd *zieht* den Wagen. 馬が馬車を引く.
　　Sie *zog* den Ring vom Finger. 彼女は指輪を指から引き抜いた.
　　Er *zog* einen Kreis. 彼は円を描いた.
　　Die Wolken *ziehen* nach Norden. 雲が北へ動いて行く.
das **Ziel** [tsiːl] -[e]s/-e　目標, 目的[地]
　　Er hat sein *Ziel* erreicht. 彼は目的地に着いた(目的を達した).
ziemlich ['tsiːmlɪç] 形　相当の, かなりの
　　Er ist schon *ziemlich* alt. 彼はもうかなり年をとっている.
die **Zigarette** [tsiɡaˈrɛtə] -/-n　紙巻きタバコ
　　Er raucht eine *Zigarette*. 彼はタバコを吸う.
die **Zigarre** [tsiˈɡarə] -/-n　葉巻
　　Ich bot ihm eine *Zigarre* an. 私は彼に葉巻をすすめた.
das **Zimmer** ['tsɪmər] -s/-　部屋
　　Das *Zimmer* liegt nach Norden. その部屋は北に面している.
zittern ['tsɪtərn] 自　震える
　　Mir *zittern* die Knie. 私はひざがしらが震える.
zögern ['tsøːɡərn] 自　躊躇する
　　Warum *zögern* Sie zu kommen? なぜ来ることをためらうのですか?
der **Zorn** [tsɔrn] -[e]s/-　怒り
　　Sie war blass vor *Zorn*³. 彼女は怒りで青ざめていた.
zornig ['tsɔrnɪç] 形　怒った
　　Sie war *zornig* [auf ihn]. 彼女は[彼に]腹をたてていた.
zu [tsuː]　1 前 (3格) ① …へ；…に；…に対して(向かって)；…で；…のために　② 〈不定詞とともに〉…すること, …すべき, …するために　2 副 ① …のほうへ　② 閉じて　③ あまりに, …すぎる
　　Morgen gehe ich *zum* Arzt. 明日私は医者へ行く.
　　Er kam *zu* mir. 彼は私のところへ来た.
　　Der Lehrer sprach *zu* seinen 先生は生徒たちに語った.
Schülern.

Ich bleibe *zu* Hause. 私はずっと家にいる.
Er wurde *zu* Berlin geboren. 彼はベルリンで生まれた.
Er ging *zur* Tür hinaus. 彼は戸口から出て行った.
Sie besuchten mich *zu* Neujahr. 彼らは正月に私のところへ来た.
Er aß Brot *zum* Fleisch. 彼は肉にそえてパンを食べた.
Was meinen Sie da*zu*? それについてどう思いますか?
Er kam *zu* Fuß. 彼は徒歩で来た.
Ich tue das *zu* meinem Vergnügen. 私は自分の楽しみのためにそれをする.
Er hörte auf *zu* reden. 彼は話をやめた.
Das Kind *ist zu* loben. その子はほめてやらねばならない.
Er ging auf sie *zu*. 彼は彼女のほうへ近寄った.
Die Tür ist *zu*. 戸はしまっている.
Er spricht *zu* schnell. 彼は早口すぎる.

der **Zucker** ['tsʊkər] -s/ 砂糖
  Ich trinke den Kaffee mit *Zucker*. 私はコーヒーに砂糖を入れて飲む.

zuerst [tsu-'e:rst] 副 最初に, まず第一に
  Zuerst kommt die Arbeit, dann das Vergnügen. まず仕事, そのあとで気晴らしだ.

der **Zufall** ['tsu:fal] -[e]s/..fälle 偶然
  Das ist doch ein reiner *Zufall*. それはまったくの偶然だ.

zufällig ['tsu:fɛlɪç] 形 偶然の
  Ich traf ihn *zufällig*. 私は偶然彼に出会った.

zufrieden [tsu'fri:dən] 形 満足した, 満ち足りた
  Ich bin mit ihm *zufrieden*. 私は彼に満足している.

der **Zug** [tsu:k] -[e]s/-̈e ① 列車 ② 引く(飲む, 吸う)こと ③ 移動, 行進[の列] ④ 顔だち; 特徴
  Der *Zug* fährt ab (kommt an). 汽車が発車(到着)する.
  Ich fahre mit dem *Zug*. 私は汽車で行く.
  Er tat einen *Zug* aus der Pfeife. 彼はパイプを1服吸った.
  Der lange *Zug* von Wagen bewegt sich⁴ langsam. 車の長い列がゆっくりと進んで行く.
  Er hat angenehme *Züge*. 彼は感じのよい顔だちをしている.

zu|geben* ['tsu:ge:bən] 他 認める
  Er wollte es nicht *zugeben*. 彼はそれを認めようとしなかった.

zu|gehen* ['tsu:ge:ən] 自 《(s)》 ① しまる ② 〈auf jn・et⁴ に〉向かって行く, 近づく
  Die Tür *geht* nicht *zu*. 戸がしまらない.
  Er *geht* auf sie *zu*. 彼は彼女のほうへ行く.

zugleich [tsu'glaɪç] 副 同時に
  Sie standen alle *zugleich* auf. 彼らはみな同時に立ち上がった.

zu|hören ['tsu:hø:rən] 自 〈jm の言葉に〉耳を傾ける
  Sie *hörten* mir *zu*. 彼らは私の言葉に耳を傾けた.

der **Zuhörer** ['tsu:hø:rər] -s/- 傾聴する人, 聴衆

die **Zukunft** ['tsu:kʊnft] -/ 未来, 将来
  Er hat eine große *Zukunft*. 彼には洋々たる前途がある.

zuletzt [tsu'lɛtst] 副 ① 最後に; ついに ② この前

Ich kam *zuletzt*. 私がいちばんあとから来た。
Wann haben wir uns[4] *zuletzt* gesehen? この前お会いしたのはいつでした？

zu|machen ['tsu:maxən] 他 しめる，閉じる
Er *macht* die Tür *zu*. 彼はドアをしめる。

zunächst [tsu'nɛːçst] 副 第一に，何はさておき
Er denkt *zunächst* nur an sich[4]. 彼がまっ先に考えるのは自分のことだけだ。

zu|nehmen* ['tsu:ne:mən] 自 増大する，増加する
Ich habe an Gewicht[3] *zugenommen*. 私は体重が増した。

die **Zunge** ['tsʊŋə] -/-n 舌
Ich habe mich auf die *Zunge* gebissen. 私は舌をかんだ。

zurück [tsu'rʏk] 副 ① 後方へ ② もとへ，もどって
Zurück! あとへさがれ！
Er ist noch nicht *zurück*. 彼はまだ帰ってこない。

zurück|geben* [tsu'rʏkge:bən] 他 返す，もどす
Sie *gab* mir das Geld *zurück*. 彼女は私に金を返した。

zurück|kehren [tsu'rʏkke:rən] 自《s》帰る，もどる
Er *kehrt* in die Heimat *zurück*. 彼は帰郷する。

zurück|kommen* [tsu'rʏkkɔmən] 自《s》帰ってくる
Wann *kommen* Sie *zurück*? いつ帰っていらっしゃるのですか？

zusammen [tsu'zamən] 副 ともに，いっしょに，あわせて
Wir sind immer *zusammen*. 私たちはいつもいっしょだ。
Das kostet *zusammen* zehn Mark. それは合計10マルクになる。

der **Zuschauer** ['tsu:ʃaʊər] -s/- 観客；傍観者

zu|schreiben* ['tsu:ʃraɪbən] 他 〈jm et[4]〉…を…のせいにする
Das ist ihm *zuzuschreiben*. それは彼のせいだ。

der **Zustand** ['tsu:ʃtant] -[e]s/..stände 状態，事情，容態，境遇
Der *Zustand* des Kranken hat sich[4] nicht geändert. 病人の容態は変わらない。

zuweilen [tsu'vaɪlən] 副 ときどき
Zuweilen kamen Menschen zu uns[3]. 時おり人が私たちのところへ来た。

der **Zwang** [tsvaŋ] -[e]s/⸚e 強制，圧迫，拘束
Er hat es aus *Zwang* getan. 彼はやむをえずそうした。

zwanzig ['tsvantsɪç] 数 20

zwar [tsvaːr] 副 ① 〈aber, allein, doch と〉なるほど（…ではあるが）② 〈und と〉しかも
Er ist *zwar* alt, *aber* noch ganz gesund. 彼は老人ではあるが，まだごく達者だ。
Er spricht Deutsch, *und zwar* sehr gut. 彼はドイツ語を，しかも非常にじょうずに話す。

der **Zweck** [tsvɛk] -[e]s/-e 目的
Welchem *Zweck* dient das? それは何の役にたつのか？

zwei [tsvaɪ] 数 2

der **Zweifel** ['tsvaɪfəl] -s/- 疑い，疑問，懐疑
Das ist außer allem *Zweifel*. それは全く疑いの余地がない。

zweifeln [ˈtsvaɪfəln] 自 〈an et³ を〉疑う
 Ich *zweifle* nicht *an* deinem guten Willen. 　私は君の善意を疑わない.
der **Zweig** [tsvaɪk] -[e]s/-e 小枝
 Ein Vogel sitzt auf dem *Zweig*. 　鳥が小枝にとまっている.
zwingen* [ˈtsvɪŋən] 他 しいて…させる, 余儀なくさせる
 Sie *zwang* ihn da*zu*. 　彼女は彼にしいてそれをさせた.
 Ich *zwang* mich zu lächeln. 　私はむりに笑顔をつくった.〈再帰的〉
zwischen [ˈtsvɪʃən] 前《3・4格》…のあいだに(へ)
 Ich sitze *zwischen* ihm und ihr. 　私は彼と彼女のあいだにすわっている.
 Setz dich *zwischen* uns⁴! 　私たちのあいだへすわりたまえ！
zwölf [tsvœlf] 数 12
 die *zwölf* Monate 　12か月

da[r], wo[r]+前置詞

事物をあらわす3人称の人称代名詞・指示代名詞に前置詞をそえる場合:

da (前置詞が母音で始まるときは **dar**)+前置詞

疑問代名詞の was や事物をあらわす関係代名詞に前置詞をそえる場合:

wo (**wor**)+前置詞

と略すことがある.

[例] in der Tasche ポケットの中に → in ihr → *darin*

Woran denken Sie? 何を考えているのですか?

die Feder, mit der ich schreibe 私が書きものに使うペン → die Feder, *womit* ich schreibe

前置詞	*da[r]*+前置詞	*wo[r]*+前置詞
an	*daran*	*woran*
auf	*darauf*	*worauf*
aus	*daraus*	*woraus*
bei	*dabei*	*wobei*
durch	*dadurch*	*wodurch*
für	*dafür*	*wofür*
gegen	*dagegen*	*wogegen*
hinter	*dahinter*	*wohinter*
in	*darin*	*worin*
	darein	*worein*
mit	*damit*	*womit*
nach	*danach*	*wonach*
neben	*daneben*	*woneben*
über	*darüber*	*worüber*
um	*darum*	*worum*
unter	*darunter*	*worunter*
von	*davon*	*wovon*
vor	*davor*	*wovor*
zu	*dazu*	*wozu*
zwischen	*dazwischen*	*wozwischen*

注 1: **darin, worin** は in が単なる場所を示す場合 ; **darein, worein** は in が動作の方向を示す場合に用いられる.

注 2: **da[r]** は, 後に来る副文や, zu を伴う不定詞句をあらかじめ示すことがある.

Er sorgt dafür, dass alles gut geht.	彼は万事うまくゆくように配慮する.
Sie wartet darauf, ein Geschenk zu bekommen.	彼女は贈り物をもらうのを待っている.

前置詞+einander

einander「たがいに」はしばしば前置詞と結合して用いられる.

[例]	Wir schreiben *aneinander*.	私たちは手紙のやりとりをする.
	Die Kinder streiten *miteinander*.	子供たちがけんかをする.
	Sie stehen *nebeneinander*.	彼らは並びあって立っている.

sehen, schauen, blicken

sehen: 「見る」という意味で,もっとも一般的.

Ich *sehe* nichts.	私には何も見えない.
Ich *sehe* auf meine Uhr.	私は自分の時計を見る.
Ich *sehe* zum Fenster hinaus.	私は窓から外を見る.
Sie *sieht* ihn fragend *an*.	彼女は物問いたげに彼を見つめる.
Ich *sehe* mir Bilder *an*.	私は絵を見る(鑑賞する).

schauen: 「注意して見る」というニュアンスが強い.

Ich *schaue* auf den Lehrer.	私は先生を注視する.
Ich *schaue* nach allen Seiten.	私は四方八方を見る.
Ich *schaue* um mich [herum].	私はあたりを見まわす.
Ich *schaue* ins Tal hinab.	私は谷を見おろす.
Ich *schaue* meinen Freund *an*.	私は友人を見つめる.

blicken: 視線のすばやい動きを意味のうちに含む.

Ich *blicke* hinauf.	私は上を見あげる.
Ich *blicke* hinein.	私は中を(ちらっと)のぞきこむ.
Die Sonne *blickt* durch die Wolken.	日光が雲間からもれる.
Ich *erblicke* ein Schiff.	私は1隻の船影を認める.

第 2 部

項目別基本単語
(赤色は第1部に含まれる単語)

Der menschliche Körper 人体

der **Mensch** -en/-en	人間
der **'Körper** -s/-, *der* **Leib** -[e]s/-er	からだ, 肉体
der **Kopf** -[e]s/⸚e	頭
das **Haar** -[e]s/-e	毛, 髪
der **Bart** -[e]s/⸚e	ひげ
das **Ge'sicht** -[e]s/-er	顔
die **Stirn** -/-en	額
das **'Auge** -s/-n	目
die ['Augen]'braue -/-n	まゆ
die **'Wimper** -/-n	まつ毛
die **'Schläfe** -/-n	こめかみ
die **'Wange** -/-n, *die* **'Backe** -/-n	頬
die **'Nase** -/-n	鼻
der **Mund** -[e]s/-e, ⸚er	口
die **'Lippe** -/-n	くちびる
die **'Zunge** -/-n	舌
der **Zahn** -[e]s/⸚e	歯
das **Kinn** -[e]s/-e	あご
das **Ohr** -[e]s/-en	耳
der **Hals** -es/⸚e	首
die **'Kehle** -/-n	のど
der **'Nacken** -s/-	首筋
der **Rumpf** -[e]s/⸚e	胴[体]
der **'Rücken** -s/-	背中
die **'Schulter** -/-n	肩
die **'Rippe** -/-n	肋骨(ろっこつ)
die **Brust** -/⸚e	胸, 乳
die **'Hüfte** -/-n	腰
der **Bauch** -[e]s/⸚e	腹
die **'Glieder** 複	四肢, 手足
der **Arm** -[e]s/-e	腕
die **Hand** -/⸚e	手
der **'Finger** -s/-	指
der **'Nägel** -s/-	つめ
der **'Daumen** -s/-	親指
der **'Zeige·finger** -s/-	人さし指
der **'Mittel·finger** -s/-	なか指
der **'Ring·finger** -s/-	くすり指
der **kleine Finger**	小指
die **Faust** -/⸚e	こぶし
das **Bein** -[e]s/-e	足, すね
das **Knie** -s/-	ひざ
der **Fuß** -es/⸚e	足
der **Zeh** -[e]s/-en, *die* **'Zehe** -/-n	足指
das **Or'gan** -s/-e	器官
die **Haut** -/⸚e	皮膚
der **'Knochen** -s/-	骨
das **Fleisch** -es/-	肉
das **Blut** -[e]s/-	血
der **'Muskel** -s/-n	筋肉
das **Ge'lenk** -[e]s/-e	関節
der **Nerv** [nɛrf] -s/-en [..fən ..vən]	神経
die **'Ader** -/-n	血管
das **'Eingeweide** -s/-	内臓
die **'Lunge** -/-n	肺
das **Herz** -ens[2], -en[3], -[4]/-en	心臓
die **'Leber** -/-n	肝臓
der **'Magen** -s/-	胃
der **Darm** -[e]s/⸚e	腸
der **Puls** -es/-e	脈搏
der **Sinn** -[e]s/-e	感覚
'atmen 自他	呼吸する
'sehen* 他自	見る, 見える
'hören 他自	聞く, 聞こえる
'schmecken 他自	味わう
'riechen* 他	かぐ
'fühlen	感ずる; さわってみる
'kauen 他自	かむ
'schlucken 他自	飲みこむ
ver'dauen 他	消化する
'menschlich 形	人間の
'körperlich 形	からだの
blond 形	ブロンドの

Familie 家族

der **Mann**	-[e]s/⸚er	男；夫	
die **Frau**	-/-en	女；妻	
der **Herr**	-n/-en	紳士	
die **'Dāme**	-/-n	婦人	
das **'Fräulein**	-s/-	未婚婦人	
der **Er'wachsene**	《形 変化》お		
der **'Jüngling**	-s/-e	青年 しとな	
der **'Junge**	-n/-n	少年	
das **'Mädchen**	-s/-	少女	
das **Kind**	-[e]s/-er	子供	
der **'Alte**	《形 変化》	老人	
die **Fa'milie**	-/-n	家族，家庭	
die **Eltern** 複		両親	
der **'Vāter**	-s/⸚	父	
die **'Mutter**	-/⸚	母	
der **Sohn**	-[e]s/⸚e	息子	
die **'Tochter**	-/⸚	娘	
die **Ge'schwister** 複		兄弟姉妹	
der **'Brūder**	-s/⸚	兄，弟，兄弟	
die **'Schwester**	-/-n	姉，妹，姉妹	
die **'Größeltern** 複		祖父母	
der **'Großvāter**	-s/..väter	祖父	
die **'Großmutter**	-/..mütter	祖母	
der **'Enkel**	-s/-	孫	
die **'Enkelin**	-/-nen	孫娘	
der **Ver'wandte**	《形 変化》	親類の人	
der **'Onkel**	-s/-	おじ	
die **'Tante**	-/-n	おば	
der **'Vetter**	-s/-n	いとこ(男)	
die **Ku'sine**	-/-n	いとこ(女)	
der **'Neffe**	-n/-n	おい	
die **'Nichte**	-/-n	めい	
der **'Stief·vāter**	-s/⸚	継父	
die **'Stief·mutter**	-/⸚	継母	
die **Heirāt**	-/-en	結婚	
die **Ver'lōbung**	-/-en	婚約	
der **Ver'lōbte**	《形 変化》	婚約者	
der **'Bräutigam**	-s/-e	婚約者(男)，花婿	
die **Braut**	-/⸚e	婚約者(女)，花嫁	
das **'Ehe·paar**	-[e]s/-e	夫婦	
der **'Gatte**	-n/-n	夫	
die **Gattin**	-/-nen	妻	
der **'Haus·herr**	-n/-en	主人	
die **'Haus·frau**	-/-en	主婦	
der **'Jung·geselle**	-n/-n	独身	
die **'Hōchzeit**	-/-en	結婚式，男	
die **'Hōchzeits·reise**	-/-n	新婚旅行	
der **'Hōnig·mōnd**, der **'Hōnig·mōnat**	-[e]s/-e	蜜月，ハネムーン	
der **'Trau·ring**, der **'Ehe·ring**	-[e]s/-e	結婚指輪	
der **'Schwieger·vāter**	-s/⸚	しゅうと	
die **'Schwieger·mutter**	-/⸚	しゅうとめ	
der **'Schwieger·sohn**	-[e]s/⸚e	婿	
die **'Schwieger·tochter**	-/⸚		
der **'Schwāger**	-s/⸚	義兄弟，嫁	
die **'Schwägerin**	-/-nen	義姉妹	
die **'Witwe**	-/-n	未亡人	
die **'Waise**	-/-n	孤児	

'taufen 他 〈jn に〉洗礼をほどこす，命名する
ver'lōben 再 〈sich⁴〉〈と〉婚約する
'heirāten 他 〈jn と〉結婚する
ver'heirāten 再 〈sich⁴〉〈mit jm と〉結婚する
'werben* 自 〈um jn に〉求婚する

ver'heirātet 形 既婚の
'un·verheirātet, 'lēdig 形 未婚の，独身の

Mein Vater ist der Gatte meiner Mutter, und diese ist die Gattin meines Vaters. 私の父は私の母の夫であり，私の母は私の父の妻である。 Wir sind sechs Geschwister. 私たちは6人兄弟(姉妹)である。 Meine älteste Schwester hat sich⁴ mit einem Jüngling verlobt. 私

の長姉はある青年と婚約した. Wenn sie sich⁴ verheiraten, bekomme ich einen Schwager. 彼らが結婚すれば、私は義兄を持つことになる. Mein Vetter ist unverheiratet. Er ist ein Junggeselle. 私のいとこは結婚していない. 彼は独身である. Kinder, die beide Eltern verloren haben, sind Waisen. 両親を失った子供は孤児である.

Kleidung 服装

die ′**Kleidung** -/-en　服装
das **Kleid** -[e]s/-er　着物, 衣服
der ′**Anzug** -[e]s/..züge　（特に男の）衣服
die **Uni**′**form** -/-en　制服
das ′**Nacht·hemd** -[e]s/-en,
der ′**Schläf·anzug** -[e]s/..züge　寝巻, パジャマ
der **Rock** -[e]s/ⁿe　（男の）上着；（女の）スカート
die ′**Tasche** -/-n　ポケット
das ′**Taschen·tuch** -[e]s/..tücher　ハンカチ
die ′**Hose** -/-n　ズボン
der **Strumpf** -[e]s/ⁿe　靴下
die ′**Socke** -/-n　ソックス
der **Schuh** -[e]s/-e　靴
der ′**Stiefel** -s/-　長靴
der **Pan**′**toffel** -s/-n　スリッパ
die ′**Sohle** -/-n　靴底, サンダル
der ′**Ärmel** -s/-　そで
der ′**Kragen** -s/-　えり, カラー
der ′**Schlips** -es/-e, *die* **Kra**′**watte** -/-n　ネクタイ
die ′**Jacke** -/-n　（背広の）上着；ジャケツ
die ′**Weste** -/-n　チョッキ
der ′**Mantel** -s/ⁿ　オーバー, コート
der ′**Über·zieher** -s/-　オーバー
der ′**Hand·schuh** -[e]s/-e　手袋
der **Frack** -[e]s/-s, ⁿe　燕尾服
die ′**Bluse** -/-n　ブラウス
der **Schäl** -s/-e　ショール, ロン
die ′**Schürze** -/-n　前掛け, エプ
das ′**Hals·tuch** -[e]s/..tücher
der **Hut** -[e]s/ⁿe　帽子, スカーフ
die ′**Mütze** -/-n　縁なし帽

der ′**Regen·mantel** -s/ⁿ　レインコート, 雨がさ
der ′**Regen·schirm** -[e]s/-e
der ′**Sonnen·schirm** -[e]s/-e　日がさ
der **Pelz** -es/-e　毛皮
der ′**Schleier** -s/-　ヴェール
das ′**Futter** -s/-　裏地
der **Knopf** -[e]s/ⁿe　ボタン
das ′**Knopf·loch** -[e]s/..löcher
der ′**Gürtel** -s/-　ベルト, ボタン穴
das **Hemd** -[e]s/-en　シャツ
die ′**Wäsche** -/-n　洗濯物；下着
der [′**Kleider**]′**bügel** -s/-　ハンガー
die ′**Mode** -/-n　流行, モード
der **Schmuck** -[e]s/-e　装飾, 装身具, 首飾り
das ′**Hals·band** -[e]s/..bänder
die ′**Ohr·ring** -[e]s/-e　イヤリング
die ′**Hand·tasche** -/-n　ハンドバッグ
der **Faden** -s/ⁿ　糸
die ′**Nadel** -/-n　針
der **Stoff** -[e]s/-e　服地, 生地
die ′**Wolle** -/-n　羊毛, 毛糸
die ′**Baum·wolle** -/-n　もめん
das ′**Leinen** -s/-　亜麻布, リンネ
die ′**Seide** -/-n　絹, しる
die ′**Falte** -/-n　ひだ, しわ

′**an**|**haben*** 他　身につけている
′**an**|**legen** 他　身につける
′**ab**|**legen** 他　脱ぐ
′**kleiden** ① 他〈jn に〉着物を着せる ② 再《sich⁴》着物を着る
′**an**|**kleiden** 再《sich⁴》（着物を）着る

化粧　　　　　　　　　　　　　　　　　　　　　　　　　　　148

'aus|kleiden 再《sich⁴》（着物を）脱ぐ「る	'nähen 他自　縫う
'um|kleiden 再《sich⁴》着替え	'sticken 他　刺繡をする
'an|ziehen* 他　着る, 身に着ける	'stricken 他　編む
'aus|ziehen* 他　脱ぐ	'spinnen* 他　紡ぐ
'trägen* 他　身につけている, 着ている「る	'wēben* 他自　織る
'um|ziehen* 再《sich⁴》着替え	'zu|knöpfen 他　ボタンをかける
'ab|nehmen* 他（帽子などを）脱ぐ	'auf|knöpfen 他　ボタンをはずす
	'an|probieren 他（ためしに）着てみる
'passen 自　合う, 似合う	'seiden 形　絹の
'flicken 他　繕う, 修繕する	'wollen 形　羊毛の, 毛織の

Ich hänge meinen Rock auf einen Kleiderbügel, damit er keine Falten bekomme. しわがよらないように, 私は上着をハンガーに掛ける. Ich ziehe meinen Schlafanzug an (aus). 私はパジャマを着る(脱ぐ). Sie hat dasselbe Kleid wie gestern an. 彼女は昨日と同じ服を着ている. Der kurze Rock ist jetzt Mode. 短いスカートがいまはやっている. Dieses Kleid ist aus der Mode. この服は流行遅れだ. Diese Krawatte passt mir gar nicht. このネクタイは私にまったく似合わない.

Toilette 化粧

die Toilette [toa'lɛtə] -/-n 洗面所, 化粧[室]「器	der Kamm -[e]s/⸚e　くし
das 'Wasch·becken -s/- 洗面	das Bād -[e]s/⸚er 入浴; 浴室
der 'Wasch·tisch -es/-e 洗面台	das 'Bāde·zimmer -s/-　浴室
der ['Wasser]hahn -[e]s/..hähne（水道の）栓, コック	die ['Bāde]wanne -/-n　浴槽
	die 'Dusche -/-n　シャワー
die 'Seife -/-n　せっけん	der Friseur [fri'zø:r] -s/-e 床屋, 理髪師
das 'Hand·tūch -[e]s/..tücher タオル, 手ぬぐい	das 'Haar·schneiden -s/ 散髪, (髪の)刈り込み
der 'Wasch·lappen -s/- 浴用タオル	das 'Haar·waschen -s/ 洗髪
die 'Bürste -/-n　ブラシ	der 'Scheitel -s/-（髪の）分け目
die 'Zahn·bürste -/-n 歯ブラシ	die 'Dauer·wellen 複　パーマネント・ウェーブ
die 'Zahn·pasta -/..ten 練り歯みがき	
der 'Spiegel -s/-　鏡	'waschen* 他自　洗う
der Schwamm -[e]s/⸚e 海綿, スポンジ	'ab|trocknen 他　かわかす, ぬぐう
der Ra'sier·apparāt -[e]s/-e 安全カミソリ	'putzen 他　きれいにする, みがく
	'kämmen 他　くしけずる
das Ra'sier·messer -s/-　カミ	'bürsten 他　ブラシをかける
die 'Schēre -/-n はさみ しソリ	ra'sieren 他（ひげを）そる
	'auf('zū)|drehen 他　ひねってあける(しめる)

′**bāden**	① 他 入浴させる ② 自 囲 《sich⁴》入浴する	′**schmutzig** 形	きたない, よごれた
′**reiben*** 他	こする	**nass** nasser (-ä-), nassest (-ä-)	
′**sauber** 形	清潔な	′**trocken** 形	ぬれた かわいた

Nach dem Erwachen putze ich mir die Zähne und kämme mir das Haar mit dem Kamm. 目がさめてから、私は歯をみがき、くしで髪をとかす。 Ich drehe den Wasserhahn auf und lasse Wasser ins Waschbecken laufen. 私は水道の蛇口をひねって、水を洗面器に注ぐ。 Ich trockne mir das Gesicht mit dem Handtuch ab. 私はタオルで顔をふく。 Jeden Morgen muss ich mich rasieren. 毎朝私はひげをそらねばならない。 Zum Friseur gehe ich nur, um mir das Haar schneiden zu lassen. 床屋へ行くのは髪を刈ってもらうためだけである。

Wohnung und Möbel 住居と家具

die ′**Wohnung**	-/-en 住居	*das* ′**Arbeits·zimmer**	-s/-	書斎
das **Dach**	-[e]s/¨er 屋根	*das* ′**Schläf·zimmer**	-s/-	寝室
die ′**Decke**	-/-n 天井;掛けぶとん	*das* ′**Bāde·zimmer**	-s/-	浴室
das ′**Fenster**	-s/- 窓	*der* **Saal**	-[e]s/Säle	広間
die ′**Fenster·scheibe**	-/-n 窓ガラス	*die* ′**Küche**	-/-n	台所
der **Bal′kōn**	-s/-e バルコニー	*der* ′**Keller**	-s/-	地下室
der ′**Ziegel**	-s/- かわら	*der* ′**Gang**	-[e]s/¨e	廊下
der ′**Schorn·stein**	-[e]s/-e 煙突	*der* ′**Garten**	-s/¨	庭
der ′**Back·stein**	-[e]s/-e れんが	*der* **Hōf**	-[e]s/¨e	中庭
der ′**Balken**	-s/- 梁(はり)	*die* ′**Mauer**	-/-n	壁, 塀
der (das) **Stock**	-[e]s/-, ..werke,	*die* ′**Treppe**	-/-n	階段
das ′**Stock·werk**	-[e]s/-e 階	*die* ′**Stūfe**	-/-n	段
das ′**Ērd·geschoss**	..sses/..sse 1階, 階下	*das* ′**Möbel**	-s/-	家具
der ′**Fūß·bōden**	-s/..böden 床	*die* **Gar′dīne** -/-n, *der* ′**Vōr·hang** -[e]s/..hänge		カーテン
die **Tūr**	-/-en ドア	*der* [′**Fenster**]′**lāden**	-s/¨	よろい戸
die **Wand**	-/¨e 壁			
das **Tōr**	-[e]s/-e 門	*die* **Ta′pēte**	-/-n 壁掛け, 壁紙	
die ′**Dach·stūbe**	-/-n 屋根裏部屋	*der* ′**Teppich**	-s/-e	じゅうたん
der **Flūr**	-[e]s/-e 玄関, 廊下	*der* ′**Schrank**	-[e]s/¨e	戸棚
das ′**Zimmer** -s/-, *die* ′**Stūbe** -/-n	部屋	*der* ′**Kleider·schrank**		洋服タンス
das **Em′pfangs·zimmer**	-s/- 応接間, 客間	*der* ′**Bücher·schrank**	-[e]s/¨e	本棚
das ′**Ess·zimmer,** *das* ′**Speise·zimmer**	-s/- 食堂	*das* **Bett**	-[e]s/-en	ベッド
		das ′**Bettūch**	-[e]s/¨er	シーツ
		das ′**Bett·zeug**	-[e]s/-e	寝具
das ′**Wohn·zimmer**	-s/- 居間	*die* **Ma′tratze**	-/-n	敷きぶとん

das ˈKissen -s/-	クッション；枕
das ˈKopf·kissen -s/-	枕
der ˈSchlüssel -s/-	鍵
das Schloss -es/¨er	錠
der Tisch -[e]s/-e	机, テーブル
der ˈSchreib·tisch -es/-e	書き物机
die ˈSchüb·lāde -/-n	引出し
der Stuhl -[e]s/¨e	椅子 「蔵庫
der ˈKühl·schrank -[e]s/¨e	冷
die ˈWasch·maschine -/-n	洗濯機 「除機
der ˈStaub·sauger -s/-	電気掃
das ˈMiet[s]·haus -[e]s/..häuser	貸家, アパート
die Miete -/-n	賃貸料, 家賃
der ˈAufzūg -[e]s/..züge, *der* ˈFahr·stuhl -[e]s/..stühle	エレベーター
ˈmieten 他	賃借りする
verˈmieten 他	賃貸しする
ˈaus|ziehen* 自	移転(転出)する
ˈein|ziehen* 自	(家に)移る
ˈum|ziehen* 自	引っ越す, 転居
ˈbauen 他	(家を)建てる しする
ˈdecken 他	おおう, かぶせる, (屋
ˈwohnen 自	住む 「根を)ふく
ˈkehren 他	掃く, 払う
ˈfēgen 他	掃除する
ˈwischen 他	ふく, ぬぐう
ˈab|wischen 他	ふきとる, ぬぐい去る 「そなえる
ˈein|richten 他	整える, 家具を

Unser Haus hat zwei Stockwerke über dem Erdgeschoss. 私たちの家には1階の上に2つの階がある。 Das Dach ist mit Ziegeln gedeckt. 屋根はかわらでふかれている。 Unmittelbar unter dem Dache befinden sich[4] mehrere Dachstuben. 屋根のすぐ下にはいくつかの屋根裏部屋がある。 Unter dem Erdgeschoss haben wir einen Keller. 1階の下には地下室がある。 Das Dienstmädchen fegt den Fußboden und wischt die Möbel ab. 女中は床を掃き、家具のちりを払う。 Der größte Teil der Deutschen wohnt in Mietshäusern. ドイツ人の大部分はアパートに住んでいる。 Mein Freund wohnt bei mir zur Miete. 私の友人は私の家に間借りしている。

Beleuchtung und Heizung 照明と暖房

die Beˈleuchtung -/-en	照明
das Licht -[e]s/-er	光, 明り
die Elektriziˈtät -/-en	電気
die ˈBirne -/-n	電球
die ˈKerze -/-n	ろうそく
die ˈLampe -/-n	ランプ
der ˈLampen·schirm -[e]s/-e	電灯の笠
die ˈHeizung -/-en	暖房
der ˈŌfen -s/¨	ストーブ
das Gās -es/-e	ガス 「トーブ
der ˈGās·ofen -s/..öfen	ガスス
die Zentˈrāl·heizung -/-en	中央暖房, スチーム
das ˈFeuer -s/-	火
die ˈFlamme -/-n	炎
der ˈFunke -ns/-n	火花, 火の粉
die Glūt -/-en	灼熱
der Rauch -[e]s/	煙
die ˈAsche -/-n	灰 「チ
das ˈStreich·holz -es/¨er	マッ
der ˈSchornstein -[e]s/-e	煙突
die ˈWärme -/	暖かさ, 熱
beˈleuchten 他	照らす, 照明する
ˈan|zünden 他	点火(灯)する
ˈbrennen* ① 自	燃える ② 他
ˈlöschen 他	消す 「燃やす

er'löschen* 自 ((s))	消える	'aus|drehen 他	(回して)消す
'heizen 他	暖める, 熱する	e'lektrisch 形	電気の
'wärmen ① 他 暖める ② 再 ((sich⁴))	暖まる, 火にあたる	hell 形	明るい
'funkeln 自	きらめく, 火花を発す	'dunkel 形	暗い
'glühen 自	灼熱する, しる	heiß 形	熱い
'an|drehen 他	(回して)出す, つける	warm wärmer, wärmst 形	暖
		'gās·krank 形	ガス中毒の しかい

Das Zimmer ist elektrisch beleuchtet. 部屋には電灯がついている。 Drehen Sie das Licht an (aus)! 電気をつけて(消して)ください！ Es ist kalt. Machen Sie Feuer! 寒い。火をたきつけてください！ Wir haben Zentralheizung. 私たちはスチームを使っている。 Gibt es hier Gas? / Ist Gas gelegt? ここにはガスが引いてありますか？ Ich drehe das Gas an (aus). 私はガスをつける(消す)。 Er löschte das Licht. 彼は明りを消した。 Das Feuer erlischt. 火が消える。 Sie zündet ein Streichholz an. 彼女はマッチをつける。

Krankheiten 病気

die 'Krankheit -/-en	病気	der 'Wahn·sinn -[e]s/	狂気
die Ge'sundheit -/	健康	die 'Wunde -/-n	傷, けが
der Schmerz -es/-en, das Weh -[e]s/-e	苦痛, 痛み	der Ārzt -es/⸗e	医者 「医者
		der 'Doktor -s/..'tōren ドクトル	
der 'Kopf·schmerz -es/-en, das 'Kopf·weh -[e]s/-e	頭痛	der (die) 'Kranke ((形)変化)	病人, 患者 「患者
die Er'kältung -/-en	かぜ	der Patient [patsi'ɛnt] -en/-en	
die 'Grippe -/-n	流行性感冒	die Ver'ordnung -/-en	処方
der 'Hūsten -s/-	せき	die Apo'thēke -/-n	薬局
die Ent'zündung -/-en	炎症	der Apo'thēker -s/-	薬剤師
die 'Ansteckung -/-en	伝染, 感染	die Ārz'nei -/-en, das ['Heil·mittel -s/-	薬剤
der 'Anfall -[e]s/..fälle	ほっさ	die Medi'zīn -/-en	薬剤, 医学
der Krampf -[e]s/⸗e	けいれん	das Gift -[e]s/-e	毒[薬]
der Frost -es/	寒け, 悪感(おかん)	die Ver'giftung -/-en	中毒
der Schweiß -es/-e	汗	das 'Kranken·haus -es/..häuser, das Hospital [hɔspi'taːl] -s/-e, ..täler	病院
das 'Fieber -s/-	熱, 熱病		
der Ēkel -s/	吐きけ		
die 'Mūdigkeit -/-en	疲労	das 'Irren·haus -es/..häuser	精神病院
die Er'schöpfung -/-en	衰弱		
die 'Lähmung -/-en	麻痺(ひ)	die 'Sprech·stunde -/-n	診察時間 「察室
der 'Schwindel -s/-	めまい		
die 'Ohn·macht -/-en	失神	das 'Sprech·zimmer -s/-	診
die Be'wusstlōsigkeit -/無意識状態, 失神		die Unter'sūchung -/-en	診察
		die Tempera'tūr -/-en	体温

病気

das **Thermo'mēter** -s/-	体温計
das **Be'finden** -s/	容態
die **Be'handlung** -/-en	治療
die **Kūr** -/-en	治療, 療養
die **Operation** [operatsi'o:n] -/-en	手術
die **Injektion** [ɪnjektsi'o:n] -/	注射
die **'Spritze** -/-n	注射[器]
die **'Schwester** -/-n, *die* **'Pflēgerin** -/-nen	看護婦
der **Ver'band** -[e]s/ーe	包帯
das **'Pflaster** -s/-	膏薬
die **'Besserung** -/-en	回復
der **Tōd** -[e]s/-e	死

'ein|nehmen* 他 （食物を）摂取する, （薬を)服用する
'gurgeln 自再《sich⁴》うがいをする
'schwindeln 自非 めまいがする
ver'wunden ① 他 傷つける ② 再《sich⁴》負傷する
ver'letzen 他 負傷させる
'blūten 自 血を流す, 出血する
er'kranken 自《s》病気にかかる
er'brechen* 再《sich⁴》嘔吐する
'an|stecken ① 他 伝染させる ② 自再《sich⁴》感染する
er'kälten 再《sich⁴》かぜをひく
'hūsten 自 せきをする
'leiden* 自 苦しむ, (病気に)かかっている
konsul'tieren 他 (医者に)みてもらう
unter'sūchen 他 診察する
'pflēgen 他 世話をする, 看護する
ver'schreiben* 他 処方する
'ein|spritzen 他 注射する
ope'rieren 他 手術する
be'täuben 他 麻痺させる, 〈jn に〉麻酔をかける
ver'binden* 他 〈jn に〉包帯をする
er'sticken ① 他 窒息させる ② 自《s》窒息する
ver'giften ① 他 〈jn に〉毒を与える ② 再《sich⁴》中毒(服毒)する
'heilen ① 他 いやす, 治療する ② 再《sich⁴》いえる
ge'nēsen* 自《s》なおる, 回復する
er'hōlen 再《sich⁴》全快する
'sterben* 自《s》死ぬ

ge'sund 形 健康な
medi'zinisch 形 医学(医薬)の
'ärztlich 形 医者(医療)の
nervös [nɛr'vø:s] 形 神経の; 神経質の
krank 形 病気の
blass, bleich 形 青ざめた
'māger 形 やせた
'schwächlich 形 弱々しい, 虚弱な
'kränklich 形 病弱の
er'schöpft 形 疲れ果てた
blind 形 盲目の
taub 形 耳の聞こえない
stumm 形 口のきけない
müde 形 疲れた
tōt 形 死んだ
weh 形 痛い, 苦しい
wohl 形 健康な
'kurz·sichtig 形 近視の
be'wusstlōs 形 無意識の, 意識不明の
'ohn·mächtig 形 失神した, 人事不省の
lahm 形 麻痺した; 足のなえた
'krampfhaft 形 けいれん性の
'wahn·sinnig 形 狂気の
'ansteckend 形 伝染性の

Kranker: „Guten Tag, Herr Doktor. Ich habe seit heute Morgen Kopfschmerzen." 患者「こんにちは, 先生. けさから頭が痛いのです」 Arzt: „Wir wollen gleich sehen. Bitte, nehmen Sie hier Platz." 医者「さっそく見てみましょう. どうぞこちらへおかけください」 Der Arzt fühlt dem Kranken den Puls. 医者は患者の脈を見る. A.: „Ich muss Ihre Temperatur messen.—Sie haben Fieber." 医者「体温を測ってみなければなりません.—熱がありますね」 Der Arzt untersucht das Herz und die Lungen. 医者は心臓と肺を診察する. A.: „Bitte, atmen Sie tief. Gut, danke. Bitte, machen Sie den Mund weit auf." 医者「どうか深く息をしてください. はい, けっこうです. どうぞ口を大きくあけてください」 Der Arzt sieht in den Hals. 医者はのどを見る. A.: „So, danke. Sie haben eine leichte Grippe." 医者「はい, けっこうです. 軽い流感にかかられたのです」 Der Arzt verschreibt eine Arznei. 医者は薬を処方する. A.: „Gehen Sie in die Apotheke und kaufen Sie sich[3] diese Medizin. Sie müssen sie dreimal täglich nehmen. In ein paar Tagen wird das Fieber fallen." 医者「薬局へ行って, この薬を買ってください. それを1日に3回服用してください. 2・3日すれば熱は下がるでしょう」 K.: „Vielen Dank. Auf Wiedersehen." 患者「どうもありがとうございました. さようなら」 A.: „Auf Wiedersehen. Gute Besserung!" 医者「さようなら. おだいじに!」

Restaurant und Hotel レストランとホテル

das **Restaurant** [rɛsto'rã:] -s/-s, レストラン
das **Café** [ka'fe:] -s/-s 喫茶店
der **Appe'tit** -[e]s/ 食欲
die **'Mahl·zeit** -/ (定刻の)食事
das **Essen** -s/- 食事;食物
das **'Früh·stück** -[e]s/-e 朝食
das **'Mittāg·essen** -s/- 昼食
das **'Ābend·essen** -s/-, das **'Ābend·brōt** -[e]s/-e 夕食
das **Diner** [di'ne:] -s/-s 正餐
die **'Speise** -/-n 食物;料理
die **'Nahrung** -/-en 養分,食物
die **Tāfel** -/ 食卓;食物
die **Vōrspeise** -/-n オードブル
der **'Nāch·tisch** -[e]s/-e デザート
die **'Speise·karte** -/-n 献立表
die **'Küche** -/-n 料理;調理場
das **Ge'deck** -[e]s/-e 定食
der **Gang** -[e]s/¨-e (定食の)一皿(品)
das **Ge'richt** -[e]s/-e 一皿の料理, 一品
das **Brōt** -[e]s/-e パン;食事
die **'Butter** -/ バター
das **'Butter·brōt** -[e]s/-e バター つきパン
der **Käse** -s/- チーズ
die **'Suppe** -/-n スープ
das **Ei** -[e]s/-er 卵
das **Fleisch** -es/ 肉
das **'Rind·stück** -[e]s/-e ビフステーキ
der **'Brāten** -s/- 焼き(あぶり)肉
der **'Schinken** -s/- ハム
die **Wurst** -/¨-e ソーセージ
der **Speck** -[e]s/-e ベーコン
das **Ge'müse** -s/- 野菜
das **'Sauer·kraut** -[e]s/..kräuter 塩づけキャベツ
der **Sa'lāt** -[e]s/-e サラダ
der **Senf** -[e]s/-e からし
das **Salz** -es/-e 塩
der **'Pfeffer** -s/- こしょう
das **Ge'tränk** -[e]s/-e 飲物
das **Bier** -[e]s/-e ビール
der **Wein** -[e]s/-e ぶどう酒
der **'Brannt·wein** -[e]s/-e ブランデー
der **Tee** -s/-s 茶
der **'Kaffee** -s/-s コーヒー
der **'Zucker** -s/- 砂糖
die **Milch** -/ ミルク
der **Saft** -[e]s/¨-e 果汁;シロップ

レストランとホテル

das **Mine′rāl·wasser** -s/..wässer 鉱水；炭酸水
das **Eis** -es/ アイスクリーム
die **′Sahne** -/ クリーム
die **Marme′lāde** -/-n マーマレード
das **Ōbst** -es/ くだもの
das **Ge′bäck** -[e]s/-e 焼菓子, パン菓子
der **′Küchen** -s/- ケーキ
die **′Torte** -/-n ショートケーキ
die **Schoko′lāde** -/-n チョコレ
das **Ta′blett** -[e]s/-e 盆, レート
das **′Tisch·tūch** -[e]s/..tücher テーブルクロース
die **Serviette** [zɛrvi′ɛtə] -/-n ナプキン
das **[′Tāfel]ge′schirr** -[e]s/-e
der **′Teller** -s/- 皿〔食器〕
die **′Schüssel** -/-n 丸鉢, ボール
die **′Schāle** -/-n 皿, 鉢
die **′Tasse** -/-n 茶わん
die **′Unter·tasse** -/-n （茶わん
der **′Becher** -s/- 杯〔しの受け皿
die **Flasche** -/-n びん
das **Glās** -es/¨er コップ, グラス
der **′Löffel** -s/- スプーン
das **′Messer** -s/- ナイフ
die **′Gābel** -/-n フォーク
die **′Tee·kanne** -/-n ティーポット
der **′Hērd** -[e]s/-e かまど 「ジ
der **′Gās·hērd** -[e]s/-e ガスレン
das **′Küchen·geschirr** -[e]s/-e 台所用具
der **′Kessel** -s/- かま, なべ 「パン
die **′Pfanne** -/-n 浅なべ, フライ
der **′Kellner** -s/- 給仕, ボーイ
die **′Kellnerin** -/-nen 給仕女, ウェイトレス
der **′Ōber** -s/- 給仕[長]
der **Koch** -[e]s/¨e コック, 料理人
das **′Trink·geld** -[e]s/ チップ

′decken 他 卓布をかける, 食事のしたくをする
be′stellen 他 注文する
′essen* 他自 食べる
′trinken* 自他 飲む
′früh·stücken 自 朝食を食べる
′kochen 他 煮る；料理する
′schmecken ① 自（の）味がする；うまい ② 他 味をみる
′backen(*) 他 （パンなどを）焼く
servieren [zɛr′viːrən] 他自 （食事の）給仕をする, 食卓に並べる
′auf|trāgen* 他 食卓へ運ぶ
be′dienen ① 他〈jn に〉給仕する ② 再《sich⁴》〈et² を〉自分で皿にとる
′schenken, **′ein|schenken** 他自 （飲物を）注ぐ
′speisen ① 自 食事する ② 他 食べる；〈jn に〉食物を与える
′an|bieten* 他 提供する, すすめる
′zu|bereiten 他 準備（料理）する
′ab|räumen 他 （食事・卓を）かたづける
′auf|setzen 他 上に置く；料理を並べる；（水を）火にかける
′brāten* 他 あぶる, フライにする
′sieden(*) ① 自 煮える, 沸く ② 他 煮る, 沸かす 「ぐ
′spülen 他 （食器などを）洗う, すす

′ērst·klassig 形 一流の
süß 形 甘い；うまい
′bitter 形 苦い
′sauer 形 すっぱい
′köstlich 形 おいしい
satt 形 満腹した
′hungrig 形 空腹の
′durstig 形 のどがかわいた
be′lēgt 形 肉（ハムなど）をのせた
ge′kocht 形 ゆでた, 煮た
ge′brāten 形 焼いた, フライにした

Kennen Sie ein gutes Restaurant hier in der Nähe? この近くによいレストランをご存じですか？ Dies hier ist erstklassig. この店は一流です。 Wo wollen wir lieber sitzen, oben oder hier unten? 階上と階下

と，どちらにすわりましょうか? Ich glaube, oben ist's (=ist es) netter. 階上のほうが感じがいいと思います。 Da am Fenster ist ein Tisch frei. あの窓ぎわにテーブルが1つあいています。 Was gibt's (=gibt es) zu essen? どんな食べ物がありますか? Herr Ober, die Speisekarte bitte! ボーイさん，メニューを見せてください! Was nehmen Sie als Vorspeise? 前菜にはどんなものを召しあがりますか? Ich nehme keine Vorspeise. Bringen Sie mir lieber eine Suppe. 私は前菜はいりません。それよりスープをください。 Was nehmen Sie als nächsten Gang? つぎは何になさいますか? Rindstück mit Kartoffel. ポテトつきのビフテキにします。 Für mich ein Stück Huhn mit Salat. 私にはチキンとサラダ。 Wie schmeckt Ihnen dieser Wein? このぶどう酒の味はいかがですか? Er schmeckt sehr gut. たいへんおいしいです。 Darf ich Ihnen noch ein Glas einschenken? もう1杯お注ぎしましょうか? Nur ein wenig, bitte. ほんの少しお願いします。 Der Kellner bringt den Nachtisch und den Kaffee. ボーイがデザートとコーヒーを持ってくる。 Darf ich Ihnen eine Zigarette anbieten? たばこはいかがですか? Nein, danke. いいえ，けっこうです。 Herr Ober, bitte zahlen! ボーイさん，お勘定!

das Ho'tel -s/-s ホテル
der 'Gast·hof -[e]s/..höfe 旅館，ホテル
das Em'pfangs·büro -s/-s フロント
das 'Fremden·buch -[e]s/..bücher 宿帳
die Ho'tel·halle -/-n ロビー
der 'Fahr·stuhl -[e]s/..stühle エレベーター
der 'Nacht·tisch -es/-e ナイトテーブル
der 'Speise·saal -[e]s/..säle 食「堂
die Toilette [toa'lɛtə] -/-n 化粧室; 便所
der Portier [pɔrti'e:] -s/-s, *der* 'Pförtner -s/- 門番，受付
der Ho'tel·direktor -s/..tōren 支配人
der Ho'tel·diener -s/- ポーター，(ホテルの)雇人
das 'Zimmer·mädchen -s/- (部屋づき)女中「料
die Be'dienung -/-en サービス
'ab|steigen*, 'ein|kehren 自 《s》 泊まる
'einbegriffen 形 〈et¹ を〉含めて，算入して 「別に
extra ['ɛkstra(:)] 副 余分に，特
prō 前《4格》 …ごとに，につき

Das Auto hält vor dem Hotel. 車がホテルの前にとまる。 Ich steige aus. 私は車を降りる。 Der Portier nimmt mir das Gepäck ab. 門番が荷物を受け取る。 Er führt mich zum Empfangsbüro. 彼は私をフロントへ案内する。 Ich frage dort: „Haben Sie ein Zimmer frei?" 私はそこでたずねる。「部屋はあいていますか?」 „Es ist nur ein kleines Zimmer im zweiten Stock frei." 「3階の小さな部屋しかあいておりません」 „Kann ich mir das Zimmer ansehen?" 「見せてもらえますか?」 „Mit Vergnügen." 「かしこまりました」 Der Hoteldiener führt mich im Fahrstuhl hinauf. ボーイが私をエレベーターで上へ案内する。 Das Zimmer gefällt mir. 部屋は私の気に入る。 „Was kostet dieses Zimmer?"「この部屋はいくらですか?」 „Zwölf Euro pro Tag." 「1日で12

ユーロです」 „Ist Frühstück einbegriffen?" 「朝食はそれに含まれていますか?」 „Das ist extra. Fünf Euro pro Tag." 「それは別です。1日分5ユーロです」 Ich gehe wieder zum Empfangsbüro hinunter und sage: „Ich möchte das Zimmer nehmen." 私は再びフロントに降りて行って言う:「あの部屋がほしいです」 „Bitte sehr. Wie lange gedenken Sie zu bleiben?" 「かしこまりました。どのくらい御滞在なさるおつもりですか?」 „Ich denke eine Woche zu bleiben." 「1週間滞在するつもりです」 Ich schreibe meinen Namen in das Fremdenbuch. 私は名まえを宿帳に書きこむ.

Kaufläden 商店

der ′Läden -s/-, ⸚ 店
die ′Wāre -/-n 商品, 品物
der ′Kauf·lāden -s/-, ..läden 商店
das ′Kauf·haus, das ′Wāren-haus -es/..häuser 百貨店
der ′Ein·kauf -[e]s/⸚e 買物
der ′Kauf·mann -[e]s/..leute 商人
das Ge′schäft -[e]s/-e 商店, 営業所
der ′Handel -s/⸚ 取引き, 商売
der ′Händler -s/- 商人
der Ver′käufer -s/- 店員
die Ver′käuferin -/-nen 女店員
der ′Kunde -n/-n 顧客, おとくい
der ′Bäcker -s/- パン屋(人)
die Bäcke′rei -/-en パン屋
der Kon′dītor -s/..′tōren 菓子屋(人)
die Kondito′rei -/-en 菓子屋
der ′Fleischer -s/- 肉屋(人)
die Fleische′rei -/-en 肉屋
die ′Fisch·handlung -/-en 魚屋
die Koloni′āl·wāren 複 食料品
die Koloni′ālwāren·hand-lung -/-en 食料品店
das Delika′tessen·geschäft -[e]s/-e 食料品店
die Ge′müse·handlung -/-en やお屋

die ′Būch·handlung -/-en 書店, 本屋
das ′Schreib·wāren·geschäft -[e]s/-e 文房具店
das ′Blūmen·geschäft -[e]s/-e 花屋
das ′Schuh·geschäft -[e]s/-e 靴屋
das ′Kleider·geschäft -[e]s/-e 既製服店
das ′Tabak·geschäft -[e]s/-e たばこ屋
das ′Schau·fenster -s/- ショーウィンドー
die ′Kasse -/-n 勘定場
das ′Muster -s/-, die ′Prōbe -/-n 見本
der ′Aus·verkauf -[e]s/..käufe 蔵払い, 売出し
das Schild -[e]s/-er 看板
′kaufen 他 買う
ver′kaufen 他 売る
′ein|kaufen 他 購入する
be′stellen 他 注文する
′ab|bestellen 注文を取り消す
′an|probieren 他 ためしに着て(はいて)みる
′kosten 自他 価する,(金が)かかる
′handeln 自 商売(取引き)する
be′zahlen 他 支払う
′ein|packen 他 包む

Sie geht in die Stadt und macht Einkäufe. 彼女は町へ行って、買物をする。　Sie geht einkaufen. 彼女は買物に行く。　Sie kommt an einem Schuhgeschäft vorbei und bleibt vor den Schaufenstern stehen. 彼女は靴屋の前を通りかかって、ショーウィンドーの前で立ちどまる。Sie tritt ein und lässt sich[3] vom Verkäufer verschiedene Schuhe zeigen. 彼女は店にはいり、店員にいろいろな靴を見せてもらう。　Der Verkäufer rät ihr, ein Paar braune Schuhe zu nehmen. 店員は1足の赤い靴を買うようにすすめる。Sie probiert die Schuhe an. 彼女は靴をはいてみる。Sie bezahlt an der Kasse. 彼女は勘定場で代金を払う。Sie geht in ein Warenhaus. 彼女はデパートへ行く。　Es ist Ausverkauf im Kaufhaus. 　デパートでは蔵払いの売出しをやっている。　Eine Verkäuferin fragt: „Womit kann ich dienen?" / „Sie wünschen?" / „Was möchten Sie?" / „Was steht zu Diensten?" 女店員がたずねる：「何をさし上げましょうか？」

Post und Telefon 郵便と電話

die Post -/-en 郵便
das 'Post·amt -[e]s/..ämter 郵便局
der 'Post·beamte (形変化) 郵便局員
der 'Schalter -s/- 窓口
das 'Porto -s/-s, ..ti 郵送料
die 'Luft·post, *die* 'Flug·post -/-en 航空便
das Pa'ket -[e]s/-e 小包
der Brief -[e]s/-e 手紙
die 'Eil·post -/-en 速達便
der 'Einschreibe·brief -[e]s/-e 書留の手紙
die 'Druck·sache -/-n 印刷物
die 'Brief·marke -/-n 郵便切手
der 'Brief·träger -s/- 郵便集配人
der 'Brief·kasten -s/..kästen ポスト；郵便受け
der 'Absender -s/- 差出人
der Em'pfänger -s/- 受取人
die 'Post·karte -/-n はがき
die 'Ansichts·karte -/-n 絵はがき
der ['Brief]'umschlag -[e]s/..schläge 封筒
das 'Brief·papier -s/-e 便箋
die 'Feder -/-n ペン
das Handy -s/-s 携帯電話

der 'Füller -s/-, *die* 'Füll·feder -/-n 万年筆
der 'Kugel·schreiber -s/- ボールペン
der Com'puter -s/- コンピューター
die 'Hand·schrift -/-en 手書き；筆跡
das 'Siegel -s/- 印章、封印
die A'dresse -/-n あて名、住所
die 'Anschrift -/-en 上書き、あて名
das 'Datum -s/..ten 日付
die 'Unter·schrift -/-en 署名

unter'schreiben* 他 〈et[4] に〉署名する
'kleben ① 自 くっつく ② 他 はりつける
zu'sammen|falten 他 折りたたむ
'schicken 他 送る
ver'siegeln 他 封印する
fran'kieren 他 切手をはる
'ein|schreiben* 他 書留にする
'ab|senden(*) 他 発送する
'aus|tragen* 他 配達する
'nach|schicken 他 〈jm に et[4] を〉転送する

'brieflich 形 手紙の
'schriftlich 形 文書による
'eingeschrieben 形 書留の

Ich schreibe den Brief mit dem Computer (PC). 私は手紙をコンピューター(パソコン)で書く. Ich unterschreibe den Brief. 私は手紙に署名する. Ich stecke den Brief in einen Umschlag. 私は封筒に入れる. Ich schreibe die Anschrift des Empfängers auf den Umschlag. 私は封筒に受取人のあて名を書く. Ich gehe mit dem Brief zum Postamt. 私は手紙をもって郵便局へ行く. Ich frage am Schalter: „Wie lange dauert ein Brief nach München?" 私は窓口で尋ねる:「ミュンヒェンまで手紙はどのくらいかかりますか?」 „Ein gewöhnlicher Brief geht von hier bis München ungefähr drei Tage." 「普通便でここからミュンヒェンまでほぼ3日で行きます」 „Dann möchte ich diesen Brief mit der Eilpost schicken. Was kostet das Porto?" 「それならば、この手紙を速達で出したいのです. 郵送料はいくらですか?」 „Zwei Euro." 「2ユーロです」 Ich kaufe am Schalter eine Briefmarke zu zwanzig Cent. 私は窓口で20セントの切手を買う. Ich klebe die Briefmarke auf den Umschlag. 私は切手を封筒にはる. Ich stecke (werfe) den Brief in den Briefkasten. 私は手紙を投函する.

  Herrn Paul Schmidt
  Nürnberg
   Goethestraße 56
   パウル・シュミット様
    ニュルンベルク, ゲーテ街56番地

Mein lieber Onkel! 親愛なるおじさん! Lieber Herr Schmidt! 親愛なるシュミットさん! Sehr geehrter Herr Schmidt! 尊敬するシュミット様! Sehr verehrte Frau Müller! 尊敬するミュラー夫人! Hochverehrter Herr Professor! 尊敬する先生! Sei herzlich gegrüßt von Deinem Freund 敬具(以下同じ) Mit freundlichem Gruß / Mit herzlichen Grüßen / Hochachtungsvoll! / Mit ausgezeichneter Hochachtung und freundlichen Grüßen Ihr N.N. (氏名)

---

das **Tele′fōn** -s/-e 電話
der **′Fern·sprecher** -s/-, *der* **Tele′fōn·apparāt** -[e]s/-e 電話機
der **′Hörer** -s/- 受話機「話機
der **′Wähler** -s/- ダイヤル
die **Tele′fōn·nummer,** *die* **′Rūf·nummer** -/-n 電話番号
das **Tele′fōn·būch** -[e]s/..bücher 電話帳
das **′Fernsprech·amt** -[e]s/..ämter 電話局
die **Telefo′nistin** -/-nen, *das* **Tele′fōn·fräulein** -s/- 電話交換手(女)
der **′Anschluss** -es/¨e (電話の)接続

die **Ver′bindung** -/-en 連絡, 接続「ボックス
die **Tele′fōn·zelle** -/-n 電話
das **Tele′fōn·gesprāch** -[e]s/-e 通話
der **Tele′grāf** -en/-en 電信[機]
der **Draht** -[e]s/¨e 電線, 電信
das **Tele′grāfen·amt** -[e]s/..ämter 電信局
das **Tele′gramm** -s/-e 電報
das **Tele′gramm·formulār** -s/-e 頼信紙
die **Ge′bühren** 複 手数料

telefo′nieren 他自 電話をかける, ⟨mit jm と⟩ 電話で話す

'wählen 他	電話番号を押す
'an|rūfen* 他	(電話で)呼び出す
'sprechen* 他	〈jn と〉話をする
'an|melden 他再((sich⁴))	申し込む「る
ver'binden* 他	(電話を)接続す
be'stellen 他	(伝言などを)伝える
'ab|hängen 他自	(受話器をかけて)電話を切る
telegra'fieren 他自	打電する
'auf|gēben* 他	(電報を)打つ
tele'fōnisch 形	電話の
be'setzt 形	ふさがった, 話し中の
tele'grāfisch 形	電信(報)の
hal'lō 間	もしもし

Ich nehme den Hörer ab. 私は受話器を取る. Ich wähle die Nummer. 私は電話番号を押す(番号を選ぶ). Ich hänge ab. 私は受話器をかける. „Welche [Telefon]nummer haben Sie?" 「お宅の電話は何番ですか?」 „Hallo! Hier [spricht] Meyer. 「もしもし! こちらはマイアーです」 „Ist dort Herr Schulz?" 「そちらはシュルツさんですか?」 „Hier bei Doktor Lehmann." 「こちらはレーマン博士宅です」 „Kann ich Herrn Schmidt sprechen?" 「シュミットさんとお話しできますか(ご在宅ですか)?」 „Würden Sie, bitte, etwas lauter sprechen?" 「どうかもう少し大きな声で話していただけませんか?」 „Kann ich etwas bestellen?" 「何かおことずけいたしましょうか?」 „Bitte, rufen Sie mich morgen an!" 「どうか明日お電話をください!」 „Melden Sie sich⁴ vorher telefonisch an!" 「前もって電話で(来訪を)お知らせください!」 Das Gespräch ist zu Ende. 通話が終わる. „Ich möchte ein Telegramm aufgeben." 「電報を打ちたいのです」 „Wie hoch sind die Telegrammgebühren nach Frankreich?" 「フランスまでの電報料はいくらですか?」 „Ich werde es Ihnen telegraphisch mitteilen." 「私はそれを電報でお知らせします」

Theater 劇場

das **The'āter** -s/-	劇場; 芝居
die **'Bühne** -/-n	舞台
das **'Schau·spiel** -[e]s/-e	演劇, 芝居「戯曲
das **'Drāma** -s/..men	演劇;
das **'Lust·spiel** -[e]s/-e	喜劇
das **'Trauer·spiel** -[e]s/-e	悲劇
das **Stück** -[e]s/-e	戯曲, 脚本
die **'Handlung** -/-en	事件の進行, 筋
der **'Auf·zūg** -[e]s/..züge	開幕
der **Akt** -[e]s/-e	幕; 幕
der **'Auf·tritt** -[e]s/-e	登場; 場
die **'Szēne** -/-n	場面; シーン
der **'Vōrhang** -[e]s/..hänge	幕
die **Ku'lisse** -/-n	書割り, セット
die **'Pause** -/-n	幕間
die **'Ōper** -/-n	オペラ
das **Orchester** [ɔr'kɛstər, ..'çɛstər] -s/-	オーケストラ
die **'Auf·führung**, *die* **'Vōr·stellung** -/-en	上演
der **'Schau·spieler** -s/-	俳優
die **'Schau·spielerin** -/-nen	
die **'Rolle** -/-n	役「女優
der **Er'folg** -[e]s/-e	成功, 当たり
der **'Zūschauer** -s/-	観客
der **'Beifall** -[e]s	喝采「券
die **'Eintritts·karte** -/-n	入場
die **The'āter·kasse** -/-n	切符売り場「前売り
der **'Vōr·verkauf** -[e]s/..käufe	
'auf|führen 他	上演する

ラジオとテレビ

'spielen 他	上演する；演ずる	dra'mātisch 形	戯曲の；劇的な
'auf|treten* 自	登場する	'trāgisch 形	悲劇的な
'klatschen 自他	拍手する	'kōmisch 形	喜劇的な
		'aus•verkauft 形	売切れの

Wir gehen heute Abend ins Theater. 私たちは今晩劇場へ行く. Was wird im Theater diese Woche gegeben (aufgeführt, gespielt)? 劇場では今週何をやっていますか？ Das Stück hat vier Akte. その作品は4幕ものである. Ich habe schon Eintrittskarte in Vorverkauf geholt. 私はもう入場券を前売りで買ってある. Der Schauspieler hat seine Rolle sehr gut gespielt. その俳優は役をたいそううまく演じた. Das ist sein erster Auftritt. これは彼の初舞台である. Die Zuschauer haben ihm Beifall geklatscht. 観客は彼に拍手かっさいした.

Radio und Fernsehen ラジオとテレビ

das 'Rādio -s/-s	ラジオ
der 'Rund•funk -[e]s/-e	放送，ラジオ
der 'Rundfunk•apparāt -[e]s/-e	ラジオ受信機
der Em'pfang -[e]s/⸚e	受信(像)
der Em'pfänger -s/-	受信(像)機
das 'Fern•sehen -s/-	テレビジョン
das 'Farb•fernsehen -s/-	カラーテレビ
der 'Fernseh•apparāt -[e]s/-e	テレビ受像機
der 'Hörer -s/-	聴取者
die ['Schall]'welle -/-n	音波
die 'Wellen•länge -/	波長
der 'Laut•sprecher -s/-	スピーカー
die 'Sendung -/-en	送信, 放送
der 'Sender -s/-, *die* Station [ʃtatsi'o:n] -/-en	放送局
die 'Über•trägung -/-en	中継
der 'Wetter•bericht -[e]s/-e	天気予報
die 'Tāges•nāchrichten 複	(その日の)ニュース
'an|stellen, 'ein|schalten 他	(ラジオを)かける
'ab|stellen, 'aus|schalten 他	(ラジオを)とめる
'senden 他	放送する
über'trāgen* 他	中継する
'auf|nehmen*, em'pfangen* 他	受信(像)する

Stellen Sie das Radio an (ab)! ラジオをかけてください(とめてください)！ Was ist jetzt im Radio (Rundfunk)?—Ein Vortrag. いまラジオは何をやっていますか？—講演です Jeden Tag höre ich den Wetterbericht und Tagesnachrichten. 私は毎日天気予報とその日のニュースを聞く. Haben Sie gestern Abend die Konzertübertragung gehört？ あなたは昨晩音楽会の中継を聞きましたか？ Mein Vater spricht heute im Rundfunk. 私の父はきょうラジオで放送する. Was läuft jetzt im Fernsehen？ いまテレビで何をやっていますか？

Photographie und Kino 写真と映画

die **Photogra′phie** -/..phīen	写真
der **Photo′grāph** -en/-en	写真師(家)
der **′Phōto·apparāt** -[e]s/-e,	
die **′Kāmera** -/-s	カメラ
die **′Aufnahme** -/-n	撮影
der **Film** -[e]s/-e	フィルム；映画
der **′Bunt·film** -[e]s/-e	カラーフィルム
der **Ver′schluss** -es/⸗e	シャッター
die **′Linse** -/-n	レンズ
der **′Brenn·punkt** -[e]s/-e	焦点
die **Ent′fernung** -/-en	距離
die **Be′lichtung** -/-en	露出
das **Nega′tīv** -s/-e	陰画
das **′Druck·papier** -s/-e	印画紙
der **′Abzūg** -[e]s/..züge	焼付け
die **′Dunkel·kammer** -/-n	暗室
das **′Kinō** -s/-s	映画[館]
der **′Tōn·film** -[e]s/-e	トーキー
der **′Stumm·film** -[e]s/-e	無声映画「映画
der **′Farb·film** -[e]s/-e	カラー
die **′Lein·wand** -/⸗e	スクリーン
die **′Szēne** -/-n	シーン, 光景
der **′Wildwest·film** -[e]s/-e	西部劇
die **′Vōrstellung** -/-en	上映
der **′Film·schauspieler** -s/-	映画俳優
die **′Film·schauspielerin** -/-nen	映画女優「ター
der **′Film·stār** -[e]s/-s	映画ス
photogra′phieren, **′auf nehmen*** 他	撮影する
be′lichten 他	露出する
′filmen 他 自	撮影する, 映画にとる
ent′wickeln 他	現像する
ko′pieren 他	焼き付ける
ver′größern 他	拡大する, 引き伸ばす

Darf ich eine Aufnahme von Ihnen machen? / Darf ich Sie photographieren? あなたを1枚撮らせていただけますか？ Entwickeln Sie diese Buntfilme! このカラーフィルムを現像してください！ Soll ich einen oder zwei Abzüge davon machen? 焼付けは1枚ですか、それとも2枚ですか？ Wir wollen ins Kino gehen! 映画を見に行きましょう！ Was wird gezeigt?—Wildwestfilm. 何をやっていますか？―西部劇です。 Wann fängt der Film an? 映画は何時に始まりますか？ Wann hört es auf? それは何時に終わりますか？ Was für Filme sehen Sie gern? どんな映画がお好きですか？

Sporte und Vergnügungen スポーツと娯楽

der **Sport** -[e]s/-e	スポーツ
der **′Sports·mann** -[e]s/..männer, ..leute	スポーツマン
der **′Sport·platz** -es/..plätze	運動(競技)場
das **′Sport·fest** -es/-e	競技会
die **′Wette** -/-n	賭, 競争
der **′Wett·kampf** -[e]s/⸗e	競技, 試合「選手団
die **′Mannschaft** -/-en	チーム,

スポーツと娯楽

das 'Mit·glied -[e]s/-er	メンバー
der 'Meister -s/-	選手[権保持者]、チャンピオン
der Re'kord -[e]s/-e	記録
die Olympi'āde -/-n	オリンピック
der 'Land·sport -[e]s/-e	陸上競技
der 'Wett·lauf -[e]s/..läufe	競走
die Gym'nastik -/	体操、体育
das 'Turnen -s/	体操
die 'Turn·halle -/-n	体育館
der 'Sprung -[e]s/ⁿe	跳躍
der Ball -[e]s/ⁿe	ボール
der 'Fūß·ball -s/	サッカー
der 'Fūßball·spieler -s/-	サッカーの選手
der 'Schieds·richter -s/-	審判
das 'Tennis -/	テニス
das 'Tennis·platz -es/..plätze	テニスコート
das 'Tisch·tennis -/	卓球
das Golf -s/	ゴルフ
der 'Golf·platz -es/..plätze	ゴルフ場
der 'Box·kampf -[e]s/..kämpfe	ボクシング
der 'Ring·kampf -[e]s/..kämpfe	レスリング
der 'Ringer -s/-	レスラー
das 'Fechten -s/	フェンシング
der 'Wasser·sport -[e]s/-e	水上競技
das 'Schwimm·bād -[e]s/..bäder	プール、「外プール
das 'Frei·bād -[e]s/..bäder	屋
die 'Bāde·hōse -/-n	水泳パンツ
der 'Bāde·anzūg -[e]s/..anzüge	海水着
die Yacht, Jacht [jaxt] -/-en, das 'Sēgel·boot -[e]s/-e	ヨット艇
das 'Rūder·boot -[e]s/-e	漕艇
das 'Rūder -s/-	櫂、オール
der 'Winter·sport -[e]s/-e	ウィンタースポーツ
der Ski [ʃi:] -s/-er	スキー「スキーヤー
der Ski·läufer ['ʃi:lɔyfər] -s/-	
das ['Ski]ge'lände -s/-	ゲレンデ
die 'Sprung·schanze -/-n	ジャンプ台、シャンツェ
der 'Schlitten -s/-	そり
die 'Eis·bahn -/-en	スケート場
der 'Schlitt·schuh -[e]s/-e	スケート靴
der 'Schlittschuh·lauf -[e]s/..läufe	スケーティング
das 'Pfērde·rennen -s/-	競馬
die 'Renn·bahn -/-en	競馬場
das 'Berg·steigen -s/	登山
der 'Berg·steiger -s/-	登山家
der 'Ruck·sack -[e]s/..säcke	リュックサック
der 'Eis·pickel -s/-	ピッケル
der 'Berg·stock -[e]s/..stöcke	登山杖、アルペン・シュトック
das Seil -[e]s/-e	綱、ザイル
die Jāgd -/-en	狩猟
der Jäger -s/-	狩猟家、ハンター
der 'Jāgd·hund -[e]s/-e	猟犬
die Büchse ['bʏksə], die 'Flinte -/-n	猟銃
das 'Fischen, das 'Angeln -s/	つり
die 'Angel -/-n	つり針、つり道具
die Ver'gnügung -/-en	娯楽
der 'Zeit·vertreib -[e]s/-e	気晴らし、娯楽
die 'Karte -/-n	カルタ、トランプ
das 'Karten·spiel -[e]s/-e	トランプ遊び
das Schach -[e]s/-s	将棋、チェス
der 'Würfel -s/-	さいころ
der Tanz -es/ⁿe	ダンス
der Ball -[e]s/ⁿe	舞踏会
der 'Tanz·saal -[e]s/..sāle	ダンスホール
der 'Zirkus -/..kusse	サーカス
das 'Taschen·spiel -[e]s/-e	手品「品師
der 'Taschenspieler -s/-	手
'turnen 圁	体操をする
'wett|laufen* 圁《s》	競走する

'springen* 自《s, h》 跳躍する
'boxen 自　　　ボクシングをする
'ringen* 自再(sich⁴) 格闘(レスリング)をする
'fechten* 自　　　フェンシングをする
'sēgeln ① 自《h, s》帆走する
　　　 ② 他 (船を)走らせる
'rūdern 他自《h, s》　　　　こぐ
'steuern 他自《h, s》かじをとる
'peitschen 他　鞭打つ 「乗る
be'steigen* 他　〈et⁴に〉登る,

'klimmen⁽*⁾, 'klettern 自
　《h, s》　　　　　よじ登る
'jāgen ① 自 狩りをする ② 他
　　　　　　　　　　　　狩る
'schießen* 他自 撃つ, 射撃する
'angeln 他自　　　　(魚を)つる
'fischen 他自　　　 (魚を)とる
'tanzen 自《h, s》　　　　踊る

ge'übt 形　　　　　　熟達した
o'lympisch 形　　オリンピックの

Das Sportfest findet nächsten Sonntag statt. 運動会はつぎの日曜日に行なわれる．　Er nimmt am Wettkampf teil. 彼は試合に参加する．Unsere Mannschaft hat den Wettkampf gewonnen. 私たちのチームは試合に勝った．　Er hat den Rekord im Sprung geschlagen. 彼は跳躍のレコードを破った．　Ich treibe jeden Morgen Gymnastik. 私は毎朝体操をする．　Spielen Sie Tischtennis? 卓球をなさいますか？　Sind Sie je Ski (Schlittschuh) gelaufen? スキー(スケート)をしたことがありますか？　Er geht jeden Sonntag angeln. 彼は毎日曜日につりに行く．

Schule 学校

der 'Kinder·garten -s/⸚ 幼稚
　　　　　　　　　　　　 「園
die 'Schūle -/-n　　 学校
die 'Volks·schūle -/-n 小学校
das Gym'nāsium -s/..sīen ギムナジウム (8-9年制の中・高等学校)
die 'Hōch·schūle -/-n [単科]
　　　　　　　大学; 専門学校
die 'Technische 'Hōch-
　　schūle　　　　　 工業大学
die Universi'tät -/-en [総合]
die Fakul'tät -/-en 学部 「大学
die lite'rārische Fakul'tät 文
　　　　　　　　　　　　学部
der Di'rektor -s/..'tōren 校長
der 'Rektor -s/..'tōren 学(総)
　　　　　　　　　　長; 校長
der Pro'fessor -s/-en
　　[..'so:rən]　　　　　教授
der Do'zent -en/-en　　 講師
der Assis'tent -en/-en 助手
die Dissertation [dɪsɛrtatsi'o:n]

　　-/-en　　　　　　学位論文
der 'Lehrer -s/-　　　　　教師
die 'Lehrerin -/-nen　　女教師
der 'Schūler -s/-　　　　　生徒
die 'Schūlerin -/-nen　女生徒
der Stu'dent -en/-en　　大学生
die Stu'dentin -/-nen 女子[大]
　　　　　　　学生 「業試験
das Abi'tūr -s/-e　高等学校卒
der 'Eintritt -[e]s/-e　　　入学
der 'Abgang -[e]s/..gänge 卒業
das E'xāmen -s/-, ..mina 試験
das 'Eintritts·exāmen -s/-
　..mina　　　　　　 入学試験
die 'Prūfung -/-en　　　　試験
der 'Unterricht -[e]s/-e 授業
die Er'ziehung -/-en　　　教育
die 'Übung -/-en 練習[問題]
die 'Aufgābe -/-n　　　　　課題
die 'Vōrbereitung -/-en 用意;
　　　準備 「大学での勉学
das 'Stūdium -/..dīen 研究;

学校　　　　　　　　　　　　　　　　　　　　　　　　　　　　　164

die 'Stunde -/-n	授業[時間]	die Zen'sūr -/-en	成績[表]
der 'Stunden·plän -[e]s/..pläne	時間割	er'ziehen* 他	教育する
die 'Pause -/-n	休み時間	'üben 他再 ((sich⁴))	練習する
das 'Schūl·jahr -[e]s/-e	学年	be'stehen* 他	(試験に)及第する
das Se'mester -s/-	学期	be'sūchen 他	(学校に)通う
die 'Fērïen 複	休暇	'lehren 他	〈jn に〉教える
die 'Sommer·fērïen 複	夏休み	'lernen 他	学ぶ
das Semi'nār -s/-e	「ナール演習, ゼミ	'lēsen* 他	読む
die 'Vōrlēsung -/-en	講義	'schreiben* 他	書く
die 'Fremd·sprāche -/-n	外	'rechnen 他自	計算する「で)学ぶ
das La'tein -s/-	ラテン語 ｢国語	stu'dieren 他	研究する,(大学
die Gram'matik -/-en	文法	über'setzen 他	翻訳する
die Lektion [lɛktsi'o:n] -/-en	授業[時間]；(教科書の)章	ver'stehen* 他	理解する；〈et⁴ に〉精通(熟達)している
der 'Aufsatz -es/..sätze	作文，論文	'vōr|bereiten 再((sich⁴))	〈auf et⁴, für et⁴ の〉用意(準備)をする
die 'Haus·arbeit -/-en	自宅での勉強；宿題	unter'richten 他	〈jn に〉教える
das 'Schūl·būch, das 'Lehr-būch -[e]s/..būcher	教科書	absolvieren [apzɔl'vi:rən] 他	終える,卒業する「格する
das 'Lēse·būch -[e]s/..būcher	読本	'ab|lēgen 他	済ます；(試験に)合
das 'Wörter·būch -[e]s/..būcher	辞書	'durch|fallen 自 ((s))	落第する,不合格になる
der 'Būch·stābe -n[s]/-n	文字	'vōr|lēsen* 他	朗読(講義)する
die 'Klasse -/-n	学級,クラス	'aus|sprechen 他	発音する；言い表わす
das 'Schūl·zimmer, das 'Klassen·zimmer -s/-	教室	be'antworten 他	〈jn, et⁴ に〉
die 'Tinte -/-n	インク	'auf|schlāgen* 他	開く ｣答える
der Kugelschreiber -s/-	ボールペン	'nāch|schlāgen* 他	参照する
das Heft -[e]s/-e	帳面,ノート	'anwēsend 形	出席している
die 'Kreide -/-n	チョーク	'abwēsend 形	欠席している
die ['Wand]'tāfel -/-n	黒板	'mündlich 形	口頭(述)の
die 'Füll·fēder -/-n	万年筆	'schriftlich 形	文字の,書かれた
		ge'lehrt 形	学問(識)のある
		'auswendig 副	暗記して

Die Schule fängt an (ist aus). 学校が始まる(授業が終わった)。　Heute ist keine Schule. きょうは学校がない。　Der Unterricht beginnt um acht Uhr. 授業は8時に始まる。　Er unterrichtet die Schüler in Latein. 彼は生徒たちにラテン語を教える。　Schlagen Sie Seite 12 auf! 12ページを開きなさい！　Der Schüler lernt den Satz auswendig. 生徒はその文を暗記する。　Ich schlage das Wort im Wörterbuch nach. 私はその単語を辞書で引く。　Er bereitet sich⁴ auf das Abitur vor. 彼は高等学校の卒業試験の受験準備をする。　Ich bin in der Prüfung durchgefallen. 私は試験に落第した。 Er hat das Eintrittsexamen für die Universität bestanden. 彼は大学の入学試験に合格した。 Er hat zwei Semester in Göttingen studiert. 彼は2学期間ゲッティンゲン大学で勉強した。 Auf welche Universität gehen Sie? あなたはどこの大学にいるのですか? Er hat eine Technische Hochschule absolviert. 彼は工業大学を卒業した.

Ausflug ハイキング

der **Spa'zier·gang** -[e]s/..gänge	散歩
der **Spa'zier·gänger** -s/-	散歩する人
die **'Wanderung** -/-en	徒歩旅行
der **'Wanderer** -s/-	徒歩旅行者
der **'Ausflug** -[e]s/..flüge	ハイキング
der **'Ausflügler** -s/-	ハイカー
der **'Rück·weg** -[e]s/-e	帰路
der **'Um·weg** -[e]s/-e	回り道
der **'Halt** -[e]s/-e	停止, 休止
das **'Nacht·quartier** [..kvar-'tiːr] -s/-e	宿泊所
die **'Jugend·herberge** -/-n	ユースホステル
das **Zelt** -[e]s/-e	テント
die **'Landkarte** -/-n	地図
der **'Imbiss** -es/-e	おやつ
der **'Vor·rat** -[e]s/..räte	貯え, 貯蔵品
die **Büchse** ['bʏksə] -/-n	かん
die **Kon'serve** -/-n	罐詰食品
der **'Ruck·sack** -[e]s/..säcke	リュックサック
ver'anstalten 他	企てる, 催す
'packen 他	包む, 詰める
be'laden* 他 ⟨et⁴·jn に mit et³⟩	を 負わせる
'auf|brechen* 自 (s)	出発する
'ein|schlagen* 他	(道を)取って進む
'an|treten* 他	始める, ⟨et⁴ に⟩就く
'rasten 自	休憩する
'aus|ruhen 自 再 ((sich⁴))	休む
'ab|legen 他	おろす, ぬぐ
über'nachten 自	泊まる
zu'rück|legen 他	(道程を)あとにする, 進む
'auf|schlagen* 他	(テントを)張る
'an·strengend 形	消耗する, 骨の折れる

Wir veranstalten einen Ausflug ins Gebirge. 私たちは山へのハイキングを企てる. Ich packe Brot, Schinken und einige Büchsen mit Konserven in meinen Rucksack. 私はパン, ハム, 数個の罐詰をリュックサックに詰める. Jeder ist mit einem schweren Rucksack beladen. みんな重いリュックサックを背負っている. Wir müssen einen Umweg machen. 私たちは回り道をしなければならない. Wir machen Halt und ruhen uns⁴ aus. 私たちは停止して休息する. Wir schlagen unsere Zelte auf. 私たちはテントを張る. Wir holen die Vorräte aus unseren Sacken. 私たちは袋から食料を取り出す. Wir übernachten in einer Jugendherberge. 私たちはユースホステルに泊まる. Wir treten den Rückweg an. 私たちは帰途につく.

自動車　　　　　　　　　　　　　　　　　　　　　　　　　　　166

Auto　自動車

das **'Auto** -s/-s, *der* **'Kraft-wāgen** -s/-　自動車
der **Per'sōnen·kraftwāgen** -s/-　乗用車
der **'Last·kraftwāgen** -s/-　貨物自動車, トラック
der **['Auto]bus** .. busses/.. busse
das **'Taxi** -[s]/-[s]　タクシー 「バス
der **'Auto·fahrer** -s/-　運転者
die **['Auto]fahrt** -/-en　ドライブ
der **'Führer** -s/-　運転手(者)
der **'Führer·schein** -[e]s/-e　運転免許証
der **Sitz** -es/-e　座席
das **Ben'zin** -s/-e　ガソリン
der **Ben'zin·behälter** -s/-　ガソリンタンク
der **'Mōtor** -s/..'tōren　モーター
die **'Tank·stelle** -/-n　ガソリン
das **Rād** -[e]s/-̈er 車輪 └スタンド
das **'Steuer** -s/-　ハンドル
die **'Bremse** -/-n　ブレーキ
der **'Reifen** -s/-　タイヤ
der **'Kühler** -s/-　ラジエーター
der **'Schnelligkeits·messer** -s/-　速度計 「チ
die **'Kupp[e]lung** -/-en　クラッ
der **'Schalt·hēbel** -s/-　変速レバー
der **Gang** -[e]s/-̈e　① 進行, 活動　② ギア, 歯車[装置]
der **'Gās·hēbel** -s/-　アクセル
die **'Hūpe** -/-n　警笛 「ライト
der **'Schein·werfer** -s/-　ヘッド

die **Garage** [gaˈraːʒə] -/-n　車庫, ガレージ 「車場
der **'Park·platz** -es/..plätze　駐
das **Ver'kehrs·zeichen** -s/-　交通標識
die **'Auto·bahn** -/-en　自動車専用道路

'fahren* 自《s》(車で)行く
　　② 他 (車を)走らせる, 運転する
'halten* 自　とまる
'biegen* 自《s》曲がる 「こむ
'ein|steigen* 自《s》(車に)乗り
'aus|steigen* 自《s》降りる
'ein|schalten 他 (ギア・スイッチを)入れる 「える
'um|schalten 他 (ギアを)入れ替
'bremsen 他　ブレーキをかける
über'hōlen 他　追い越す
'parken 他自　駐車する
'nāch|füllen 他　あとから満たす, 注ぎたす
'hūpen 自　警笛を鳴らす

das **'Fahr·rād** -[e]s/..räder　自転車 「オートバイ
das **'Mōtor·rād** -[e]s/..räder
der **'Rād·fahrer** -s/-　自転車に乗る人
das **Pe'dāl** -s/-　ペダル
der **'Sattel** -s/-̈　鞍, サドル

'Rād fahren* 自《h, s》自転車に乗って行く

Ich hole das Auto aus der Garage, steige ein und setze mich ans Steuer. 私は自動車を車庫から出し, 乗りこんでハンドルの前にすわる。　Ich habe meinen Führerschein bei mir. 私は運転免許証を携帯している。 Ich setze den Motor in Gang⁴. 私はモーターを始動する。　Ich schalte den zweiten Gang ein und fahre schneller. 私はギアをセカンドに入れて, スピードをあげる。　Ich hupe und überhole einen Radfahrer. 私は警笛を鳴らして自転車を追い抜く。　Ich muss auf die Verkehrszeichen achten. 私は交通標識に気をつけなければならない. Das Licht ist rot; Ich bremse und der Wagen hält. 信号は赤だ, 私はブレーキを踏み, 車はとまる. Wo ist die nächste Tankstelle? いちばん近いガソリン・スタンドはどこですか? Ich muss halten und Benzin nachfüllen lassen. 私は車をとめて, ガソリンを入れさせなければならない. Es wird Nacht; Ich schalte den Scheinwerfer ein. 夜になる, 私はヘッドライトをつける. Ich fahre nach Hause zurück. 私は家にもどる.

Eisenbahn 鉄道

die **'Eisen·bahn** -/-en 鉄道
die **Station** [ʃtatsi'o:n] -/-en 停車場, 駅
der **'Bahn·hōf** -[e]s/..höfe 駅
der **'Haupt·bahnhōf** -[e]s/..höfe 中央駅
der **'Zūg** -[e]s/⸚e 列車
der **Per'sōnen·zūg** -[e]s/..züge 旅客列車
der **'Güter·zūg** -[e]s/..züge 貨物列車
der **'D-('Durchgangs)zūg** -[e]s/..züge 急行列車
der **'Eil·zūg** -[e]s/..züge 準急
der **'Wāgen** -s/- 車両, 列車
der **Per'sōnen·wāgen** -s/- 客車
das (der) **'Ab·teil** -[e]s/-e 車室
der **'Raucher** -s/- 喫煙車
der **'Nicht·raucher** -s/- 禁煙車
der **'Schlāf·wāgen** -s/- 寝台車
der **'Speise·wāgen** -s/- 食堂車
der **'Güter·wāgen** -s/- 貨車
die **Lokomotive** [lokomo'ti:və] -/-n 機関車「ゼルカー
der **'Trieb·wāgen** -s/- ディー
der **'Reise·koffer** -s/- 旅行用トランク「荷物
das **'Hand·gepäck** -[e]s/-e 手
der **Ge'päck·träger** -s/- 赤帽
das **Ge'päck·netz** -es/-e 網棚
der **'Bahnhōfs·beamte** 《形変化》駅員「駅長
der **'Bahnhōfs·vōrsteher** -s/-
der **'Schaffner** -s/- 車掌
die **'Fahr·karte** -/-n 乗車券
die **'Rück·fahrkarte** -/-n 往復切符
der **'Zūschlāg** -[e]s/..schläge 割増し(追加)料金
die **'Zūschlāg·karte** -/-n 割増し切符
die **'D-zūg·zūschlagkarte** -/-n 急行券「場券
die **'Bahnsteig·karte** -/-n 入
der **'Schalter** -s/- 出札口, 切符売り場
die **'Sperre** -/-n 改札口
der **'Bahn·steig** -[e]s/-e プラットホーム「者
der **'Reisende** 《形変化》旅行
der **'Warte·saal** -[e]s/..säle 待合室「カー
der **'Laut·sprecher** -s/- スピー
die **'Aus·kunft** -/..künfte 案内所
die **Ge'päck·aufbewahrung** -/-en 手荷物一時預り所「所
die **'Wechsel·stūbe** -/-n 両替
das **Gleis** -es/-e, *die* **'Schiene** -/-n レール
der **'Bahn·übergang** -[e]s/..gänge 踏切
der **'Bahn·wärter** -s/- 踏切番
der **'Fahr·plān** -[e]s/..pläne 時間表, 列車ダイヤ
das **'Kurs·būch** -[e]s/..bücher 時間表「内所
das **'Reise·bürō** -s/-s 旅行案

船と航海　　　　　　　　　　　　　　　　　　　　　　　　　　168

die 'Ankunft	-/..künfte	到着	
die 'Ab·fahrt	-/-en	出発, 発車	
die 'Ab·reise	-/-n	出発, 旅立ち	
der 'Auf·enthalt	-[e]s/-e	停車[時間]	

'ein|steigen* 自《s》 乗車する
'ab|fahren* 自《s》 （乗物で）出発する; 発車する
'ab|reisen 自《s》 旅立つ
'an|kommen* 自《s》, 'ein|treffen* 自《s》 到着する
'aus|steigen* 自《s》 降りる
'um|steigen* 自《s》 乗り換える
'an|kündigen 他 告げる
ver'passen 他 乗り遅れる
'lösen 他 （切符を）買う
'halten* 自 停車する
'packen 他 荷造りする, 詰める
'lochen 他 〈et⁴ に〉穴をあける, 改札する
'vor|zeigen 他 提示する
'einfach 形 片道の

Vor der Abreise packe ich meine Kleider in den Reisekoffer. 旅に出る前に, 私は着物を旅行カバンに詰める。　Wenn die Stunde der Abfahrt gekommen ist, bestelle ich ein Auto und fahre zum Bahnhof. 出発の時間が来ると, 私は自動車を呼んで駅へ行く。　Auf dem Bahnhof löse ich am Schalter meine Fahrkarte. 駅に着くと私は出札口で切符を買う。　Ich sage: „Frankfurt, erster [Klasse], einfach", oder „Hamburg, zweiter hin und zurück." 私は「フランクフルトまで, 1等, 片道」, あるいは「ハンブルク, 往復2等」と言う。　Ich rufe einen Gepäckträger und gebe ihm meinen Reisekoffer. 私は赤帽を呼んで, トランクを手渡す。　Ich gehe zum Bahnsteig oder, wenn der Zug nicht gleich abfährt, in den Wartesaal. 私はプラットホームへ行くか, 汽車がすぐ出ないときは, 待合室へ行く。　Der Lautsprecher kündigt die Ankunft des Zuges an. スピーカーが列車の到着を告げる。　Ich zeige meine Fahrkarte vor und der Bahnhofsbeamte an der Sperre locht die Fahrkarte. 私は切符を見せる。改札口にいる駅員が切符にハサミを入れる。　Der Zug hat fünf Minuten Aufenthalt. 汽車は5分停車である。　Ich steige ein, suche mir einen guten Platz und lege meinen Koffer ins Gepäcknetz. 私は乗りこんで, よい席を捜し, トランクを網棚にのせる。　Der Bahnhofsvorsteher gibt das Zeichen zur Abfahrt. 駅長が発車の合図をする。　Der Zug setzt sich⁴ in Bewegung⁴. 汽車は動き出す。

Schiff und Schifffahrt 船と航海

das Schiff	-[e]s/-e	船, 舟	
das Meer	-[e]s/-e	海	
die See	-/-n	海	
der 'Ōzeān	-s/-e	大洋	
der 'Dampfer	-s/-	汽船	
der Passagier	[pasaˈʒiːr] -s/-e,		
der 'Fahr·gast	-[e]s/..gäste	乗客	
der Passa'gier·dampfer	-s/-	客船	
der 'Fracht·dampfer	-s/-	貨物船	
das Deck	-[e]s/-e, -s	甲板, デッキ
die 'Schiff·brücke	-/-n	船橋, ブリッジ
der Bord	-[e]s/-e	舷
der Mast	-es/-e[n]	マスト

船と航海

der ′Schorn·stein -[e]s/-e	煙突
die Si′rēne -/-n	汽笛, サイレン
die ′Flagge -/-n	[船]旗
das Boot -[e]s/-e	ボート
das ′Rettungs·boot -[e]s/-e	救命艇
der Būg -[e]s/⸚e, -e	船首, へさき
das Heck -[e]s/-e	艫(とも)
das ′Rūder -s/-	舵, 櫂(かい)
das ′Steuer -s/-	舵, 舵機
die ′Schraube -/-n	スクリュー
der Kiel -[e]s/-e	竜骨；船底
der ′Anker -s/-	錨
das Tau -[e]s/-e	ともづな, ロープ
die Ka′bine -/-n	船室
der Kapi′tän -s/-e	船長
die [′Schiffs]′mannschaft, die Be′satzung -/-en	乗組員
der ′See·mann -[e]s/..leute	船員, 水夫
der Ma′trōse -n/-n	船乗り, マドロス
das ′Sēgel -s/-	帆
das ′Sēgel·schiff -[e]s/-e	帆船
das ′Fischer·boot -[e]s/-e	漁船
das ′Mōtor·boot -[e]s/-e	モーターボート
der Kahn -[e]s/⸚	ボート, はしけ
der ′Hāfen -s/⸚	港
der Kai -s/-e, -s	埠頭, 波止場
der [′Hāfen]damm -[e]s/..dämme	埠頭；防波堤
das Dock -[e]s/-e, -s	ドック
der ′Leucht·turm -[e]s/..türme	灯台
die ′Schifffahrt -/-en	航海
die ′See·reise -/-n	航海
die ′Abfahrt -/-en	出帆
die ′Dampfer·linie -/-n	定期航路
der ′Schiff·bruch -[e]s/..brüche	難破
die ′See·krankheit -/-en	船酔い
′ein|schiffen 再《sich[4]》	乗船する
′aus|schiffen 再《sich[4]》	下船する
′landen 自 (h, s)	上陸する；(船が)接岸する
′aus|laufen* 自《s》	出帆する
′ein|laufen* 自《s》	(港に)はいる
′see·krank 形	船酔いにかかった

Herr Braun will mit dem Schiff reisen. ブラウン氏は船で旅行しようと思う。　Er bestellt einen Platz in einer Kabine erster Klasse. 彼は1等船室に席を予約する。　Er fährt mit dem Auto zum Hafen. 彼は自動車で港へ行く。　Der Dampfer liegt am Kai. 汽船は埠頭についている。　Fahrgäste gehen an Bord[4]. 乗客が船に乗りこむ。　Herr Braun geht auf Deck[4] und betrachtet den Hafen. ブラウン氏は甲板に上がって港をながめる。　Mehrere Schiffe liegen vor Anker[3]. 数隻の船が停泊している。　Der Kapitän gibt Befehle. 船長が命令を下す。　Die Sirene ertönt. 汽笛が鳴る。　Der Dampfer läuft aus dem Hafen aus. 汽船は港を出帆する。　Das Schiff gewinnt die offene See. 船は外海に出る。　Der Dampfer gerät in einen Sturm. 汽船は嵐に遭遇する。　Herr Braun wird seekrank. ブラウン氏は船酔いにかかる。　Zum Glück ist ein Arzt an Bord[3]. さいわいにも医者が船に乗っている。　Der Wind legt sich[4]. 風がおさまる。　Die Küste wird sichtbar. 海岸が見えはじめる。　Das Schiff läuft in den Hafen ein. 船は港にはいる。

Flugzeug 飛行機

der **Flug** -[e]s/-̈e	飛行	
das **'Flugzeug** -[e]s/-e	飛行機	
die **'Luft·reise** -/-n	空の旅	
die **'Luft·linie** -/-n	航空路	
der **'Flug·häfen** -s/..häfen	空港	
der **'Flug·platz** -es/..plätze	飛行場「陸	
der **'Start** [ʃtart] -[e]s/-e, -s	離	
die **'Start·bahn** -/-en	滑走路	
die **'Landung** -/-en	着陸	
das **Ver'kehrs·flugzeug** -[e]s/-e	民間航空機, 旅客機	
das **'Düsen·flugzeug** -[e]s/-e	ジェット機	
die **'Flug·strecke** -/-n	飛行距離「間	
die **'Flug·stunde** -/-n	飛行時	
der **Pro'peller** -s/-, die **'Luft-schraube** -/-n	プロペラ	
der **'Fall·schirm** -[e]s/-e	パラシュート「空旅客	
der **'Flug·gast** -[e]s/..gäste	航	
der **'Fahr·gast** -[e]s/..gäste	乗客, 旅客「ロット	
der **'Flieger** -s/-	飛行士, パイ	
die **Be'satzung** -/-en	乗員	
der **'Flugzeug·führer** -s/-	操縦士「コプター	
der **'Hub·schrauber** -s/-	ヘリ	
'starten 自 ((h, s)), **'ab|fliegen*** 自 ((s))	離陸する	
'landen 自 ((h, s))	着陸する	
'ab|stürzen 自 ((s))	墜落する	
über'fliegen* 他	飛び越える	
be'fördern 他	輸送する	
'ein('zwei)·motorig 形	単(双)発の	

Ich gehe zum Flughafen. 私は空港に行く. Ich bin mit einem Flugzeug noch nicht gefahren. 私はまだ飛行機に乗ったことがない. Dieses viermotorige Flugzeug kann 100 Fluggäste und fünf Mann Besatzung befördern. この4発の飛行機は100人の乗客と5人の乗員を運ぶことができる. Die Fahrgäste steigen in das Flugzeug ein. 乗客は飛行機に乗りこむ. Die Propeller drehen sich⁴. プロペラが回転する. Das Flugzeug rollt über die Startbahn und hebt sich⁴ vom Boden. 飛行機は滑走路を走って離陸する. Es gewinnt Höhe. 飛行機は高度をあげる. Das Flugzeug überfliegt das Meer. 飛行機は海を飛び越える. Es geht langsam tiefer und landet glatt auf dem Flughafen. しだいに高度をさげて, すべるように空港に着陸する.

Landesgrenze und Zollamt 国境と税関

die [**'Landes**]**'grenze** -/-n	国境	
der **Zoll** -[e]s/-̈e	関税	
das **'Zoll·amt** -[e]s/..ämter	税関	
der **'Zoll·beamte** ((形 変化))	税関吏	
die **'Zoll·untersuchung** -/-en	関税検査	
der **'Schmuggel** -s/-	密輸	
der **'Schmuggler** -s/-	密輸者	
der **Pass** -es/-̈e	パスポート, 旅券	

die ′**Pass·kontrolle** -/-n	旅券査検査
das **Visum** [′vi:zʊm] -s/-..sa,..sen	査証, ビザ
die ′**Aufenthalts·erlaubnis** -/..nisse	滞在許可
über′schreiten* 他	越えて行く, 通過する
′**vōr**|**zeigen** 他	提示する
ver′zollen 他	〈et⁴ の〉関税を支払う「査する
durch′sūchen 他	(きびしく)検
er′neuern 他	更新する
′**zoll·pflichtig** 形	関税義務のある, 関税のかかる
′**zoll·frei** 形	免税の

Zolluntersuchung und Passkontrolle finden an der Grenze statt. 関税検査と旅券検査は国境で行なわれる。 Haben Sie etwas zu verzollen? / Haben Sie etwas Zollpflichtiges? 何か課税品をお持ちですか? Ich habe Zigarren. Muss ich die verzollen? 葉巻を持っています。税を払わねばなりませんか? Ich habe nichts zu verzollen. 税のかかるようなものは何もありません。 Diese Ware ist zollfrei. この品は無税です。 Brauche ich eine Aufenthaltserlaubnis? 私は滞在許可が必要ですか? Sie müssen Ihren Pass erneuern lassen. あなたは旅券の更新をしてもらわねばなりません。

Stadt 都市

die **Stadt** -/Städte	都市
die ′**Haupt·stadt** -/..städte	首都「都市
die ′**Grōß·stadt** -/..städte	大
der ′**Stadt·plān** -[e]s/..pläne	市街地図
das ′**Stadt·viertel** -s/-	市区
die ′**Vōr·stadt** -/..städte, *der* ′**Vōr·ort** -[e]s/-e	郊外
der **Markt** -[e]s/¨e	市場
der **Platz** -es/¨e	広場
der ′**Markt·platz** -es/..plätze	市の立つ広場「名所
die ′**Sehens·würdigkeit** -/-en	
der **Park** -[e]s/-e, *die* ′**Anlāge** -/-n	公園
das ′**Denk·māl** -[e]s/-e, ..mäler	記念物(碑·像)
der **Zoo** -[s]/-s	動物園
die ′**Anstalt** -/-en	施設
das **Ge′bäude** -s/-	建物
das **Tōr** -[e]s/-e	門
der **Dōm** -[e]s/-e	大聖堂
der **Turm** -[e]s/¨e	塔
das **Schloss** -es/¨er	城, 宮殿
der **Pa′last** -es/..läste	宮殿
das **Mu′sēum** -s/..′sēen	博物館
die **Biblio′thēk** -/-en	図書館
der ′**Bürger** -s/-	市民
der ′**Bürger·meister** -s/-	市長
das ′**Rāt·haus** -es/..häuser	役所
der **Poli′zist** -en/-en	警官
das **Poli′zei·amt** -[e]s/..ämter	警察署「便局
das ′**Post·amt** -[e]s/..ämter	郵
die ′**Börse** -/-n	取引所「病院
das ′**Kranken·haus** -es/häuser	
das **Ge′richt** -[e]s/-e	裁判所
das **Thē′āter** -s/-	劇場
der ′**Sport·platz** -es/..plätze	競技場
die ′**Strāßen·laterne** -/-n	街灯「道
die ′**Wasser·leitung** -/-en	水

die ′**Haupt·straße** -/-n	メインストリート, 本通り
die ′**Gasse** -/-n	路地, 横町
die ′**Seiten·straße** -/-n	横町, 裏通り
die ′**Straßen·ecke** -/-n	町角
der ′**Fuß·gänger** -s/-	歩行者
der ′**Fahr·damm** -[e]s/..dämme	車道
das ′**Pflaster** -s/-	舗装, 舗道
der ′**Bürger·steig** -[e]s/-e	歩道
die [′**Straßen**]**kreuzung** -/-en	十字路, 交差点
der ′**Bahn·hof** -[e]s/..höfe	駅
die ′**Straßen·bahn** -/-en	市内電車
die ′**Untergrund·bahn** -/-en	地下鉄
die ′**Halte·stelle** -/-n	停留所
der **Ver**′**kehr** -[e]s/	交通, 往来
das ′**Fahrzeug** -[e]s/-e	乗物
das **Ver**′**kehrs·zeichen** -s/	交通標識
die **Ver**′**kehrs·ampel** -/-n	交通信号灯
ver′**kehren** 自	(乗物が)往来する, 通う
be′**sichtigen** 他	視察する, 見物する「する
über′**queren** 他	横切る, 横断
über′**schreiten*** 他	歩いて渡る
′**öffentlich** 形	公共の
′**rege** 形	活気のある, 活動的な
be′**lebt** 形	活気のある, 繁華な
ver′**kehrs·stark** 形	交通の激しい

Alle Fahrzeuge müssen auf der rechten Seite des Fahrdamms fahren. 乗物はすべて, 車道の右側を通らなければならない。 An Straßenkreuzungen muss man auf die Verkehrsampel achten. 十字路では, 交通信号に気をつけなければならない。 Bis zum späten Abend herrscht ein reger Verkehr auf den Hauptstraßen. 夜おそくまで大通りは交通がひんぱんである。 Die Fußgänger dürfen die Straße nur bei grünem Licht überqueren. 歩行者は信号が青(緑)のときにしか, 通りを横断してはいけません。 Bitte, zeigen Sie mir den Weg nach dem Bahnhof! 駅へ行く道を教えてください！ Gehen Sie bis zur Kreuzung und dann nach links! 十字路まで行ってから, 左へ曲りなさい！ Wollen Sie mir bitte sagen, in welcher Richtung der Zoo ist? 動物園はどちらの方角か教えてくださいませんか？ Ist das Stadttheater weit von hier?— Ungefähr zehn Minuten zu Fuß. 市立劇場はここから遠いですか？—歩いて10分ほどです。

Dorf und Feldarbeit 村と農耕

das **Dorf** -[e]s/¨er	村
das **Land** -[e]s/	いなか, 地方
die **Land·wirtschaft** [′lantvirtʃaft] -/-en	農業; 農場
der ′**Acker** -s/¨	田畑, 耕地
das **Feld** -[e]s/-er	野; 田畑
der ′**Acker·bau** -[e]s/, *die* ′**Feld·arbeit** -/-en	耕作
der ′**Land·mann** -[e]s/..leute	いなかの人, 農夫
der ′**Land·besitzer**, *der* ′**Grund·besitzer** -s/	地主
der ′**Bauer** -s, -n/-n	農夫
die ′**Bäuerin** -/-nen	農婦
das ′**Bauern·haus** -es/..häuser	農家

村と農耕

der **'Bauern·hōf** -[e]s/..hö̂fe 農家の屋敷, 農場
der **'Pächter** -s/- 小作人
der **Stall** -[e]s/ë̂e 家畜小屋
die **'Scheuer**, *die* **'Scheune** -/-n 穀倉, 納屋
der **'Schuppen** -s/- 納屋
die **'Mühle** -/-n 製粉所, 水車
der **'Müller** -s/- 粉屋
das **'Futter** -s/- 飼料；えさ
der **'Karren** -s/- 手押し車, 荷車
der **Pflūg** -[e]s/ë̂e すき(鋤)
die **'Egge** -/-n まぐわ(馬鋤)
die **'Sichel** -/-n (半円形の)鎌
die **'Sense** -/-n 大鎌
die **'Wiese** -/-n 牧草地；牧場
die **'Weide** -/-n 牧場
die **'Hērde** -/-n 家畜の群れ
der **'Hirt** -en/-en 牧者, 羊飼い
der **'Schäfer** -s/- 羊飼い
das **Heu** -[e]s/ 干し草, まぐさ
das **Kraut** -[e]s/ë̂r 草；雑草
die **'Furche** -/-n (うねとうねの間の)溝
das **Ge'treide** -s/- 穀物
das **Korn** -[e]s/ë̂r, -e 穀粒；穀物；小麦, ライ麦
der **'Weizen** -s/ 小麦
der **'Sāme[n]** ..mens/..men 種, 種子
die **'Saat** -/-en (まいた)種；芽ばえ, 苗
die **'Ähre** -/-n 穂
das **Stroh** -[e]s/ わら, 麦わら

das (*der*) **'Bündel** -s/- (わらなどの)小さな束
die **'Stoppel** -/-n 切り株
das **Mehl** -[e]s/-e 粉, 穀粉
die **'Ernte** -/-n 収穫, 取入れ
der **'Wein·berg** -[e]s/-e ぶどう山, ぶどう畑
die **'Wein·lēse** -/-n ぶどう摘み
die **'Traube** -/-n ぶどう[の房]
die **'Rēbe** -/-n ぶどう[の木・つる]
der **'Wein·stock** -[e]s/..stöcke ぶどうの幹
der **Korb** -[e]s/ë̂e かご, ざる
der **'Bienen·korb** -[e]s/..körbe 蜜蜂の巣箱

'bauen 他 耕す；栽培する
'pflanzen 他 植える；栽培する
be'stellen 他 手入れをする, (畑を)耕す
'pflügen 他自 すく, 耕す
'sāen 他自 (種を)まく
'ab|schneiden* 他 切り取る, 刈る
'ernten 他 取り入れる
'mähen 他自 刈り取る
'füttern 他自 飼料をやる
'melken ① 他 (牛の)乳をしぼる ② 自 (牛が)乳を出す
'gären(*) ① 自 発酵する ② 他 発酵させる

'fruchtbār 形 実のなる, 実りの多い
'un·fruchtbār 形 不毛の

Der Bauer bestellt sein Feld. 農夫が畑を耕す。　Er zieht Furchen. 彼はうねを作る。　Er sät Korn. 彼は穀粒をまく。　Der Bauer schneidet Korn. 農夫は穀物を刈り取る。　Das Heu wird in die Scheune gebracht. 干し草は納屋に納められる。　Die Bäuerin füttert das Vieh. 農婦が家畜に飼料をやる。　Sie melkt die Kühe. 彼女は雌牛の乳をしぼる。　Sie treibt die Kühe auf die Weide. 彼女は雌牛を牧場へ追う。　Die Bauern halten Weinlese. 農夫たちがぶどう摘みをする。　Sie schneiden die Trauben ab und legen sie in Körbe. 彼らはぶどうの房を摘み取ってかごに入れる。　Der Wein gärt. ぶどう酒が発酵する。

職業・事故と災害　　　　　　　　　　　　　　　　　　　　　174

Berufsarten 職業

der **Be'rúf** -[e]s/-e　職業
der **Be'amte** 《形 変化》公務員
der **'Angestellte** 《形 変化》従業員, サラリーマン
das **'Hand·werk** -[e]s/-e　手工業
der **'Hand·werker** -s/-　職人, 手工業者
der **'Lehrling** -s/-e　徒弟
der **Ge'selle** -n/-n　職人
der **'Meister** -s/-　親方
die **Fa'brik** -/-en　工場
der **Fabri'kant** -en/-en　工場主
der **Ingenieur** [ɪnʒenɪ'øːr] -s/-e　技師
der **Fa'brik·arbeiter** -s/-　工場労働者, 工員
der **'Bergmann** -s/..leute　鉱夫
der **'Schneider** -s/-　仕立屋
der **'Schüster**, *der* **'Schuhmacher** -s/-　靴屋
der **'Schlosser** -s/-　錠前師
der **Schmied** -[e]s/-e　鍛冶屋
der **'Zimmer·mann** -[e]s/..leute　大工
der **'Tischler**, *der* **'Schreiner** -s/-　指物師
der **'Maurer** -s/-　左官
der **'Anstreicher** -s/-　ペンキ屋
der **Ka'min('Schornstein)·feger** -s/-　煙突掃除人
der **'Uhr·macher** -s/-　時計屋
der **'Weber** -s/-　織工
die **'Näherin** -/-nen　女裁縫師
die **'Putz·frau** -/-en　掃除婦「女
das **'Dienst·mädchen** -s/-
die **'Werk·statt** -/, *die* **Werkstätte** -/-　仕事場
das **'Werk·zeug** -[e]s/-e　道具
der **Lohn** -[e]s/-̈e　賃金

'nähen 他自　縫う
'schmieden 他　鍛える
'weben 他自　織る
'an|streichen* 他　塗る
ver'fertigen 他　作る「する
'her|stellen 他　製造する; 修繕

Unfälle und Katastrophen 事故と災害

der **'Unfall** -[e]s/..fälle　事故
das **'Unglück** -[e]s/-e　災難, 事故「災害
die **Katas'trophe** -/-n　惨事,
die **'Rettung** -/-en　救助
der **'Schäden** -s/-̈　損害, 被害
der **Brand** -[e]s/-̈e　火災
die **'Feuer·wehr** -/-en　消防隊
der **'Feuerwehr·mann** -[e]s/-̈er　消防夫「ポンプ
die **'Feuer·spritze** -/-n　消防
die **'Einschläg** -[e]s/-̈e　落雷
die **La'wine** -/-n　なだれ
das **'Hoch·wasser** -s/-　高潮
die **Über'schwemmung** -/-en　氾濫, 洪水
die **'Flut·welle** -/-n　津波
die **'Sturm·flut** -/-en　津波, 高潮
das **'Erd·beben** -s/-　地震
der **Vulkan** [vul'kaːn] -s/-e　火山「爆発
der **'Ausbruch** -[e]s/..brüche
die **Lava** ['laːva] -/..ven　溶岩
der **'Schiff·bruch** -[e]s/..brüche　難船(破)
die **'Strandung** -/-en　座礁
die **'Not·landung** -/-en　不時着

der **Ver'kehrs·unfall** -[e]s/..unfälle	交通事故	**über'schwemmen** 他 ⟨et⁴ に⟩	氾濫する
der **'Auto·unfall** -[e]s/..unfälle	自動車事故	**zu'sammen|stoßen*** 自 (s, h)	衝突する
das **'Eisenbahn·unglück** -[e]s/-e	鉄道事故	**'scheitern** 自 (s)	難破する
		ent'gleisen 自 (s)	脱線する
der **Zu'sammen·stoß** -es/..stöße	衝突	**'aus|brechen*** 自 (s)	突発する
das **'Opfer** -s/-	犠牲[者]	**über'schlagen*** 再 ((sich⁴))	転覆する
'an|richten 他	ひき起こす	**ver'letzen** 他	負傷させる
		zer'stören 他	破壊する

Haben Sie vom schrecklichen Eisenbahnunglück gehört? おそろしい鉄道事故のことをお聞きになりましたか? Zwei Züge sind zusammengestoßen. 2つの列車が衝突したのです. Zwei Wagen sind entgleist. 2台が脱線しました. Das Auto fuhr gegen einen Baum und überschlug sich⁴. 自動車は木にぶつかって転覆した. In der Nacht war ein Erdbeben. 夜中に地震があった. Es hat großen Schaden angerichtet. それは大きな被害を与えた.

Geographie und Landschaften 地理と風景

die **Geogra'phie** -/	地理学	die **Flūt** -/-en	満潮
die **'Landschaft** -/-en	風景	die **'Ēbene** -/-n	平野
die **'Ērde** -/	地球; 大地, 地方	die **'Hōch·ebene** -/-n	高原
die **'Ērd·kunde** -/-n	地理学	das **Feld** -[e]s/-er	野, 平原
die **'Ērd·kūgel** -/-n, der **'Ērd·ball** -[e]s/⁼e	地球	der **Berg** -[e]s/-e	山
		das **Ge'birge** -s/-	山脈, 山岳地帯 「斜, 山腹
der **'Ērd·teil** -[e]s/-e	大陸, 洲	der **'Ab·hang** -[e]s/..hänge	傾
das **Ge'biet** -[e]s/-e	区域, 地帯	der **'Gipfel** -s/-	山頂, 峰
die **'Gēgend** -/-en	地方	der **'Hügel** -s/-	丘
das **Meer** -[e]s/-e	海	die **'Höhe** -/-n	高地
die **See** -/-n	海	die **'Wüste** -/-n	砂漠, 荒野
der **See** -s/-n	湖	die **'Heide** -/-n	荒野
der **'Meeres·spiegel** -s/	海面	der **Wald** -[e]s/⁼er	森
das **Land** -[e]s/⁼er, -e	陸; いな	die **'Wiese** -/-n	草原; 牧草地
die **'Insel** -/-n	島 「か; 国	der **Bach** -[e]s/⁼e	小川
das **Kap** -s/-s	岬	der **'Gletscher** -s/-	氷河
die **Bucht** -/-en	湾, 入江	der **Pass** -es/⁼e	峠; 海峡
die **'Halb·insel** -/-n	半島	die **Schlucht** -/-en	山峡, 峡谷
die **'Küste** -/-n	海岸	der **'Wasser·fall** -[e]s/..fälle	
der **Strand** -[e]s/-e	海岸, 浜	der **Fluss** -es/⁼e	川 「滝
das **'Ūfer** -s/-	岸	der **'Nēben·fluss** ..flusses/..flüsse	支流
die **'Klippe** -/-n	絶壁, 岩礁		
die **'Ebbe** -/-n	干潮		

動物　　　　　　　　　　　　　　　　　　　　　　　　　　　　　176

das **Tāl** -[e]s/⸚er	谷
der **Strōm** -[e]s/⸚e	[大]河, 流れ
die **'Mündung** -/-en	河口; 合流[点]
der **Damm** -[e]s/⸚e	堤防, ダム
der **Ka'nāl** -s/Kanāle	運河
das **Moor** -[e]s/-e, *der* **Sumpf** -[e]s/⸚e	沼地
die **'Himmels·gēgend** -/-en	方位「北
der **'Nord[en]** ..d[e]s, ..dens	
der **'Süd[en]** ..d[e]s, ..dens	南
der **'Ost[en]** ..t[e]s, ..tens	東
der **'West[en]** ..t[e]s, ..tens	西
der **Hori'zont** -[e]s/-e	地(水)平線「町
die **'Hāfen·stadt** -/..städte	港
die **Indust'rie·stadt** -/..städte	工業都市「商業都市
die **'Handels·stadt** -/..städte	
der **'Kūr·ort** -[e]s/-e	保養地
das **'Klima** -s/-s, ..'māte	気候; 風土
(em'pōr)/'rāgen 自 〈über et⁴ の上に〉そびえる「る
**'ein	trēten*** 自 《s》 おこる, 始ま
steil, schroff 形	険しい
'öde 形	荒れはてた
'nördlich 形	北の
'südlich 形	南の
'östlich 形	東の
'westlich 形	西の

Der See liegt 300 m über dem Meeresspiegel. その湖は海抜300メートルの高さにある。 Die Stadt liegt in einer von kleinen Höhen umgebenen Ebene. 町は小さな丘に囲まれた平野にある。 Am Abhang des Hügels steht eine Hütte. 丘の中腹に1軒の小屋がある。 Der Berg ragt über die Wolken empor. その山は雲の上に高くそびえている。 Die Flut steigt (kommt). 潮が満ちる。 Die Ebbe tritt ein. 潮がひく。

Tiere 動物

das **Tier** -[e]s/-e	動物
die **'Pfōte** -/-n	(動物の)足, (特
die **'Tatze** -/-n	前足 しに)前足
die **'Kralle** -/-n	(猛獣の)つめ
das **Fell** -[e]s/-e	皮, 毛皮
das **Horn** -[e]s/⸚er	角
die **'Mähne** -/-n	たてがみ
der **Hūf** -[e]s/-e	ひづめ
das **'Hūf·eisen** -s/-	蹄鉄
das **Maul** -[e]s/⸚er	(動物の)口,
der **Schwanz** -es/⸚e	尾し鼻づら
der **'Schnābel** -s/⸚	くちばし
der **'Flügel** -s/-	翼, 羽
die **'Fēder** -/-n	羽毛

Haustiere 家畜

das **'Haus·tier** -[e]s/-e, *das* **Vieh** -[e]s/	家畜
der **Hund** -[e]s/-e	犬
der **'Jägd·hund** -[e]s/-e	猟犬
das **Pfērd** -[e]s/-e	馬
der **'Ēsel** -s/-	ろば
das **'Maul·tier** -[e]s/-e	らば
die **Kuh** -/⸚e	雌牛
der **Ochs[e]** ['ɔks(ə)] -[e]n/-[e]n, *der* **Stier** -[e]s/-e	雄牛
das **Kalb** -[e]s/⸚er	子牛
das **Schāf** -[e]s/-e	羊
das **Lamm** -[e]s/⸚er	子羊
die **'Ziege** -/-n	やぎ
der **Bock** -[e]s/⸚e	雄やぎ
das **Schwein** -[e]s/-e	豚
das **Ka'mēl** -[e]s/-e	らくだ
die **'Katze** -/-n	猫
der **'Kāter** -s/-	雄猫

das **Ka'ninchen** -s/-	家兎
die **'Taube** -/-n	はと
der **Hahn** -[e]s/¨e	おんどり
die **'Henne** -/-n	めんどり
das **Huhn** -[e]s/¨er	鶏
der **Ka'nārĭen·vōgel** -s/ ..vögel	カナリア
der **'Trūt·hahn** -[e]s/..hähne	七面鳥
die **Gans** -/¨e	がちょう
die **'Ente** -/-n	かも, あひる

Wilde Tiere 野獣

das **'Raub·tier** -[e]s/-e	猛獣
der **'Löwe** -n/-n	ライオン
der **Bär** -en/-en	熊
der **'Tiger** -s/-	とら
der **'Panther** -s/-	豹
der **'Eis·bär** -en/-en	白熊
der **Ele'fant** -en/-en	象
das **'Nīl·pfērd** -[e]s/-e	かば
die **Gi'raffe** -/-n	キリン
der **'Affe** -n/-n	猿
der **'Hāse** -n/-n	兎
der **Wolf** -[e]s/¨e	おおかみ
der **Fuchs** [fuks] -es/¨e	きつね
der **Hirsch** -es/-e	鹿
das **'Wild·schwein** -[e]s/-e	猪
das **'Eich·hörnchen** -s/-	りす
die **Maus** -/¨e	はつかねずみ
die **'Ratte** -/-n	ねずみ
die **'Flēder·maus** -/¨e	こうもり
der **'Maul·wurf** -[e]s/..würfe	もぐら

Vögel 鳥

der **'Vōgel** -s/¨	鳥
der **'Raub·vōgel** -s/..vögel	肉食鳥, 猛禽
der **'Wander·vōgel**, der **'Zūg·vōgel** -s/..vögel	渡り鳥
der **'Ādler** -s/-	わし
der **Strauß** -es/-e	だちょう
die **'Wild·gans** -/¨e	がん
die **'Möwe** -/-n	かもめ
der **Fa'sān** -[e]s/-e[n]	きじ
der **Papa'gei** -en/-en	おうむ
der **'Krānich** -[e]s/-e	つる
der **Storch** -[e]s/-e	こうのとり
der **'Falke** -n/-n	たか
die **'Krähe** -/-n, der **'Rābe** -n/-n	からす
der **'Kuckuck** -[e]s/-e	かっこう
die **'Eule** -/-n	ふくろう
der **'Specht** -[e]s/-e	きつつき
die **'Nachtigall** -/-en	さよなきどり, よるうぐいす
die **'Schwalbe** -/-n	つばめ
der **'Sperling** -s/-e, der **Spatz** -en/-en	すずめ
die **'Lerche** -/-n	ひばり
der **Schwān** -[e]s/¨e	白鳥
das **Nest** -es/-er	巣
der **'Käfig** -s/-e	鳥かご

Insekten 昆虫

das **In'sekt** -[e]s/-en	昆虫
die **Biene** -/-n	蜜蜂
der **'Hōnig** -s/	蜂蜜
der **'Schmetterling** -s/-e	蝶
die **'Fliege** -/-n	はえ
die **'Mücke** -/-n	蚊, ぶよ
der **'Käfer** -s/-	かぶとむし
der **'Mai·käfer** -s/-	こがねむし
die **'Āmeise** -/-n	あり
die **Li'belle** -/-n	とんぼ
die **'Spinne** -/-n	くも
das **'Spinn·gewēbe** -s/-	くもしの巣
der **Floh** -[e]s/¨e	のみ
die **'Raupe** -/-n	毛虫, いも虫
der **Wurm** -[e]s/¨er	虫, うじ

Fische 魚

der **Fisch** -es/-e	魚
der **'Gold·fisch** -es/-e	金魚
die **Fo'relle** -/-n	ます
der **'Hēring** -s/-e	にしん
der **'Karpfen** -s/-	こい

die Sar'dine -/-n	いわし
der Krebs -es/-e	かに
die 'Auster -/-n	かき
die 'Muschel -/-n	貝

Andere Tiere その他の動物

die 'Schlange -/-n	へび
die 'Schnecke -/-n	かたつむり
die Eidechse ['aidɛksə] -/-n	と
der Frosch -es/⸚e	かえる しかげ
die 'Kröte -/-n	ひきがえる
die 'Schild·kröte -/-n	かめ
der 'Wal·fisch -es/-e	鯨

'brüllen 自　　　うなる, ほえる

'heulen, 'bellen 自	ほえる
'zwitschern 自	さえずる
'schlagen* 自	さえずる, 鳴く
'summen 自	ぶんぶん言う
'fliegen* 自 ((s))	飛ぶ
'flattern 自 ((h, s))	ひらひらと飛ぶ
'kriechen* 自 ((s))	はう
'hüpfen 自 ((h, s))	とぶ, はねる
'schwimmen* 自 ((s))	泳ぐ
'fressen* 他	(動物が)食う
'saufen* 他自	(動物が)飲む
'giftig 形	有毒の
'nützlich 形	有用な
'schädlich 形	有害な
wild 形	野生の, どうもうな

Garten 庭園

Obstbäume, Gemüse und Blumen 果樹, 野菜, 花

der 'Garten -s/⸚	庭園
das Obst -es/	くだもの
der Baum -[e]s/⸚e	木 「果樹園
der 'Obst·garten -s/..gärten	
der 'Obst·baum -[e]s/..bäume	
das Ge'müse -s/-	野菜 「果樹
der Ge'müse·garten -s/⸚	菜
die 'Blume -/-n	花 「園
der 'Blumen·garten -s/..gärten	花園
der 'Gärtner -s/-	園丁, 庭師
das Beet -[e]s/-e	苗床, 花壇
der 'Rasen -s/-	芝生 「雑草
das 'Unkraut -[e]s/..kräuter	
der Strauch -[e]s/-e[r]	灌木, や
der Stamm -[e]s/⸚e	幹 しぶ
die 'Wurzel -/-n	根
der Ast -es/-e	太枝
der Zweig -[e]s/-e	小枝
die 'Rinde -/-n	樹皮
der 'Wipfel -s/-	こずえ 「種子
der 'Same[n] ..mens/..men	
der Keim -[e]s/-e	芽, つぼみ
die 'Knospe -/-n	つぼみ
das Blatt -es/⸚er	葉
das 'Blumen·blatt -[e]s/..blätter	花弁 「花, 花盛り
die 'Blüte -/-n	(木に咲く)花；開
der 'Stengel -s/-, *der* Stiel -[e]s/-e	茎
die 'Ranke -/-n	蔓
das Dorn -[e]s/-en	とげ
die Frucht -/⸚e	くだもの, 果実
die 'Schale -/-n	皮；さや
der Kern -[e]s/-e	種, 核, 木髄
der Saft -[e]s/⸚e	樹液, 果汁
der 'Apfel -s/⸚	りんご 「りんごの木
der 'Apfel·baum -[e]s/..bäume	
die 'Birne -/-n	なし 「なしの木
die 'Birn·baum -[e]s/..bäume	
die 'Kirsche -/-n	さくらんぼう
der 'Kirsch·baum -s/..bäume	桜の木
die Nuss -/⸚e	くるみ
der 'Nuss·baum -[e]s/..bäume	くるみの木
der 'Pfirsich -[e]s/-e	桃
die Apri'kose -/-n	あんず

die ′**Mandel** -/-n	はたんきょう	*die* **Nar**′**zisse** -/-n	すいせん
die ′**Pflaume** -/-n	すもも	*die* ′**Primel** -/-n	桜草
die ′**Beere** -/-n	漿果「ちご	*die* ′**Tulpe** -/-n	チューリップ
die ′**Ērd·beere** -/-n	オランダいちご	*die* **Ka**′**mēlie** -/-n	つばき
die ′**Him·beere** -/-n	きいちご	*der* **Strauß** -es/¨e	花束
die ′**Feige** -/-n	いちじく	*der* ′**Eimer** -s/-	手おけ, バケツ
die **Orange** [oˈrāːʒə] -/-n	オレンジ	*die* ′**Gieß·kanne** -/-n	じょろ
		die ′**Schaufel** -/-n	シャベル
die **Manda**′**rine** -/-n	みかん	*der* **Zaun** -[e]s/¨e	垣根
der ′**Kohl** -[e]s/-e	キャベツ		
die ′**Gurke** -/-n	きゅうり	′**blühen** 自	(花が)咲いている
die ′**Bohne** -/-n	楕円形の豆	′**pflanzen** 他	植える
die **Erbse** [′ɛrpsə] -/-n	えんどう	be′**stellen** 他 ⟨et⁴ の⟩	手入れをする「りかける
der ′**Rettich** -[e]s/-e	大根	be′**gießen*** 他	⟨et⁴ に⟩注ぐ, ふ
die ′**Rübe** -/-n	かぶ	′**pflücken** 他	(花・くだものを)摘む
der ′**Spargel** -s/-	アスパラガス	′**reifen** 自	熟する
der **Spi**′**nāt** -[e]s/-e	ほうれんそう	′**auf|blühen** 自 ⟨(s)⟩	咲き出す, 開花する
die **To**′**māte** -/-n	トマト		
die ′**Zwiebel** -/-n	たまねぎ	ver′**blühen** 自 ⟨(s, h)⟩	しぼむ
die **Kar**′**toffel** -/-n	じゃがいも	ver′**welken** 自 ⟨(s)⟩	しぼむ, しおれる
der **Pilz** -es/-e	きのこ	′**duften** 自	におう, かおる
die ′**Rōse** -/-n	ばら	′**binden*** 他	結ぶ, (花輪を)編む
die **Hya**′**zinthe** -/-n	ヒアシンス	′**schälen** 他 ⟨et⁴ の⟩	皮をむく
die **Chrysantheme** [kryzan-′teːmə] -/-n	菊		
die ′**Nelke** -/-n	なでしこ, 石竹, カーネーション	**welk** 形	しぼんだ, 枯れた
		dürr 形	枯れた
die ′**Lilie** -/-n	ゆり	**reif** 形	熟した
die ′**Sonnen·blūme** -/-n	ひまわり	′**unreif** 形	未熟の

Der Baum treibt Knospen. 木が芽をふく。 Der Baum trägt keine Früchte mehr. この木はもう実を結ばない。 Sie schält Kartoffeln. 彼女はじゃがいもの皮をむく。 Sie bindet einen Strauß. 彼女は花束を編む. Der Gärtner bestellt den Garten. 庭師は庭の手入れをする。 Sie begoss die Blumen. 彼女は花に水を注いだ.

Feldblumen und wilde Pflanzen
野の花と野生の植物

die ′**Feld·blūme** -/-n	野花	*die* ′**Korn·blūme** -/-n	やぐるま菊
das **Grās** -es/¨er	草	*das* ′**Veilchen** -s/-	すみれ
das **Kraut** -[e]s/¨er	草, 雑草	*der* ′**Ēfeu** -s/	きづた
die ′**Pflanze** -/-n	植物	*das* **Schilf**, *das* **Rohr** -[e]s/-e	あし, よし
das ′**Mai·glöckchen** -s/-	すずらん	*das* **Moos** -[e]s/-e	こけ

鉱物

die ′Heide -/-n	荒れ野	*die* ′Erle -/-n	はんのき
der ′Busch -es/⸚e	茂み, やぶ	*die* ′Eiche -/-n	かしの木
das Ge′büsch -es/-e	やぶ, 雑木林	*die* ′Eichel -/-n	どんぐり
der Wald -[e]s/⸚er	森	*die* ′Linde -/-n, *der* ′Lindenbaum -[e]s/..bäume	ぼだいじゅ
der Forst -es/-e	森林; 植林	*die* ′Pappel -/-n	ポプラ
der Hōch·wald -[e]s/..wälder	喬木林	*die* Pla′tāne -/-n	すずかけ, プラタナス
das Holz -es/⸚er	材木; 木	*die* ′Weide -/-n	柳
die ′Nādel -/-n	針葉	*die* Kas′tānie -/-n	栗
der ′Nādel·baum -[e]s/..bäume	針葉樹	*der* ′Förster -s/-	山林官
die ′Fichte -/-n	赤針もみ	*der* ′Holz·hauer -s/-	きこり
die ′Kiefer -/-n	松	*die* Axt -/⸚e	おの
die ′Tanne -/-n, *der* ′Tannenbaum -[e]s/..bäume	もみ	*die* ′Säge -/-n	鋸(のこぎり)
der Wa′cholder -s/-	ねず	′wachsen* 自 ((s))	はえる, 成長する
der ′Laub·baum -[e]s/..bäume	かつ葉樹	′schlāgen* 他	伐採する
die ′Birke -/-n	しらかば	′ab|hauen(*) 他	切りおとす
die ′Būche -/-n	ぶな	′fällen 他	倒す
		′sāgen 自他	鋸で切る, ひく

Mineralien 鉱物

das Mine′rāl -s/-e, ..līen	鉱物	*das* Zinn -[e]s/	錫
der Stein -[e]s/-e	石	*die* Bronze [′brõːsə] -/	青銅
der Kies -es/-e	じゃり	*das* ′Messing -s/	真鍮
der Sand -[e]s/-e	砂	*das* ′Ērd·öl -[e]s/-e	石油
der ′Ēdel·stein -[e]s/-e	宝石	*der* ′Berg·kristall -s/-e	水晶
der Dia′mant -en/-en	ダイヤモンド	*das* ′Stein·salz -es/-e	岩塩
der ′Marmor -s/-e	大理石	*das* ′Berg·werk -[e]s/-e	鉱山
die ′Stein·kohle -/-n	石炭	*die* ′Grūbe -/-n	鉱坑
das Ērz -es/-e	鉱石; 金属	*der* ′Stein·bruch -[e]s/⸚e	石切り場
das Me′tall -s/-e	金属	′fördern 他	採掘する, 搬出する
das Gold -[e]s/	金	′schmelzen(*)	① 自 〈強変化〉溶ける ② 他 〈弱変化〉溶かす
das ′Silber -s/	銀		
das ′Eisen -s/-	鉄		
der Stahl -[e]s/-e, ⸚e	鋼鉄	′eisern 形	鉄の
das ′Kupfer -s/	銅	′kupfern 形	銅の
das Blei -[e]s/-e	鉛	′golden 形	金の
das Blech -[e]s/-e	ブリキ	′silbern 形	銀の
das Zink -[e]s/	亜鉛		

Zahlen und Maßstäbe 数と尺度

die **Zahl** -/-en	数
null	0
eins	1
zwei	2
drei	3
vier	4
fünf	5
sechs	6
'sieben	7
acht	8
neun	9
zehn	10
elf	11
zwölf	12
'dreizehn	13
vierzehn ['fɪr..]	14
'fünfzehn	15
sechzehn ['zɛç..]	16
'siebzehn	17
achtzehn ['axtse:n]	18
'neunzehn	19
'zwanzig	20
'einundzwanzig	21
'dreißig	30
vierzig ['fɪr..]	40
'fünfzig	50
'sechzig	60
'siebzig	70
'achtzig ['axtsɪç]	80
'neunzig	90
'hundert	100
'hunderteins	101
'zweihundert	200
'tausend	1000
'zweitausend	2000
eine Milli'ōn -/-en	100万
eine Milli'arde -/-n	10億
neunzehnhundertachtundsechzig	1968年
der (die, das) **'ērste**	第1の, 最初の
der **'zweite**	第2の
der **'dritte**	第3の
der **'vierte**	第4の
der **'achte**	第8の
der **'zehnte**	第10の
der **'elfte**	第11の
der **'zwanzigste**	第20の
der **'einundzwanzigste**	第21の
der **'hundertste**	第100の
der **'hundertundērste**	第101の
'einmal 副	1度, 1倍
'zweimal 副	2度, 2倍
'ērstens 副	第1に
'zweitens 副	第2に
'einfach 形	1倍の
'doppelt 形	2倍の
'dreifach 形	3倍の
halb, *die* **'Hälfte**	1/2
das **'Drittel**	1/3
das **Viertel** ['fɪrtəl]	1/4
zwei 'Fünftel	2/5
das **Māß** -es/-e, *der* **'Māßstāb** -[e]s/..stäbe	尺度
die **'Länge** -/-n	長さ
die **'Breite** -/-n	幅
die **'Höhe** -/-n	高さ, 高度
die **'Tiefe** -/-n	深さ
das **'Mēter** -s/-	メートル
das **Zenti'mēter** -s/-	センチメートル
das **Kilo'mēter** -s/-	キロメートル
die **'Meile** -/-n	マイル
das **Gramm** -s/-	グラム
das **Pfund** -[e]s/-e	ポンド
das **Kilo'gramm** -s/-e	キログラム

時間 182

| der 'Zentner -s/- | 100ポンド | das 'Dutzend -s/-e | ダース |
| das Pro'zent -[e]s/-e | パーセント | das 'Liter -s/- | リットル |

Zeit 時間

die Zeit -/-en 時間
die 'Gegenwart -/ 現在
die Ver'gangenheit -/-en 過
die 'Zukunft -/ 未来 し去
das Jahr -[e]s/-e 年
das 'Schalt·jahr -[e]s/-e 閏年
（うるう）「年，世紀
（どし）
das Jahr'hundert -[e]s/-e 100
der Ka'lender -s/- カレンダー
das 'Dātum -s/..ten 日付, 年
der 'Mōnat -[e]s/-e 月 し月日
die 'Woche -/-n 週
der Tāg -[e]s/-e 日; 昼間, 日中
der 'Ruhe·tāg -[e]s/-e 休日
der 'Werk·tāg -[e]s/-e 週日,
平日 「祝祭日
der 'Feier·tāg -[e]s/-e 休日,
der 'Morgen -s/- 朝
der 'Vōr·mittāg -[e]s/-e 午前
der 'Mittāg -[e]s/-e 正午, 真昼
der 'Nāch·mittāg -[e]s/-e 午
der 'Ābend -[e]s/-e 夕, 晩 し後
die Nacht -/¨e 夜 「真夜中
die 'Mitter·nacht -/¨e 夜半,
das 'Wochen·ende -s/-n 週末
das 'Neujahr -[e]s/-e 新年, 正
[das] 'Ōstern -/ 復活祭 し月
[die] 'Weihnachten 複 クリス
マス
der Silvester·abend [zil-
'vɛstər..] -[e]s/-e 大みそか
der Ge'bürts·tāg -[e]s/-e 誕
生日 「年
das 'Alter -s/- 年齢; 時代; 老
das 'Zeit·alter -s/- 時代
die Uhr -/-en ① ⟨複なし⟩時[刻]
② 時計
die 'Stunde -/-n 1時間
die Mi'nūte -/-n 分
die Se'kunde -/-n 秒

das 'Viertel ['fɪrtəl] -s/- 4分の
1時間, 15分
die 'Taschen·uhr -/-n 懐中時
計 「計
die 'Armband·uhr -/-en 腕時
die 'Wand·uhr -/-en 掛け時計
die 'Stand·uhr -/-en 置き時計
der 'Wecker -s/- 目ざまし時計
das 'Pendel -s/- 振子 「盤
das 'Ziffer·blatt -[e]s/¨er 文字
der Mi'nūten·zeiger -s/- 長針
der 'Stunden·zeiger -s/- 短針
der Se'kunden·zeiger -s/- 秒
針

'heute 副 今日, きょう
'morgen 副 明日
'übermorgen 副 明後日
'gestern 副 昨日
'vōrgestern 副 一昨日
'morgens 副 朝に 「目
wieviel[s]t 形 [vi'fi:l(s)t] 何番
früh 形 （時刻・時期が）早い
spāt 形 おそい
halb 形 半時間(30分)の
'gegenwärtig 形 現在(現代)の
'heutig 形 今日の
ver'gangen 形 過去の
['zū]'künftig 形 未来の, 将来の
'tāglich 形 毎日の
'wöchentlich 形 毎週の
'mōnatlich 形 毎月の
'jährlich 形 毎年の

'auf|ziehen* 他 （時計を）巻く
'vōr ('nāch)|gehen* 自 (s) （時
計が）進む(遅れる)
'stellen 他 合わせる
zu'rück|stellen 他 遅らせる
'vōr|stellen 他 進ませる

Ein Schaltjahr hat 366 Tage. 閏年には366日ある。　Eine Woche hat einen Ruhetag und sechs Werktage. 1週間には休日が1日と,平日が6日ある。　Den wievielten haben wir heute? / Was für ein Datum ist heute? きょうは何日ですか?　Heute ist der erste März. きょうは3月1日です。　Wie alt sind Sie? / Welches Alter haben Sie?—Ich bin 20 Jahre alt. / Ich stehe im Alter von 20 Jahren. おいくつですか?—20歳です。　Ich habe vergessen, meine Uhr aufzuziehen. 私は時計を巻くのを忘れた。　Meine Uhr geht weder vor noch nach. 私の時計は進みも, 遅れもしない。　Wie viel Uhr ist es? / Wie spät ist es? / Welche Zeit haben wir? いま何時ですか?　Es ist ein Uhr. / Es ist eins. 1時です。　Es ist ein Uhr zehn. 1時10分です。　Es ist halb drei. 2時半です。　Es ist drei Viertel fünf. 4時45分です。

Wochentage, Monate, Jahreszeiten 週, 月, 季節

der ʼSonntāg	日曜日	*der* Mai	5月
der ʼMōntāg	月曜日	*der* ʼJūni	6月
der ʼDienstāg	火曜日	*der* ʼJūli	7月
der ʼMittwoch	水曜日	*der* Auʼgust	8月
der ʼDonnerstāg	木曜日	*der* Sepʼtember	9月
der ʼFreitāg	金曜日	*der* Okʼtōber	10月
der ʼSonnābend	土曜日	*der* Noʼvember	11月
der ʼSamstāg	土曜日(南ドイツで)	*der* Deʼzember	12月
		der ʼFrühling	春
der ʼJanuār	1月	*der* ʼSommer	夏
der ʼFēbruār	2月	*der* ʼHerbst	秋
der ʼMärz	3月	*der* ʼWinter	冬
der Apʼril	4月		

Die Adverbialen der Temporalangabe
時を示す状況語

abends	夕方(晩)に	**am Mittag**	正午に
am Tage	日中	**am Nachmittag**	午後に
am folgenden Tag	翌日	**am Tag darauf**	その翌日
am folgenden Morgen	翌朝	**am Abend**	夕方(晩)に
am Sonntag	日曜日に しに	**Anfang Februar**	2月初旬に
am 10. April	4月10日に	**beim Essen**	食事中に
am Morgen	朝に	**den ganzen Tag**	1日中
am frühen Morgen	朝早く	**Berlin, den 5. Mai**	ベルリンにて, 5月5日
am Vormittag	午前に		

des Morgens	朝に	in acht Tagen	① 1週間後に
des Abends	夕方(晩)に		② 1週間以内に
des Sonntags	日曜日に	jahrelang	数年間
sonntags	毎日曜日に	jeden Tag	毎日
dieses Jahr	今年	mittags	正午に
eine Stunde lang	1時間のあい	morgens	朝に
eine Zeitlang	しばらく しだ	morgen früh	翌朝
eines Morgens	ある朝	morgen Abend	明日の晩
eines Tages	ある日	nachher	後に
eines Nachts	ある夜	nächste Woche	来週
Ende Oktober	10月下旬に	nachts	夜に
früher	以前に	drei Tage später	3日後に
frühmorgens	朝早く	stundenlang	数時間
gegen 3 Uhr	3時ごろ	tagelang	数日間
gestern Morgen	昨日の朝	übermorgen	明後日
gestern Abend	昨日の晩	um 10 Uhr	正10時に
heute Morgen	今朝	um Mittag	正午に
heute Mittag	きょうの正午に	von Morgen bis [zum]	
heute Abend	今夕,今晩	Abend	朝から晩まで
heute Nacht	今夜	vor acht Tagen	1週間前に
im [Monat] Mai	5月に	vorgestern	一昨日
im Sommer	夏に	vorher	以前に
im 20. Jahrhundert	20世紀に	vorigen Sonntag	この前の日曜
im Jahre 1968	1968年に	zu Neujahr	正月に 〔日に
in der Nacht	夜に	zu Weihnachten	クリスマスに

Wetter 天候

das 'Wetter -s/-	天気(候)	das 'Unwetter -s/-	悪天候,
der 'Sonnen·schein -[e]s/	日		[暴]風雨
der 'Rēgen -s/-	雨 〔光	der Blitz -[e]s/-e	電光,稲妻
der 'Platz·rēgen, der		der 'Donner -s/-	雷
'Schauer -s/-	にわか雨	der Wind -[e]s/-e	風
der 'Rēgen·bōgen -s/-, ..bō-		der 'Wind·stōß -es/⸚e	突風
gen	虹	die 'Wind·stille -/-	無風,なぎ
das Ge'witter -s/-	雷雨	die 'Wind·richtung -/-en	風
der 'Nēbel -s/-	霧		向き
der Dunst -es/⸚e	霧,もや	die 'Wind·fahne -/-n	風見
der Tau -[e]s/-	露	der Sturm -[e]s/⸚e	嵐
der Frost -es/⸚e	霜,氷結;厳寒	die 'Wolke -/-n	雲
der Reif -[e]s/-e	霜	das Eis -es/-	氷 〔気圧
der Schnee -s/-	雪	der 'Luft·druck -[e]s/..drücke	
der 'Schnee·sturm -[e]s/		das (der) Baro'mēter -s/-	気
..stürme	吹雪		圧計,晴雨計 〔寒暖計
der 'Hāgel -s/	あられ,ひょう	das (der) Thermo'mēter -s/-	

die **Tempera′tūr** -/-en	温度
die **′Wärme** -/	暖かさ
die **′Hitze** -/	暑さ
die **′Kälte** -/	寒さ
die **′Feuchtigkeit** -/-en	湿気, 湿度
die **Null** -/-en	零；零度
′donnern 耳	雷が鳴る
′regnen 耳	雨が降る
′schneien 耳	雪が降る
′blitzen 耳	稲光りがする
′hägeln 耳	あられが降る
′nēbeln 耳	霧がたつ
′wehen 自	(風が)吹く
′frieren* ① 自	寒い, 冷たい ② 耳 凍てる, 凍る
′ein|schlāgen* 耳	(雷が)落ちる
er′heben* 再 《sich⁴》	(風が)吹き起こる
′lēgen 再 《sich⁴》	(風が)おさまる
frisch 形	さわやかな
warm wärmer, wärmst 形	暖かい
heiß 形	暑い
kühl 形	涼しい
kalt kälter, kältest 形	寒い, 冷たい
nass nässer (-a-), nässest (-a-) 形	ぬれた, 湿った
feucht 形	湿った
′trocken 形	かわいた
′wolkenlōs 形	雲のない, 快晴の
be′deckt 形	おおわれた, 曇った
′wolkig 形	曇った
′nēb[e]lig 形	霧のある
′windig 形	風のある, 風の強い
′stürmisch 形	嵐の
schwül 形	蒸し暑い
be′ständig 形	不変の, 安定した
ver′änderlich 形	変わりやすい

Wie ist das Wetter? 天気はどうですか？ Es ist schön (neblig, stürmisch). 天気がよい(霧がかかっている, 嵐だ). Der Himmel ist klar (bedeckt). 空は晴れて(曇って)いる. Es blitzt (hagelt). 稲妻が光る(あられが降る). Es (Der Blitz) hat in ein Haus eingeschlagen. 雷が家に落ちた. Mir ist heiß. 私は暑い. Es ist starker Frost. 霜がひどい. Das Wetter ist beständig (veränderlich). 天気が安定している(変わりやすい). Das Barometer steigt (fällt). 気圧計が上昇(下降)する. Wie viel Grad Wärme zeigt das Thermometer? 寒暖計は何度をさしていますか？ Das Thermometer steht auf zwölf Grad über (unter) Null. 寒暖計は12度(零下12度)をさしている.

Himmel und Gestirne 天と星

der **′Himmel** -s/-	天, 空
der **′Himmels·körper** -s/-	天体
der **Stern** -[e]s/-e	星
das **Ge′stirn** -[e]s/-e	天体, 星辰
die **′Sonne** -/	太陽
der **′Sonnen·aufgang** -[e]s/..gänge	日の出
der **′Sonnen·untergang** -[e]s/..gänge	日没
die **′Sonnen·finsternis** -/..nisse	日食
der **Mōnd** -[e]s/-e	月
die **′Mōnd·finsternis** -/..nisse	月食
der **′Voll·mōnd** -[e]s/-e	満月
die **′Mōnd·sichel** -/-n	弦月
der **Pla′nēt** -en/-en	惑星
der **Ko′mēt** -en/-en	彗星
der **Satel′lit** -en/-en	衛星

音, 光, 色

der ′Tāges·anbruch -[e]s/..brüche	夜明け
die ′Morgen (′Ābend)·dämmerung -/-en	黎明(たそがれ)
die Astrono′mie -/..mīen, die ′Stern·kunde -/-n	天文学
die ′Stern·warte -/-n	天文台
das ′Fern·rohr -[e]s/-e	望遠鏡
der ′Welt·raum -[e]s/⸚e	宇宙
die ′Anziehungs·kraft ..kräfte	引力
die Bahn -/-en	軌道
die Ra′kēte -/-n	ロケット
die ′Raum·rakēte -/-n	宇宙ロケット
das ′Raum·schiff -[e]s/-e	宇宙船
der ′Weltraum·flūg -[e]s/..flüge, die ′Raum·fahrt -/-en	宇宙飛行
der ′Raum·fahrer -s/-	宇宙飛行士
′auf|gehen* 圓 ((s))	のぼる
′unter|gehen* 圓 ((s))	沈む
be′wēgen 圓 (sich⁴)	動く, 運動する
′zū|nehmen* 圓	増す, ふえる, (月が)満ちる
′ab|nehmen* 圓	減る, (月が)かける
′an|brechen* 圓 ((s)), ′ein|brechen* 圓 ((s))	現われる, 始まる
′kreisen 圓 (h, s)	回る
um′kreisen 佪	⟨et⁴ の回りを⟩回る
′zwei(′drei)·stūfig 形	2(3)段

Der Tag bricht an. 夜が明ける. Die Nacht bricht ein. 夜になる.
Der Mond ist voll. 満月である. Der Mond nimmt zu (ab). 月が満ちる(かける). Die Planeten kreisen um die Sonne. 惑星は太陽の回りを回る. eine dreistufige Rakete 3段ロケット

Laut, Licht, Farbe 音, 光, 色

der Laut -[e]s/-e, der Schall -[e]s/-e, ⸚e	音, 響き
der Klang -[e]s/⸚e	響き
die ′Klang·farbe -/-n	音色
die ′Stimme -/-n	声
der Tōn -[e]s/-e	音[色]; 色調
der Lärm -[e]s	騒音
der Knall -[e]s/-e, ⸚e	ぱちっという音
das Ge′läute -s/-	鐘・鈴の音
das Ge′räusch -es/-e	騒(雑)音
das Echo [′εço:] -s/-s, der ′Wīder·hall -[e]s/-e	反響, 山びこ
die ′Stille -/-n	静けさ
das Grammo′phōn -s/-e	蓄音機
die ′Schall·platte -/-n	レコード
′klingen* 圓	鳴る, 響く
′läuten ① 圓	(鐘が)鳴る, 響く
② 佪	鳴らす
er′schallen⁽*⁾ 圓 ((s))	鳴り響く
ver′schallen⁽*⁾ 圓 ((s))	響きやむ
er′tönen 圓 ((s))	響く
′lärmen 圓	騒ぐ
′knallen 圓	ぱちっという音をたてる
′krachen 圓	ばりばりという音をたてる
′rauschen 圓	ざわざわ音をたてる
′sausen 圓	ざわめく
′säuseln 圓	さらさら鳴る
′wider·hallen 圓	反響する
′pfeifen* 圓	口笛を吹く; ピーピー音を出す
still 形	静かな
laut 形	声高い
′leise 形	低声の
′heiser 形	しわがれた
grell 形	金切声の; まばゆい
das Licht -[e]s/-er	光; 灯火

der ’Schatten -s/-	影	klār 形	明るい, 澄んだ
der Schein -[e]s/-e	輝き, 光	’dunkel 形	暗い
der Strahl -[e]s/-en	光線	’finster 形	まっくらな, いんうつな
die ’Dämmerung -/-en	薄明り	’düster 形	暗い, どんよりした
der Glanz -es/-e	輝き	’sichtbār 形	見える
die ’Finsternis -/-se	暗黒	’unsichtbār 形	見えない
der ’Schimmer -s/-	微光, またたく光	’blendend 形	まぶしい
die ’Farbe -/-n	色；染料, 絵の「具」	’durch·sichtig 形	透明な
		weiß 形	白い
’scheinen* 自	輝く, 光る, 照る	rōt 形	赤い
’glänzen 自	輝く, 光る	blau 形	青い
’funkeln 自	きらめく	schwarz 形	黒い
’leuchten 自	光を放つ, 輝く	gelb 形	黄色の
’schimmern 自	ちらちら光る, またたく	braun 形	茶色の
’blenden 他	目をくらます	grau 形	灰色の
’strahlen 自	光線を放つ	grün 形	緑色の
’färben 他	着色する, 染める	bunt 形	色とりどりの；雑色の
		’weißlich 形	白っぽい
		’rötlich 形	赤みがかった
		’bläulich 形	青みがかった
hell 形	(音の)澄んだ；明るい	’rōsa 形	バラ色の〈無変化〉

Bücher und Künste 本と芸術

Bücher 本

das **Būch** -[e]s/¨er	本, 書物
der ’Inhalt -[e]s/-e	内容, 目次
das [’Inhalts]ver’zeichnis ..nisses/..nisse	目次
der ’Autor -s/..’tōren, *der* Ver’fasser -s/-	著者
die ’Zeit·schrift -/-en	雑誌
die Über’setzung -/-en	翻訳
der ’Būch·stābe -n[s]/-n	文字
die ’Silbe -/-n	つづり, シラブル
die ’Zeile -/-n	(本の)行
der Satz -es/¨e	文
die ’Seite -/-n	ページ
das Ka’pitel -s/-	(本の)章
der ’Titel -s/-	表題, 書名
die ’Anmerkung -/-en	注釈
die ’Ausgābe -/-n	(本の)版
der Band -[e]s/¨e	(本の)巻, 冊
der ’Deckel -s/-	表紙
der Ver’lāg -[e]s/-e	出版[社]
der Ver’lēger -s/-	出版者
die Drucke’rei -/-en	印刷所
die ’Būch·handlung -/-en	本屋

ver’fassen 他	著作する
’blättern 自	〈in einem Buch 本の〉ページをめくる
’an|führen 他	引用する
’vōr|lēsen* 他	〈jm に et⁴ を〉読んで聞かせる, 朗読する
’drucken 他	印刷する「する
he’raus|gēben* 他	出版(発行)

Literatur 文学

die Litera’tūr -/-en	文学；文献
die Er’zählung -/-en	物語, 小説

本と芸術

die 'Dichtung -/-en 詩作；文学
der Er'zähler -s/- 物語作者, 小説家
  「文」韻文
die Poe'sie -/..sīen 文学, 詩
das Ge'dicht -[e]s/-e 詩
der Ro'mān -s/-e 長編小説
das 'Märchen -s/- 童話
der Vers [fɛrs, fe:rs] -es/-e 詩句(行)
der Reim -[e]s/-e 韻；詩[句]
die 'Lȳrik -/-en 叙情詩
der 'Lȳriker -s/- 叙情詩人
das 'Ēpos -/'Ēpen 叙事詩
die 'Ēpik -/ 叙事文学
der 'Ēpiker -s/- 叙事詩人
die 'Prōsa -/ 「編小説」散文
die Novelle [nɔˈvɛlə] -/-n 短
der Stil -[e]s/-e 文体, 様式
die Be'schreibung, *die* 'Schilderung -/-en 描写, 叙述
das Werk -[e]s/-e 作品
das 'Meister·werk -[e]s/-e 傑作
der 'Dichter -s/- 詩人 「作
der 'Schrift·steller -s/- 文筆家, 作家
der Dra'mātiker -s/- 劇作家
die Litera'tūr·geschichte -/-n 文学史
die 'Klassik -/ 古典[主義]
der 'Klassiker -s/- 古典主義の作家；古典詩人
die Ro'mantik -/ ロマン派
der Ro'mantiker -s/- ロマン派の作家(詩人) 「ことわざ
das 'Sprich·wort -[e]s/..wörter
die 'Fābel -/-n 寓話；作り話
der 'Aus·druck -[e]s/..drücke 表現

'dichten 他 詩(創)作る
'schildern 他 描写する
er'zählen 他 物語る 「る
be'schreiben* 他 記述(描写)す
'dār|stellen 他 叙述(描写)する

lite'rārisch 形 文学[上]の

'dichterisch 形 詩の, 文学の
po'ētisch 形 詩の, 詩的な
'klassisch 形 古典[主義]の
ro'mantisch 形 ロマン主義の；ロマンチックな
'lȳrisch 形 叙情詩の, 叙情的な
'ēpisch 形 叙事詩の, 叙事的な

Bildende Künste
造形美術

die Kunst -/¨e 芸術
der 'Künstler -s/- 芸術家
das 'Kunst·werk -[e]s/-e 芸術作品, 美術品
der 'Māler -s/- 画家
die Māle'rei -/-en 絵画, 画法
das Ge'mälde -s/- 絵画
das 'Öl·gemälde -s/- 油絵
die 'Zeichnung -/-en スケッチ
die 'Skizze -/-n スケッチ
das 'Bildnis ..sses/..sse 肖像
der 'Pinsel -s/- 画筆
die 'Farbe -/-n 絵の具, 塗料
die 'Lein·wand -/¨e カンヴァス
der 'Rahmen -s/- 額縁
die Fi'gūr -/-en 姿；画(彫)像
die 'Sammlung -/-en 蒐集[品], コレクション
die Gale'rie -/..rīen 美術館, 画廊
die 'Aus·stellung -/-en 陳列, 展覧会
die 'Plastik -/-en 彫刻
der 'Bild·hauer -s/- 彫刻家
die 'Stātue -/-n 彫像, 立像
das Museum [muˈzeːʊm] -s/..'sēen 美術館, 博物館
die 'Bau·kunst -/ 建築術
der 'Bau·künstler -s/-, *der* Archi'tekt -en/-en 建築家
die Architek'tūr -/-en 建築
die 'Säule -/-n 柱, 円柱
der 'Pfeiler -s/- 柱, 支柱
das Ge'wölbe -s/- ドーム, 円天井；アーチ

der ′Bau·stil -[e]s/-e	建築様式
′bauen 他	建築する
′hauen* 他	刻む
′mālen 他	彩色する, 描く
′zeichnen 他	(線で)描く
er′richten 他	建てる
′bilden 他	形成する「(展示)する
′aus|stellen 他	陳列する; 出品
′schnitzen 他 自	彫刻する
′gießen* 他	鋳る, 鋳造する
′künstlerisch 形	芸術(美術)の
′mālerisch 形	絵画の, 絵のような
′plastisch 形	彫刻の, 造形的な
′bildend 形	造形的な

Musik 音楽

die Mu′sik -/	音楽
der ′Mūsiker -s/-	音楽家「家
der Kompo′nist -en/-en	作曲
das Mo′tiv -s/-e [..və]	主題, モチーフ「ロディー
die Melo′die -/..dīen	旋律, メ
die Harmo′nie -/..nīen	和声[音], ハーモニー
der Takt -[e]s/-e	拍子
das ′Tempō -s/-s, ..pī	テンポ
die ′Nōte -/-n	音符; 複 楽譜
das Orchester [or′kɛstər, or′çɛs..] -s/-	オーケストラ
die Symphonie [sʏmfo′niː], die Sinfo′nie -/..nīen	交響曲
das Kon′zert -[e]s/-e	音楽会; 協奏曲
der ′Sänger -s/-, die ′Sängerin -/-nen	歌手
der Diri′gent -en/-en	指揮者
die So′nāte -/-n	ソナタ, 奏鳴曲
der Ge′sang -[e]s/ِ̈e	歌
das Lied -[e]s/-er	歌, 歌曲
das ′Volks·lied -[e]s/-er	民謡
der Chor [koːr] -[e]s/ِ̈e	合唱
die Arie [′aːriə] -/-n	アリア
die ′Ōper -/-n	歌劇, オペラ
die Ope′rette -/-n	オペレッタ
das Bal′lett -[e]s/-e	バレー
die Balletteuse [balɛ′tøːzə] -/-n	バレリーナ
der Jazz [dʒæz, dʒɛs] -/	ジャズ
das Mu′sik·instrument -[e]s/-e	楽器
die ′Geige, die Violine [vio′liːnə] -/-n	バイオリン
der Violi′nist -en/-en	バイオリニスト, バイオリン奏者
die Viola [′viːola] -/-s, ..len	ヴィオラ「チェロ
das Cello [′tʃɛlo] -s/-s, Celli	
das Klavier [..′viːr] -s/-e	ピアノ
der ′Flügel -s/-	グランドピアノ
der Pia′nist -en/-en	ピアニスト
die ′Saite -/-n	弦
die ′Orgel -/-n	オルガン
die ′Harfe -/-n	ハープ
die Trom′pēte -/-n	トランペット
das Horn -[e]s/ِ̈er	ホルン
die ′Flöte -/-n	フルート, 横笛
die ′Trommel -/-n	ドラム
′singen* 他	歌う
′spielen 他	演奏する
′blāsen* 他	吹奏する
be′gleiten 他	伴奏する
′pfeifen* 他 自	口笛を(で)吹く; 笛を吹く
kompo′nieren 他 自	作曲する
diri′gieren 他	指揮する
musi′kālisch 形	音楽の, 音楽的な

Ich habe das Buch in der Übersetzung gelesen. 私はその本を翻訳で読んだ。　Er macht Verse. 彼は詩を書く。　Der Schriftsteller hat einen lebendigen Stil. その作家は生き生きとした文体を持っている。　Er zeichnet eine Skizze. 彼はスケッチを描く。　Er besucht die Ausstellung. 彼は展覧会を見に行く。　Er schnitzt eine Figur in Holz⁴. 彼は木像を彫る。　Das Gewölbe wird durch Säulen getragen. ドームは円柱によって支えられている。　Er pfiff eine Melodie. 彼はあるメロディーを口笛で吹いた。　Heute wird eine Oper gegeben. きょうはオペラがある。Sie sang eine Arie aus der Oper. 彼女はそのオペラからアリアを歌った。Sie singen im Chor. 彼らは合唱する。　Er spielt die erste Geige im Orchester. 彼はオーケストラで第1バイオリンを弾く。

Geschichte 歴史

die Ge'schichte -/-n	歴史	
das Er'eignis ..nisses/..nisse	出来事, 事件 「去	
die Ver'gangenheit -/-en	過	
die 'Gēgenwart -/	現在(代)	
die 'Zūkunft -/	未来	
die 'Vōr·geschichte -/-n	前史；有史前の時代	
die 'Sāge -/-n	伝説	
das 'Altertŭm -[e]s/	古代	
der 'Grieche -n/-n	ギリシア人	
der 'Rōmer -s/-	ローマ人	
der Ger'māne -n/-n	ゲルマン人	
das 'Mittel·alter -s/	中世	
die Renaissance [rənɛ'sā:s] -/-n	ルネッサンス	
die Reformation [..tsi'o:n] -/-en	宗教改革	
die 'Neu·zeit -/	近代, 現代	
die Revolution [revolutsi'o:n] -/-en	革命	
der Krieg -[e]s/-e	戦争	
der 'Welt·krieg -[e]s/-e	世界大戦	
das 'Zeit·alter -s/	時代	
die E'poche -/-n	時期, 時代	
die Ent'wicklung -/-en	発展, 進化	
die 'Menschheit -/	人類	
die 'Rasse -/-n	人種, 種族	
die Nati'ōn -/-en	国民	
das Volk -[e]s/⁻er	民族	
der Staat -[e]s/-en	国家	
die Zivilisation [tsiviliza-tsi'o:n] -/-en	文明	
er'eignen 再 ((sich⁴)), ge'schehen* 自 ((s))	起こる, 生ずる	
ent'wickeln 再 ((sich⁴))	発展(達)する「行なわれる	
'statt|finden* 自	起こる, 生ずる,	
ge'schichtlich 形	歴史の, 歴	
his'tōrisch 形	歴史[学]の し史的	
'griechisch 形	ギリシアの	
'römisch 形	ローマの	
ger'mānisch 形	ゲルマンの	
'mittelalterlich 形	中世の	
'neuzeitlich 形	近(現)代の	
ver'gangen 形	過去の	
'gēgenwärtig 形	現代(在)の	
'heutig 形	現代(今)の	
['zū]künftig 形	未(将)来の	

Religion 宗教

die Religi'ōn -/-en	宗教
der 'Glaube -ns/-n	信仰
der 'Āber·glaube -ns/-n	迷信
der Gott -es/⁻er	神
(der) Christus ['krɪstʊs] 無変化, または2格: Christi, 3格: Christo, 4格: Christum	キリスト

der **Christ** [krɪst] -en/-en	キリスト教徒	die **Ka'pelle** -/-n	礼拝堂
das **'Christentūm** -[e]s/	キリスト教	das **'Münster** -s/-	大寺院, 司教座聖堂
der **'Heide** -n/-n	異教徒	das **'Klōster** -s/⸚	修道院
der **Katho'lik** -en/-en	カトリック教徒, 旧教徒	der **Al'tār** -s/..täre	祭壇, 「拝
der **Protes'tant** -en/en	新教徒	der **'Gottes·dienst** -[e]s/-e	礼
die **'Kirche** -/-n	教会	die **'Beichte** -/-n	告解, ざんげ
der **'Kirch·turm** -[e]s/⸚e	教会	die **'Taufe** -/-n	洗礼, 命名式
die **'Glocke** -/-n	鐘 しの塔	der **Be'ginn** -[e]s/	はじめ, 開始
die **'Bibel** -/-n	聖書	**'glauben** 他自	信ずる
die **'Messe** -/-n	ミサ	**'bēten** 自	祈る
das **Ge'bēt** -[e]s/-e	祈り	**'prēdigen** 自他	説教する
die **'Prēdigt** -/-en	説教	**'taufen** 他	〈jn に〉洗礼をほどこす, 命名する
der **'Engel** -s/-	天使	**'beichten** 他自	告解・ざんげする
der **'Teufel** -s/-	悪魔	**'sēgnen** 他	祝福する
die **'Sünde** -/-n	罪		
der **'Himmel** -s/-	天国	**'heilig** 形	神聖な
die **'Hölle** -/	地獄	**'sēlig** 形	① 至福の, 天福にあずかった ② 亡き, 故の
das **'Kreuz** -es/-e	十字架		
der **'Geistliche** (《形》変化)	聖職者, 司祭	**'gläubig** 形	信心深い
der **Pāpst** -es/⸚e	ローマ教皇	**fromm, 'andächtig** 形	信心深い, 敬虔な
der **'Bischof** -s/⸚e	僧正, 司教	**'christlich** 形	キリスト教の
der **'Priester,** der **'Pfarrer** -s/-	司祭；牧師	**ka'thōlisch** 形	カトリックの
der **Mönch** -[e]s/-e	僧, 修道士	**protes'tantisch** 形	プロテスタントの

Gläubige Christen gehen sonntags zur Kirche. 信心深いキリスト教徒は, 日曜日ごとに教会へ行く.　Sie hören dort die Predigt des Geistlichen und nehmen andächtig teil an den Gebeten. 彼らはそこで聖職者の説教を聞き, うやうやしくお祈りに参加する.　Der Pfarrer erscheint vor dem Altar. 司祭が祭壇の前に現われる.　Vor Beginn des Gottesdienstes läuten die Kirchenglocken. 礼拝の始まる前に教会の鐘が鳴る.

Politik und internationale Beziehungen
政治と国際関係

der **'Kaiser** -s/-	皇帝	das **König·reich** ['kø:nɪk..] -[e]s/-e	王国
die **'Kaiserin** -/-nen	皇后	der **'Krōn·prinz** -en/-en	皇太子
das **'Kaiser·reich** -[e]s/-e	帝国	der **Prinz** -en/-en	王子
der **'König** -[e]s/-e	王	die **Prin'zessin** -/-nen	王女
die **'Königin** -/-nen	女王		

政治と国際関係

die **Repub'lik** -/-en	共和国
die **'Bundes·republik**	連邦共和国
die **Poli'tik** -/-en	政治
die **Re'gierung** -/-en	統治；政府
der **Staat** -[e]s/-en	国家
der **Po'litiker** -s/-	政治家
der **'Herrscher** -s/-	支配者, 元首
der **Präsi'dent** -en/-en	大統領
der **Premier·minister** [prəmi'e:..] -s/-	首相
der **Mi'nister** -s/-	大臣
das **Minis'tērium** -s/..rĭen	省
die **Ver'waltung** -/-en	行政
der **'Staats·mann** -[e]s/..männer	政治家
der **'Ab·geordnete** 《形 変化》	代議士
die **Par'tei** -/-en	党派, 政党
das **Parla'ment** -[e]s/-e	議会
der **'Bundes·tāg** -[e]s/	連邦議会
die **Wahl** -/-en	選挙
die **'Ab·stimmung** -/-en	投票
die **Ver'fassung** -/-en	憲法
das **Ge'setz** -es/-e	法律
das **Ge'richt** -[e]s/-e	裁判[所]
der **'Richter** -s/-	判事, 裁判官
das **'Urteil** -[e]s/-e	判決
der **Diplomāt** -en/-en	外交官
der **'Bōt·schafter** -s/-	大使
die **'Bōt·schaft** -/-en	大使館
der **Ge'sandte** 《形 変化》	公使
die **Ge'sandt·schaft** -/-en	公使館
der **'Konsul** -s/-n	領事
das **Konsu'lāt** -[e]s/-e	領事館
die **Diploma'tie** -/, die **'Außen·politik** -/-en	外交
die **Ver'einten Nati'ōnen** 覆	国際連合
der **Bund** -[e]s/ⸯe	同盟；連邦
die **Unter'handlung** -/-en	外交交渉
die **Zu'sammen·arbeit** -/-en	協同[作業]
die **Ver'ständigung** -/-en	了解, 協調
die **Konfe'renz** -/-en	会議
der **Ver'trāg** -[e]s/ⸯe	条約
die **Revolution** [..tsi'o:n] -/-en	革命
der **Revolutio'när** -en/-en	革命家
der **'Auf·stand** -[e]s/..stände	暴動, 反乱
re'gieren 他	支配(統治)する
'herrschen 自	支配する
'wählen 他	選挙する
ver'urteilen 他	判決を下す
ver'ständigen 再 (sich⁴)	了解し合う, 協調する
'stimmen 自	投票する
po'litisch 形	政治の
natio'nāl 形	国民の, 国家の
internatio'nāl, **'zwischen-staatlich** 形	国際的な
demo'krātisch 形	民主制の, 民主的な
'wechsel·seitig 形	相互の
neut'rāl 形	中立の

Heute ist Deutschland eine Republik. 今日, ドイツは共和国である. Alle Macht geht vom deutschen Volke aus, das den Bundestag wählt. すべての権力は連邦議会を選出するドイツ国民に発する. Japan steht in freundlichen Beziehungen zu den europäischen Ländern. 日本はヨーロッパ諸国と友好的な関係にある. Alle Länder müssen sich⁴ um wechselseitiges Verstehen bemühen. すべての国は相互理解のために努力しなければならない.

Wirtschaft 経済

die **Wirtschaft** [ˈvɪrt-ʃaft] -/- 経済
das **ˈEinkommen** -s/- 収入, 所得
das **Geˈhalt** -[e]s/⸚er 俸給
der **Geˈwinn** -[e]s/-e 利益
der **Erˈwerb** -[e]s/-e 利得
der **Verˈlust** -es/-e 損失, 損害
die **ˈAusgabe** -/-n 支出, 経費
die **ˈKosten** 複 費用, 出費
der **ˈHaus·halt** -[e]s/-e 家計
die **Fiˈnanz** -/-en 金融;複 財政
die **ˈSteuer** -/-n 税金
das **ˈSteuer·amt** -[e]s/..ämter 税務署
der **Beˈsitz** -es/-e 所有[物], 財産
der **ˈReichtum** -[e]s/⸚er 富, 財産
das **Verˈmögen** -s/- 資力, 財産
das **ˈEigentum** -[e]s/⸚er 所有権, 所有物
der **Beˈsitzer** -s/- 所有者, 持主
das **Kapiˈtāl** -s/-e, ..lien 資本
der **Kapitaˈlist** -en/-en 資本家
das **ˈSparen** -s/- 貯蓄
die **ˈRente** -/-n 利子, 地代;年金
die **ˈZinsen** 複 利子
die **Schuld** -/-en 債務, 負債
der **Pfand** -[e]s/⸚e 質, 抵当
das **Portemonnaie** [pɔrtmɔ-ˈnɛː] -s/-s 財布
die **ˈRechnung** -/-en 勘定, 会計
die **ˈZahlung,** *die* **Beˈzahlung** -/-en 支払い;返済
der **Beˈtrag** -[e]s/⸚e, *die* **ˈGeld·summe** -/-n 金額
die **ˈKasse** -/-n 金庫;現金
das **ˈBār·geld** -[e]s/-er 現金
die **ˈMünze** -/-n 貨幣
das **Paˈpier·geld** -[e]s/ 紙幣
der **ˈWechsel** -s/- 両替
die **ˈWechsel·stube** -/-n 両替所
das **ˈKlein·geld** -[e]s/ 小銭

die **Mark** -/- マルク(旧通貨)
der **ˈPfennig** -[e]s/ ペニヒ(100分の1マルク(旧通貨))
der **Euro** [ˈɔyro] -[s]/-[s] ユーロ
der **Cent** [tsɛnt] -[s]/-[s] セント
der **Scheck** -s/-s 小切手
die **Unterˈnehmung** -/-en 企業, 事業
die **Industˈrie** -/..rīen 産業, 工業
das **Proˈdukt** -[e]s/-e 産物
die **Bank** -/-en 銀行
der **Bankier** [baŋkiˈeː] -s/-s 銀行家;頭取
der **Beˈtrieb** -[e]s/-e 経営;企業
die **ˈFirma** -/..men 商社, 商会
die **Geˈsellschaft** -/-en 会社
die **Aktie** [ˈaktsiə] -/-n 株[式]
die **ˈAktien·gesellschaft** -/-en 株式会社
der **Diˈrektor** -s/..ˈtōren 取締役, 社長, 頭取
die **ˈBörse** -/-n 取引所
das **ˈLāger** -s/- 倉庫;在庫[品]
der **ˈHandel** -s/⸚ 取引き, 商売
der **ˈAußen·handel** -s/..händel 海外貿易
die **ˈEin·fuhr** -/-en 輸入
die **ˈAus·fuhr** -/-en 輸出
der **ˈKauf·mann** -[e]s/..leute 商人
der **ˈHändler** -s/- 商人, 小売商人
der **Beˈdarf** -[e]s/ 必要, 需要
das **ˈAngebōt** -[e]s/-e 提供
das **Gūt** -[e]s/⸚er 財産;複 財貨, 商品
der **Verˈkauf** -[e]s/⸚e 販売
der **Tausch** -es/-e 交易, 貿易
die **ˈArbeit** -/-en 労働
der **ˈArbeiter** -s/- 労働者
der **ˈArbeitslōse** 《形》 変化》 失業者

軍隊と戦争　　　　　　　　　　　　　　　　　　　　194

der **Streik** -[e]s/-s	ストライキ
die **Ge'werkschaft** -/-en	労働組合
die **Ver'sicherung** -/-en	「険；保障 保
er'werben* 他	得る，もうける
ge'winnen* ① 他	得る ② 自 得をする，もうける
be'tragen* 自	…の額になる
'kaufen 他	買う
ver'kaufen 他	売る
'borgen 他	⟨et⁴ be von jm から⟩ 借りる；⟨jm に et⁴ を⟩ 貸す
ver'schaffen 他	⟨jm に et⁴ を⟩得させる；⟨sich³ et⁴⟩ 調達する
'tauschen 他	交換する
'handeln 自	⟨mit et³ を⟩ 商う，取引きする
be'treiben* 他	営む，経営する
be'gründen 他	設立する
'sparen 他	節約する，貯える
'wechseln 他	交換する；両替する
ver'dienen 他	得る，もうける しる
ver'schwenden 他	浪費する
ver'sichern ① 他	⟨jn・et⁴ に⟩保険をつける ② 再 ⟨⟨sich⁴⟩⟩ 保険にはいる
wirtschaftlich ['vɪrtʃaftlɪç], **öko'nōmisch** 形	経済の，経済的な
'kostenlōs 形	無料の
'arbeitslōs 形	失業した
bār 形	現金の
arm ärmer, ärmst 形	貧しい
reich 形	富める，金持ちの
'sparsām 形	倹約な

Das ist mein Eigentum. それは私の所有物だ． Wir haben große Kosten gehabt. 私たちは大きな出費をした． Er arbeitet in einem Betrieb. 彼はある企業で働いている． Ich habe es durch Tausch erworben. 私はそれを交換によって手に入れた． Er hat die Steuern noch nicht gezahlt. 彼はまだ税金を払っていない． Die Rechnung beträgt dreißig Euro. 勘定は 30 ユーロになる． Dieser Handel bringt Gewinn. この取引きはもうかる． Ich werde mit Scheck bezahlen. 私は小切手で支払いましょう． Ich habe mich gegen Feuer versichert. 私は火災保険にはいった．

Armee und Krieg 軍隊と戦争

die **Ar'mee** -/..'mēen	軍隊
der **Krieg** -[e]s/-e	戦争
der **'Friede** -ns/-n	平和
der **Feind** -[e]s/-e	敵
der **Sol'dāt** -en/-en	兵士，軍人
die **'Truppe** -/-n	部隊
die **Schlacht** -/-en	戦闘，会戦
der **Kampf** -[e]s/ӧ-e	戦闘
die **Infante'rie** -/..rīen	歩兵
die **Kavalle'rie** -/..rīen	騎兵
die **Artille'rie** -/..rīen	砲兵
das **Regi'ment** -[e]s/-er	連隊
der **Gene'rāl** -s/-e	将軍(官)
der **Offi'zier** -s/-e	将校
der **'Unter·offizier** -s/-e	下士官
die **'Wache** -/-n	歩哨，衛兵
die **'Waffe** -/-n	武器
die **'Aus·rüstung** -/-en	武装
der **Helm** -[e]s/-e	鉄かぶと
der **Dēgen** -s/-	剣，軍刀
der **'Säbel** -s/-	サーベル
die **Pis'tōle** -/-n	ピストル
das **Ge'wehr** -[e]s/-e	銃
das **Ma'schinen·gewehr** -[e]s/-e	機関銃
die **Ka'nōne** -/-n	大砲
die **'Kügel** -/-n	弾丸

der 'Panzer -s/-	戦車	die 'Bombe -/-n	爆弾
die Ka'serne -/-n	兵営	der 'Bomber -s/-	爆撃機
der 'Feld·zug -[e]s/-e	出征	die A'tōm·bombe -/-n	原子爆弾
die 'Festung -/-en	要塞「んごう	der 'Bomben·angriff -[e]s/-e	「爆撃
der 'Schützen·gräben -s/-̈	ざ	der 'Jäger -s/-	戦闘機
die Be'lägerung -/-en	攻囲		
das 'Läger -s/	野営, 陣営	er'ōbern 他	征服する, 占領する
der 'Angriff -[e]s/-e	攻撃	'streiten* 自	戦う, 争う
der Sturm -[e]s/-̈e	突撃	'siegen 自	〈über jn に〉勝つ
der 'Rück·zug -[e]s/-̈e	退却	'an|greifen* 他	攻撃する
die Flucht -/-en	逃走	'fliehen* 自 ((s))	逃走する
der Ge'fangene ((形 変化))	捕	'kämpfen 自	戦う
der Sieg -[e]s/-e	勝利 「虜	'schießen* 他自	射つ, 射撃する
		'aus|rüsten 他	武装させる
die Ma'rīne -/-n	海軍	'lägern 自	野営する, 陣を張る
die 'Flotte -/-n	艦隊 「艦	be'lägern 他	包(攻)囲する
das 'Kriegs·schiff -[e]s/-e	軍	über·'fallen* 他	奇襲する
das 'Schlacht·schiff -[e]s/-e		wider·'stehen* 自	〈jm に〉抵
	戦艦「空母艦	ver'teidigen 他	防ぐ 「抗する
der 'Flugzeug·träger -s/-	航	zu'rück|schlägen* 他	撃退す
der 'Kreuzer -s/-	巡洋艦	'vōr|rücken 自((s))	前進する「る
das 'Unter·sēe·boot, das		ge'fangen|nehmen* 他	捕虜
'U-Boot -[e]s/-e	潜水艦	ver'senken 他	沈める 「にする
die 'Sēe·schlacht -/-en	海戦	'ab|werfen* 他	投下する
die Be'satzung, die 'Mannschaft -/-en	乗組員	'sprengen 他	爆破する
der Admi'rāl -s/-e	提督	'ab|schießen* 他	① 発射する ② 撃墜する 「壊する
die 'Luft·waffe -/-n	空軍	ver'nichten 他	全滅させる；破

Tugenden 徳

die 'Tūgend -/-en	徳性, 美徳	der Fleiß -es/	勤勉
die 'Eigenschaft -/-en	性質	der 'Eifer -s/	熱心さ
die Mo'rāl -/-en	道徳, 倫理	die 'Würde -/	品位, 尊厳
die 'Sitte -/-n	礼儀作法；道徳	die Er'hābenheit -/	高潔
die 'Sittlichkeit -/-en	道徳	die 'Großmūt -/	寛大；高潔
die 'Achtung -/	注意；尊敬	die 'Nāch·sicht -/	寛大
die Ge'rechtigkeit -/	正義	die 'Milde -/	温和(厚)
die 'Aufrichtigkeit -/	誠実	die 'Gūte -/	好意
die 'Ehre -/-n	名誉；尊敬	die 'Freundlichkeit, die	「切
die 'Ehrlichkeit, die 'Rēdlichkeit -/	誠実, 実直	'Liebens·würdigkeit -/	親
		die 'Ārtigkeit -/	行儀のよいこと
die 'Treue -/	誠実, 貞節	die 'Höflichkeit -/	丁重さ
der Ernst -es/	まじめ, 厳粛	die 'Weisheit -/-en	聡明, 英知

die ′**Klūgheit** -/	賢明	ge′**recht** 形	正しい、公正な
die ′**Offenheit** -/	公明正大	′**aufrichtig** 形	正直な、率直な
die ′**Unschuld** -/	潔白；無邪	′**ehrlich** 形	誠実な、正直な
der **Mūt** -[e]s/	勇気 し気	′**würdig** 形	〈et² に〉 値する；品位のある 「やりのある
die ′**Kühnheit** -/	大胆、勇敢	′**nāch·sichtig** 形	寛大な、思い
die ′**Tapferkeit** -/	勇敢	′**mitleidig** 形	同情のある
die ′**Dankbārkeit** -/	感謝	′**liebens·würdig** 形	愛すべき；親切な
die ′**Dēmūt** -/	謙虚、へりくだり	′**unschuldig** 形	潔白な；無邪
die **Be′scheidenheit** -/	謙遜	**kühn** 形	大胆な、勇敢な し気な
der **Ge′hōrsām** -[e]s/	従順	′**weise** 形	賢い、利口な
die **Ge′duld** -/	忍耐	′**dankbār** 形	感謝の念を持った
der ′**Anstand** -[e]s/	作法、礼儀	**ge′duldig** 形	忍耐強い、根気の
die ′**Vōrsicht** -/-en	注意、慎重	′**eifrig** 形	熱心な しよい
die ′**Aufmerksāmkeit** -/-en 注意[深さ]；心づかい 「やり		′**freundlich** 形	親切な
das ′**Mit·leid** -[e]s/	同情、思い	**klūg** 形	賢い、聡明な
die ′**Sorgfalt** -/	慎重、細心	′**mūtig** 形	勇気のある
die ′**Anmūt** -/	あいきょう、優美	′**dēmūtig** 形	謙虚な、へりくだった
′**danken** 自	感謝する	**be′scheiden** 形	謙遜な、控え目
′**ehren** 他	尊敬する	**ge′hōrsām** 形	従順な しな
ver′zeihen* 他	許す	′**anständig** 形	礼儀正しい、端正
′**achten** ① 他 尊敬する ② 自 〈auf et⁴ に〉注意する		′**ārtig** 形	行儀のよい しな
er′barmen 再 《(sich⁴)〈js·über jn を〉気の毒に思う		′**vōrsichtig** 形	用心深い、慎重
′**mit|fühlen** 他自	同情する	′**fleißig** 形	勤勉な
		′**höflich** 形	丁重な
		′**offen** 形	率直な、偏見のない
mo′rālisch, ′**sittlich** 形	道徳	**treu** 形	誠実な、貞節な
′**tūgendhaft** 形	有徳の し的	**ernst** 形	まじめな、真剣な
		′**anmūtig** 形	優美な

Sie hat gute Eigenschaften. 彼女にはいくたの美点がある。　Er geht mit Fleiß an die Arbeit. 彼は勤勉に仕事に取りかかる。　Haben Sie die Güte, mir den Weg zu zeigen! どうか道を教えてください！　Er konnte seine Unschuld beweisen. 彼は身の潔白を証明することができた。　Er hat keinen Anstand. 彼はエチケットを知らない。　Er war gerecht gegen sie. 彼は彼女に対して公正だった。　Er ist des Lobens würdig. 彼はほめられてよい。　Das ist liebenswürdig von Ihnen. 御親切にありがとうございます。　An dieser Tat ist er unschuldig. 彼はこの悪事には無関係だ。　Sie ist dem Vater gehorsam. 彼女は父親に対して従順だ。　Sei artig! 行儀よくしなさい！

Fehler und Laster 欠点と悪徳

der ′**Fehler** -s/-　　　　　　　欠点　　*das* ′**Laster** -s/-　　　　　　悪徳

欠点と悪徳

der **Zorn** -[e]s/	怒り, 立腹
der '**Ärger** -s/	立腹, ふんまん
der **Stolz** -es/, der '**Hōch‧mūt** -[e]s/	高慢, うぬぼれ
die Ver'**achtung** -/	軽蔑
die '**Eitel‧keit** -/-en	虚栄心
die '**Faul‧heit** -/-en, die '**Träg‧heit** -/	怠惰, 無精
der '**Müßig‧gang** -[e]s/	怠惰
der '**Müßig‧gänger** -s/-	無精者
die '**Undankbār‧keit** -/-en	忘恩, 恩知らず
die Ge'**mein‧heit** -/	卑劣
die '**Grōb‧heit** -/-en	粗野(暴)
die '**Unhöflich‧keit** -/-en	無礼 「かましさ
die '**Frech‧heit** -/-en	厚顔, 厚
die '**Schande** -/	恥辱, 不面目
die **Wūt** -/	憤怒, 激怒
die '**Grausām‧keit** -/-en	残酷
die '**Feig‧heit** -/-en	憶病
der **Neid** -[e]s/	嫉妬, そねみ
die '**Eifer‧sucht** -/	嫉妬
der **Geiz** -es/-e	けち, 欲張り
das '**Miss‧trauen** -s/	不信
die '**Schlau‧heit** -/-en	狡猾
der **Dieb** -[e]s/-e	どろぼう, 盗人
der '**Dieb‧stahl** -[e]s/..stähle	盗み
der **Mord** -[e]s/-e	殺人(害)
der '**Mörder** -s/-	殺人者
das Ver'**brechen** -s/-	犯罪
der Ver'**brecher** -s/-	犯罪者, 犯人
das Ver'**rāten** -s/-	裏切り
der Ver'**rāter** -s/-	裏切者, 密告者
die '**Lüge** -/-n	嘘
der '**Lügner** -s/-	嘘つき
der Be'**trūg** -[e]s/..e	詐欺, 瞞着
der Be'**trüger** -s/-	詐欺師
die **Schuld** -/-en	罪

ver'**brechen***	他	(ある罪を)犯す
ver'**achten**	他	軽蔑する
be'**trügen***	他	欺く, だます
'**lügen***	自	嘘をつく
ver'**rāten***	他	裏切る
'**stehlen***	他自	盗む
'**rächen**(*)	再《sich⁴》〈an jm に〉	復讐する
er'**morden**	他	殺す
'**rühmen**	再《sich⁴》〈et² を〉	自慢する 「犯す
be'**gehen***	他	(罪などを)行なう,

'**hōch‧mütig**	形	うぬぼれている
'**eitel**	形	虚栄の, 思い上がった
'**böse**	形	悪意ある
faul, '**müßig**, '**träge**	形	怠惰な, 無精な
'**un‧dankbār**	形	忘恩の
grōb	形	粗野な
'**un‧höflich**	形	無礼な
frech	形	あつかましい
'**grausām**	形	残酷な
'**feig[e]**	形	ひきょうな, 憶病な
schlau	形	狡猾な
'**zornig**	形	怒った, 立腹した
'**schändlich**	形	不名誉な
'**neidisch**, '**eifer‧süchtig**	形	嫉妬深い
'**geizig**	形	どんよくな, けちな
stolz	形	尊大な, 高慢な
'**schuldig**	形	罪のある

Er ist eifersüchtig (neidisch) auf mich. 彼は私をねたんでいる。 Sie rächt sich⁴ an ihm fürs Verraten. 彼女は彼に裏切りの復讐をする。 Er rühmt sich⁴ seiner Kraft². 彼は力を自慢する。 Er beging einen Mord. 彼は殺人の罪を犯した。 Er ist in Wut⁴ geraten. 彼はかっと怒りだした。 Es ist für dich eine Schande, das zu tun. そんなことをするのは、君にとって恥ずべきことだ。 Er ist mit seinem Geld geizig. 彼は金にけちである。 Er hat Ärger mit mir. 彼は私に腹をたてている。

不規則変化動詞

不 定 詞	過去基本形	過 去 分 詞	直説法現在	接 続 法 II
befehlen 命じる	**befahl**	**befohlen**	ich befehle du befiehlst er befiehlt	beföhle/ befähle
beginnen 始める, 始まる	**begann**	**begonnen**		begänne/ 稀 begönne
beißen 噛む	**biss** du bissest	**gebissen**		bisse
biegen 曲がる(s); 曲げる(h)	**bog**	**gebogen**		böge
bieten 提供する	**bot**	**geboten**		böte
binden 結ぶ	**band**	**gebunden**		bände
bitten 頼む	**bat**	**gebeten**		bäte
blasen 吹く	**blies**	**geblasen**	ich blase du bläst er bläst	bliese
bleiben とどまる(s)	**blieb**	**geblieben**		bliebe
braten (肉を)焼く	**briet**	**gebraten**	ich brate du brätst er brät	briete
brechen 破れる(s); 破る(h)	**brach**	**gebrochen**	ich breche du brichst er bricht	bräche
brennen 燃える, 燃やす	**brannte**	**gebrannt**		brennte
bringen もたらす	**brachte**	**gebracht**		brächte
denken 考える	**dachte**	**gedacht**		dächte
dringen 突き進む(s)	**drang**	**gedrungen**		dränge

不 定 詞	過去基本形	過 去 分 詞	直説法現在	接 続 法 II
dürfen …してもよい	**durfte**	**gedurft/** **dürfen**	ich darf du darfst er darf	dürfte
empfehlen 勧める	**empfahl**	**empfohlen**	ich empfehle du empfiehlst er empfiehlt	empföhle/ empfähle
essen 食べる	**aß**	**gegessen**	ich esse du isst er isst	äße
fahren (乗物で)行く (s, h)	**fuhr**	**gefahren**	ich fahre du fährst er fährt	führe
fallen 落ちる(s)	**fiel**	**gefallen**	ich falle du fällst er fällt	fiele
fangen 捕える	**fing**	**gefangen**	ich fange du fängst er fängt	finge
finden 見つける	**fand**	**gefunden**		fände
fliegen 飛ぶ(s, h)	**flog**	**geflogen**		flöge
fliehen 逃げる(s)	**floh**	**geflohen**		flöhe
fließen 流れる(s)	**floss**	**geflossen**		flösse
fressen (動物が)食う	**fraß**	**gefressen**	ich fresse du frisst er frisst	fräße
frieren 寒い, 凍る (h, s)	**fror**	**gefroren**		fröre
geben 与える	**gab**	**gegeben**	ich gebe du gibst er gibt	gäbe
gehen 行く(s)	**ging**	**gegangen**		ginge
gelingen 成功する(s)	**gelang**	**gelungen**	es gelingt	gelänge
gelten 通用する	**galt**	**gegolten**	ich gelte du giltst er gilt	gälte/ gölte

不 定 詞	過去基本形	過 去 分 詞	直説法現在	接 続 法 II
genießen 楽しむ	genoss du genossest	genossen		genösse
geschehen 起こる(s)	geschah	geschehen	es geschieht	geschähe
gewinnen 得る	gewann	gewonnen		gewönne/ gewänne
gießen 注ぐ	goss du gossest	gegossen		gösse
gleichen 等しい	glich	geglichen		gliche
graben 掘る	grub	gegraben	ich grabe du gräbst er gräbt	grübe
greifen つかむ	griff	gegriffen		griffe
haben 持っている	hatte	gehabt	ich habe du hast er hat	hätte
halten 保つ	hielt	gehalten	ich halte du hältst er hält	hielte
hängen 掛かっている	hing	gehangen		hinge
heben 持ちあげる	hob	gehoben		höbe
heißen …と呼ばれる	hieß	geheißen		hieße
helfen 助ける	half	geholfen	ich helfe du hilfst er hilft	hülfe/ 稀 hälfe
kennen 知っている	kannte	gekannt		kennte
klingen 鳴る	klang	geklungen		klänge
kommen 来る(s)	kam	gekommen		käme

不定詞	過去基本形	過去分詞	直説法現在	接続法 II
können …できる	konnte	gekonnt/ können	ich kann du kannst er kann	könnte
kriechen はう (s)	kroch	gekrochen		kröche
laden 積む	l<u>u</u>d	geladen	ich lade du lädst er lädt	lüde
lassen …させる, 放置する	ließ	gelassen/ lassen	ich lasse du lässt er lässt	ließe
laufen 走る, 歩く (s, h)	lief	gelaufen	ich laufe du läufst er läuft	liefe
leiden 苦しむ	litt	gelitten		litte
leihen 貸す, 借りる	lieh	geliehen		liehe
lesen 読む	l<u>a</u>s	gelesen	ich lese du liest er liest	läse
liegen 横たわっている	l<u>a</u>g	gelegen		läge
lügen 嘘をつく	l<u>o</u>g	gelogen		löge
meiden 避ける	mied	gemieden		miede
messen 計る	m<u>a</u>ß	gemessen	ich messe du misst er misst	mäße
mögen 好む	mochte	gemocht/ mögen	ich mag du magst er mag	möchte
müssen …しなければ ならない	musste	gemusst/ müssen	ich muss du musst er muss	müsste
nehmen 取る	nahm	genommen	ich nehme du nimmst er nimmt	nähme
nennen 名づける	nannte	genannt		nennte

不定詞	過去基本形	過去分詞	直説法現在	接続法 II
preisen 称賛する	pries	gepriesen		priese
raten 助言する	riet	geraten	ich rate du rätst er rät	riete
reißen 裂ける(s); 裂く(h)	riss du rissest	gerissen		risse
reiten 馬で行く(s, h)	ritt	geritten		ritte
rennen 駆ける(s)	rannte	gerannt		rennte
riechen におう	roch	gerochen		röche
rufen 呼ぶ, 叫ぶ	rief	gerufen		riefe
schaffen 創造する	schuf	geschaffen		schüfe
scheiden 分ける	schied	geschieden		schiede
scheinen 輝く, …に見える	schien	geschienen		schiene
schelten 叱る	schalt	gescholten	ich schelte du schiltst er schilt	schölte
schieben 押す	schob	geschoben		schöbe
schießen 撃つ, 射る	schoss du schossest	geschossen		schösse
schlafen 眠る	schlief	geschlafen	ich schlafe du schläfst er schläft	schliefe
schlagen 打つ	schlug	geschlagen	ich schlage du schlägst er schlägt	schlüge
schließen 閉じる	schloss du schlossest	geschlossen		schlösse

不定詞	過去基本形	過去分詞	直説法現在	接続法 II
schneiden 切る	schnitt	geschnitten		schnitte
erschrecken 驚く	erschrak	erschrocken	ich erschrecke du erschrickst er erschrickt	erschräke
schreiben 書く	schrieb	geschrieben		schriebe
schreien 叫ぶ	schrie	geschrie[e]n		schriee
schreiten 歩む(s)	schritt	geschritten		schritte
schweigen 黙る	schwieg	geschwiegen		schwiege
schwimmen 泳ぐ(s, h)	schwamm	geschwommen		schwömme/ schwämme
schwören 誓う	schwor	geschworen		schwüre/ 稀 schwöre
sehen 見る	sah	gesehen	ich sehe du siehst er sieht	sähe
sein ある, 存在する	war	gewesen	直説法現在　接続法 I ich bin　sei du bist　sei[e]st er ist　sei wir sind　seien ihr seid　seiet sie sind　seien	wäre
senden 送る	sandte/ sendete	gesandt/ gesendet		sendete
singen 歌う	sang	gesungen		sänge
sinken 沈む(s)	sank	gesunken		sänke
sitzen 座っている	saß	gesessen		säße
sollen …すべきである	sollte	gesollt/ sollen	ich soll du sollst er soll	sollte

不 定 詞	過去基本形	過 去 分 詞	直説法現在	接 続 法 II
sprechen 話す	spr**a**ch	ge**sproch**en	ich spreche du sprichst er spricht	spräche
springen 跳ぶ(s, h)	sprang	gesprungen		spränge
stechen 刺す	st**a**ch	ge**stoch**en	ich steche du stichst er sticht	stäche
stehen 立っている	stand	gestanden		stünde/ stände
stehlen 盗む	stahl	gestohlen	ich stehle du stiehlst er stiehlt	stähle/ 稀 stöhle
steigen 登る(s)	stieg	gestiegen		stiege
sterben 死ぬ(s)	starb	gestorben	ich sterbe du stirbst er stirbt	stürbe
stoßen 突く(h); ぶつかる(s)	stieß	gestoßen	ich stoße du st**ö**ßt er st**ö**ßt	stieße
streichen なでる	strich	gestrichen		striche
streiten 争う	stritt	gestritten		stritte
tragen 運ぶ	trug	getragen	ich tr**a**ge du trägst er trägt	trüge
treffen 出会う	traf	getroffen	ich treffe du triffst er trifft	träfe
treiben 駆りたてる	trieb	getrieben		triebe
treten 踏む(h); 歩む(s)	tr**a**t	getreten	ich trete du trittst er tritt	träte
trinken 飲む	trank	getrunken		tränke
t<u>u</u>n する, 行う	t**a**t	get**a**n		täte

不定詞	過去基本形	過去分詞	直説法現在	接続法 II
verderben だめになる (s); だめにする (h)	**verdarb**	**verdorben**	ich verderbe du verdirbst er verdirbt	verdürbe
vergessen 忘れる	**vergaß**	**vergessen**	ich vergesse du vergisst er vergisst	vergäße
verlieren 失う	**verlor**	**verloren**		verlöre
wachsen 成長する (s)	**wuchs**	**gewachsen**	ich wachse du wächst er wächst	wüchse
waschen 洗う	**wusch**	**gewaschen**	ich wasche du wäschst er wäscht	wüsche
weisen 指示する	**wies**	**gewiesen**		wiese
wenden 向きを変える	**wandte/ wendete**	**gewandt/ gewendet**		wendete
werben 募集する	**warb**	**geworben**	ich werbe du wirbst er wirbt	würbe
werden …になる (s)	**wurde**	**geworden/ 受動 worden**	ich werde du wirst er wird	würde
werfen 投げる	**warf**	**geworfen**	ich werfe du wirfst er wirft	würfe
wiegen 重さを量る	**wog**	**gewogen**		wöge
wissen 知っている	**wusste**	**gewusst**	ich weiß du weißt er weiß	wüsste
wollen 欲する	**wollte**	**gewollt/ wollen**	ich will du willst er will	wollte
ziehen 引く (h); 移動する (s)	**zog**	**gezogen**		zöge
zwingen 強制する	**zwang**	**gezwungen**		zwänge

編者略歴

羽鳥重雄（はとり　しげお）
　1928 年生．1950 年東大文学部独文科卒．独文学専攻
　横浜市立大学名誉教授．
　主要著書「基礎ドイツ語文法」
　主要訳書　ヘディン「ゴビ砂漠横断」

平塚久裕（ひらつか　ひさひろ）
　1930 年生．1953 年東大文学部独文科卒．独文学専攻．
　横浜市立大学名誉教授．

例文活用　ドイツ重要単語 4000（改訂新版）

　　　　　　　　　　　　2003 年 6 月 10 日　第 1 刷発行
　　　　　　　　　　　　2024 年 4 月 15 日　第 17 刷発行

　　　　編　者 ©　　羽　鳥　重　雄
　　　　　　　　　　平　塚　久　裕
　　　　発行者　　　岩　堀　雅　己
　　　　印刷所　　　株式会社三秀舎

発行所　　101-0052 東京都千代田区神田小川町 3 の 24
　　　　　電話 03-3291-7811（営業部），7821（編集部）　株式会社　白水社
　　　　　www.hakusuisha.co.jp
　　　　　乱丁・落丁本は送料小社負担にてお取り替えいたします．

振替 00190-5-33228　　Printed in Japan　　　　　株式会社松岳社

ISBN978-4-560-00490-6

▷本書のスキャン、デジタル化等の無断複製は著作権法上での例外を除き禁じられています。本書を代行業者等の第三者に依頼してスキャンやデジタル化することはたとえ個人や家庭内での利用であっても著作権法上認められていません。

◆ 独和と和独が一冊になったハンディな辞典 ◆

パスポート独和・和独小辞典

諏訪 功[編集代表]
太田達也・久保川尚子・境 一三・三ッ石祐子[編集]

独和と和独が一冊になったハンディな辞典. 独和は新旧正書法対応で, 発音はカタカナ表記. 和独は新語・関連語・用例も豊富. さらに図解ジャンル別語彙集も付く. 学習・ビジネス・旅行にと, どんな場面でも役立つ辞典.
■独和 15000 ＋和独 5000 ＋ジャンル別語彙集 4200
■ 2 色刷 B 小型 557 頁

超入門	清野智昭著 **ドイツ語のしくみ**《新版》 B6 変型 146 頁	言葉には「しくみ」がある. まず大事なのは「しくみ」を理解すること. 文法用語や表に頼らない, 通読できる画期的な入門書.
入門	太田達也著　　【CD付】 **《ニューエクスプレスプラス》ドイツ語** （2 色刷）A5 判 163 頁	ドイツ語の世界は大文字が大活躍. この魅力的なドイツ語の世界を旅してみませんか. 発音と文字から丁寧に解説していきます.
	三瓶愼一著　【CD付】（改訂版） **CDで学ぶドイツ語入門** A5 判 191 頁	語学学習に「語感」の習得は不可欠. 本書は学習者のドイツ語に対する耳を養うために, ドイツ語とはいかなる言葉であるかを解説.
	荻原耕平・畠山寛著 1 日 15 分で基礎から中級までわかる **みんなのドイツ語** （2 色刷）A5 判 231 頁	大きな文字でドイツ語の仕組みを 1 から解説. 豊富な例文と簡潔な表でポイントが一目でわかる. 困ったときに頼りになる一冊. 音声ダウンロードあり.
	中島悠爾・平尾浩三・朝倉巧著（改訂版） **必携ドイツ文法総まとめ** （2 色刷）B6 判 172 頁	定評のある文法書の改訂版. 新正書法に関わる部分を中心に説明文・例文の書換え・差換えを行い, 新たに補遺を追加した.
	岡村りら他著　　【CD付】 **スタート！ドイツ語 A 1** （2 色刷）A5 判 181 頁	「話す」「書く」「聞く」「読む」「文法」の全技能を鍛えていくドイツ語入門書. 全18 ユニット. 音声無料ダウンロードあり.
	岡村りら他著 **スタート！ドイツ語 A 2** （2 色刷）A5 判 190 頁	短い簡単な表現で身近なことを伝えられる. 全世界共通の新基準. 全 14 ユニット. 音声無料ダウンロードあり.

分類	書籍情報	内容
問題集	櫻井麻美著 **書き込み式 ドイツ語動詞活用ドリル** A5判 175頁	動詞のカタチを覚えることがドイツ語学習の基本．よく使う基本動詞，話法の助動詞のすべての活用を網羅した初の1冊．
問題集	尾崎盛景・稲田拓著 （改訂新版） **ドイツ語練習問題3000題** A5判 194頁	基本的なドイツ語をマスターするための問題集．各課とも基礎問題，発展問題，応用問題の3段階式で，進度に合わせて利用可能．
問題集	筒井友弥著 **つぶやきのドイツ語** 1日5題文法ドリル 四六判 237頁	ツイッターから生まれた肩の凝らないドイツ語練習問題集．ひとつのテーマは5日間で完成．ヒントや文法のおさらい付き．全50課．
独検	恒吉良隆編著【CD2枚付】（四訂版） **独検対策4級・3級問題集** A5判 195頁	過去問で出題傾向を分析し，学習のポイントと類題で必須事項をマスターする，ベストセラーの最新版．基本単語1700語付．
独検	岡本順治・岡本時子編著 【CD付】 **独検対策2級問題集**（改訂版） A5判 152頁	出題傾向を分析し，語順，語形成，言い換え，長文読解，会話補充問題に対応した問題集．聞き取り問題対策や付録も充実．
独検	岡本順治・岡本時子編著【CD2枚付】 **独検対策準1級・1級問題集** A5判 240頁	独検の出題傾向を分析し，文法と語彙，長文読解，翻訳問題，聞き取りに対応したドイツ語最高水準問題集．
単語	森泉・クナウプ ハンス・ヨアヒム著 **新 独検対策4級・3級必須単語集** 【CD付】 四六判 223頁	独検4級・3級に必要な基本単語を300の例文で確認．付属CDには各例文のドイツ語と日本語を収録．聞き取り練習も用意．
単語	森涼子著 **造語法で増やすドイツ語** **ボキャブラリー** A5判 143頁	ドイツ語の語彙は，少なめの労力でシステマティックに増やせます．単語を構成する部分の意味を整理して学びましょう．
中級	清野智昭著 **中級ドイツ語のしくみ** 四六判 293頁	大好評の『ドイツ語のしくみ』の著者が，さらなる一歩を目指す人のためにドイツ語上達のコツを伝授．読む文法書！
中級	中山豊著 **中級ドイツ語文法**（新装版） A5判 349頁	基礎から応用まで，学習者の疑問はこの一冊で解消．専門の先生からも高い評価を受ける，日本で最も詳しいドイツ語の文法書．索引付．
中級	田中雅敏著 **中級学習者のためのドイツ語** **質問箱 100の疑問** 四六判 238頁	外国語の勉強はわからないことだらけ．学習者から寄せられた疑問にドイツ語学の先生がやさしく丁寧に答える待望の一冊．